U0924742

百年南开
日本研究文库

中日文学
与文化交流史研究

刘雨珍 著

江苏人民出版社

图书在版编目(CIP)数据

中日文学与文化交流史研究 / 刘雨珍著. --南京：江苏人民出版社，2019.7(2020.4 重印)
(百年南开日本研究文库)
ISBN 978-7-214-23320-2

Ⅰ.①中… Ⅱ.①刘… Ⅲ.①中日关系-文化交流-文化史 Ⅳ.①K203 ②K313.03

中国版本图书馆 CIP 数据核字(2019)第 049489 号

书 名	中日文学与文化交流史研究
著 者	刘雨珍
责任编辑	卞清波
装帧设计	刘葶葶
责任监制	陈晓明
出版发行	江苏人民出版社
出版社地址	南京市湖南路 1 号 A 楼，邮编：210009
出版社网址	http://www.jspph.com
照 排	江苏凤凰制版有限公司
印 刷	江苏凤凰数码印务有限公司
开 本	652 毫米×960 毫米 1/16
印 张	26.5 插页 4
字 数	348 千字
版 次	2019 年 8 月第 1 版 2020 年 4 月第 2 次印刷
标准书号	ISBN 978-7-214-23320-2
定 价	88.00 元

“百年南开日本研究文库”出版说明

2019年南开大学建校百年校庆，作为中国教育史上的大事，当然是值得纪念的。

如何使纪念百年南开的活动具有历史意义？我们很早就开始谋划和筹备。早在2015年春节期间，南开大学日本研究院原院长、教育部人文社会科学重点研究基地南开大学世界近现代史研究中心主任杨栋梁教授，向江苏人民出版社王保顶副总编提起，想以集体展示日本研究院研究成果的形式来纪念南开百年校庆。这一提议得到了保顶同志的大力支持，也得到了研究院各位同事的积极响应。后来经过商讨，编委会一致同意以“百年南开日本研究文库”作为南开日本研究者纪念百年校庆丛书的名称，本文库由江苏人民出版社和南开大学出版社分别出版。与百年校庆相适应，“百年南开日本研究文库”也应该是百年来南开日本研究业绩的展现。为此，编委会确定本文库由以下几个方面的成果构成。

第一，从南开大学创立到抗日战争胜利时期南开的日本研究成果。刘岳兵教授搜集相关文稿四十余万字，编成了《南开日本研究（1919—1945）》。这是一本专题性的南开大学校史资料集，对于研究和总结包括南开大学在内的这一时段中国日本研究的状况和特点，具有重要的史料价值。

第二，新中国建立以来，南开大学成立的实体日本研究机构研究者的成果。实体研究机构包括1964年成立的日本史研究室、2000年实体化的日本研究中心和2003年成立的日本研究院。

第三，1988年组建的南开大学日本研究中心，是以日本史研究室成员为核心，联合校内其他系所相关日本研究者成立的综合研究日本历史、经济、社会、文化、哲学、语言、文学的学术机构。在百年南开日本研究的历史发展中，日本研究中心具有重要的意义。本文库也包括该中心成员的成果。

今后，如果条件成熟，还可以将日本研究院的客座教授和毕业生的优秀成果也纳入这个文库中，希望将本文库建设成为一个开放的、能够充分且全面反映南开日本研究水平的成果展示平台。

在中国百年来的日本研究中，南开占有重要的一席之地。历史的发展和南开的先贤告示我们：日本研究对于中国的发展至关重要。中日关系值得我们认真思考，其经验教训值得认真总结。百年来，南开大学的日本研究者孜孜以求，探寻日本及中日关系的真相，取得了一定的成绩。吴廷璆先生主编的《日本史》（南开大学出版社1994年），是南开大学与辽宁大学两校日本研究者倾注近20年心血合力打造出来的。杨栋梁教授主编的十卷本"日本现代化历程研究丛书"（世界知识出版社2010年）及六卷本《近代以来日本的中国观》（江苏人民出版社2012年），也几乎是倾日本研究院全院之力而得到了学界认可的标志性研究成果。另外，在日本国际交流基金的资助下，南开大学日本研究中心从1995年开始由天津人民出版社出版的"南开日本研究丛书"，展现了中心成员在日本研究各具体专题上的业绩，产生了积极的社会影响。这些成果都是南开日本研究者集体智慧的结晶。

"百年南开日本研究文库"是南开大学日本研究院和南开大学世界近现代史研究中心相关学术成果的集体展示。我们相信，本文库将成为南开大学日本研究和南开大学世界史学科“双一流”建设的又一项标志性成果，她将承载南开精神、贯穿南开日本研究学脉，承前启后，为客观地了解日本、促进中日关系健康发展做出新的贡献；我们也想以此为实现“发展同各国的外交关系和经济、文化交流，推动构建人类命运共同体”的理想，培养全民族的国际视野和情怀，提高广大人民群众的世界历史知识和认识水平，尽我们的一份绵薄之力。

“百年南开日本研究文库”编辑委员会

2019 年 3 月 19 日

目　录

第一编　《万叶集》与中国文学

第一章 《万叶集》总论

《万叶集》是日本现存最早、规模最大的和歌总集，成立于8世纪中后期，为我们展示了一幅古代日本绚丽多姿的美妙画卷，被誉为“日本的《诗经》”。

一、《万叶集》概述

《万叶集》共二十卷，收录上至天皇贵族、下至士兵百姓的4500余首和歌①。关于《万叶集》的编者及编纂时期，日本学界并无定论。一般认为，《万叶集》并非由特定编者一次性编辑而成，而是经过漫长而复杂的编纂过程，最终由大伴家持编成于8世纪中后期的奈良时期（710—794）。

对于《万叶集》书名之含义，日本学界亦是众说纷纭，以下两种观点最具代表：(1)“叶”即“世、代”之意，“万叶”包含着希望此书流传万世的美好愿望。(2)以“叶”喻歌，“万叶”即汇集众多和歌之意。二者各有所据，各执一词。

---

① 和歌亦称“倭歌”，或简称“歌”，相对于汉诗（中国古诗）而言。在古代日本，诗与歌各有所指：诗，为汉诗，作者曰“诗人”；歌，则为和歌，作者曰“歌人”。后来的俳句作者，则曰“俳人”。

就其内容而言，主要分为杂歌、相闻、挽歌三大类。关于杂歌、相闻、挽歌之名的来源，一般认为，杂歌来源于中国《文选》的“杂诗”和“杂歌”，吟咏对象主要是宫廷礼仪、行幸游宴、狩猎旅行、四季风物等，具有与宫廷生活密切相关的公开性质。虽就广义而言，凡不入相闻、挽歌者，皆可归入此类，但《万叶集》将杂歌列于二者之前，可见其地位远高于多表达私人感情的相闻和挽歌。“相闻”一词虽见于中国古代典籍，但用于作品内容的分类，则为《万叶集》所独创。相闻歌主要吟咏男女之间的恋情，也有一些用于表达朋友、亲人之间的感情。根据表现手法的不同，还可分为正述心绪歌、寄物陈思歌、譬喻歌等。其中，正述心绪歌多属直抒胸臆，寄物陈思与譬喻歌则是触景生情、借物抒怀之作。挽歌之名来源于《文选》中的“挽歌诗”，本为挽灵柩时所唱之葬歌，《万叶集》中的挽歌主要是指葬礼上哀悼死者的和歌，也有一些临终遗作和后人缅怀之作。

从形式上看，与后世《古今集》等敕撰和歌集以短歌为主不同，《万叶集》的歌体更为丰富，包括长歌（五七、五七、五七……五七七或五三七）、短歌（五七五七七）、旋头歌（五七七五七七）、佛足石歌（五七五七七七）、连歌（五七五十七七）等。和歌只有字数和句式的规定，而无押韵的要求，如短歌为五七五七七的 31 字（音），长歌则以五七句式反复吟咏，最后以五七七或五三七结束。至于其他歌体的字数要求，如括号中所示。另，短歌又分为两种：一种是独立吟咏的短歌；另一种则是附在长歌之后的反歌，反歌之名据说来源于中国辞赋中的反辞或乱辞。据日本学者统计，《万叶集》共收长歌 265 首、短歌 4207 首、旋头歌 62 首、佛足石歌 1 首、连歌 1 首①。此外，还收录汉诗 4 首、汉文 1 篇以及少量的序文书简等。

由于当时日本尚无自己的文字，日本人只得借用汉字用以记录自己的语言。因此《万叶集》虽然全部以汉字写成，但并非使用纯粹的中国古文，而是充分利用汉字的表音功能，创造出日本独特的“万叶假名”，用以

① 关于《万叶集》的和歌总数，因版本及统计方式不同，日本学界存在着各种学说，其中以 4536 首最为普遍。然据《国歌大观》（松下大三郎、渡边文雄编）中的《万叶集》和歌编号，共计 4516 首，该编号自明治时期使用后，一直沿用至今。

记载日本的固有和歌。《万叶集》的用字非常复杂，经过历代学者的艰苦努力，不断进行注音和解释，训读问题终于得到了基本解决。

值得注意的是，《万叶集》中收录了一首山上忆良的《在大唐时忆本乡作歌》(卷一，63)①，这是日本遣唐使在中国所作的最早和歌，也充分说明《万叶集》与中国文化有着千丝万缕的联系。

二、《万叶集》的分期及主要歌人

《万叶集》收录了自5世纪初期至8世纪中期的约400年间的4500余首和歌，然传为磐姬皇后、雄略天皇、轻太子、圣德太子等人的作品年代并不可信。一般而言，万叶时代的真正开始，应从舒明天皇(593—641)即位算起，日本学界所谓的万叶时期，主要是指自舒明天皇元年(629)至圣武天皇天平宝字三年(759)的约130年间，相当于中国的唐太宗贞观三年至唐肃宗乾元二年，亦即初唐至盛唐的一个多世纪。根据歌风的展开，一般分为以下四个时期：

第一期，自舒明元年(629)至壬申之乱(672)的大约40年间，亦名"初期万叶"。代表歌人为额田王，其他主要歌人有舒明天皇、齐明天皇、天智天皇、有间皇子、倭大后等。

舒明天皇即位后，翌年便向中国派遣首批遣唐使，由此拉开了摄取大唐文化的序幕。大化元年(645)，中大兄皇子(后之天智天皇)联合中臣(后赐姓藤原)镰足发动"乙巳之变"，拥立孝德天皇，翌年颁布改新之诏，效仿隋唐政治体制推行改革，以图建立中央集权律令制国家，史称"大化改新"。

"初期万叶"正好处于"大化改新"前后的政治动荡期，时期与《古事记》《日本书纪》歌谣末期相重合，有些作品仍然继承了日本古代歌谣的集团性、礼仪性、宗教性特色，同时有些作品也开始接受中国文化的影

① "诸君，亟早日本还；大伴御津岸边松，望眼欲穿。"(《万叶集》，赵乐甡译，译林出版社，2002年版，第23页)

响。值得注意的是，和歌至此终与传说分离，作为抒情诗而独立。这个时期的约50首和歌主要收入《万叶集》的卷一和卷二，作者多为天皇及皇族，以额田王最为著名。

额田王，生卒年不详，主要活跃于齐明朝（655—661）及天智朝（662—671）时期。据《日本书纪》载，额田王曾嫁给大海人皇子，生有一女。而据《万叶集》载，额田王后又被天智天皇纳为皇妃。《万叶集》共收录其和歌12首，其中长歌3首，短歌9首。

额田王的和歌题材丰富，风格多样。作为活跃在天皇身旁的御用代作歌人，其作品大多与巡幸、迁都、公宴、殡葬等宫廷活动有关，但也有吟诵思念天皇的个人感情之作。而在作品风格上，既可表达与其御用代作歌人身份相符的庄严激昂之情，有时又表现出其女性特有的纤细优雅。另外，在崇尚中国文化的天智朝，其和歌还深受中国文学的影响。如《万叶集》卷一所收的著名长歌即为其代表：

天皇诏内大臣藤原朝臣，竞怜春山万花之艳、秋山千叶之彩时，额田王以歌判之歌

严冬既已过，春天又复还。
一向未鸣鸟，鸣叫到春山。
一向未开花，吐蕊亦争艳。
怎奈树繁茂，入山捕捉难。
怎奈野草深，欲折手难攀。
秋山则赏叶，红叶摘来玩。
青叶恋故枝，置留亦增叹。
此虽意未惬，吾仍爱秋山。（卷一，16）①

据题词可知，此歌乃天智天皇诏令内大臣藤原镰足，竞怜"春山万花之艳、秋山千叶之彩"之时，额田王以和歌作出的判词。由此可见，此前

① 《万叶集》，赵乐甡译，译林出版社，2002年版，第7—8页。

必先有以汉诗判定春秋优劣之论，或许是胜负未决，需要以和歌来判定胜负，最终这个重任落到了才女额田王的肩上。额田王则不负众望，为我们留下了这首和歌史上的名篇。无论从题词中所显示的以春花秋叶作为自然赞美对象的审美情趣，还是作品中使用的排比手法，都可看出这首和歌深受中国文学的巨大影响。

第二期，自壬申之乱（672）结束至迁都平城京（710）的约 40 年间。代表歌人为柿本人麻吕、高市黑人，其他主要作者有天智天皇、天武天皇、持统天皇、长奥麻吕、志贵皇子等。

672 年 1 月，天智天皇崩于近江宫（今滋贺县大津市），其弟大海人皇子与皇太子大友皇子为争夺皇位展开激战，史称“壬申之乱”。最终大海人皇子取得胜利，迁都飞鸟（今奈良县高市郡明日香村），即位为天武天皇，极力推行以天皇为中心的中央集权制建设，包括颁诏制定律令、编纂国史、制定八色之姓[①]、改定冠位制度等。其后的持统天皇（645—702）继承亡夫遗志，颁布飞鸟净御原令，营造藤原宫。及至文武天皇大宝元年（701），大宝律令终于完成，并于翌年下诏颁行全国，第七批遣唐使也于该年赴唐。和铜三年（710），仿照长安城建造的平城京（今奈良市）建成并迁都，日本古代律令国家的建设宣告完成。

这一时期可谓古代日本国家基础的巩固、充实和繁荣时期。而在文学方面，以持统朝为中心，和歌呈现出一派繁荣景象，皇室赞歌和宫廷挽歌明显增多，特别是柿本人麻吕的长歌雄浑激昂，多用枕词[②]和排比，富有节奏感，歌唱高昂的时代精神。而高市黑人的羁旅歌则寂寥空灵，表现出时代的另一个侧面。此外，各级官员也都竞相创作和歌，其间情形，正如《续日本纪》文武天皇大宝元年朝贺时所载：“文物之仪，于是备矣。”

柿本人麻吕，生卒年不详，曾仕于天武、持统及文武三朝，日本和歌史上最伟大的歌人，在《古今集》序中被尊为“歌圣”。

---

① 天武十三年（684）制定，分别为真人、朝臣、宿弥、忌寸、道师、臣、连、稻置八种。

② 枕词：日本古代韵文的一种修辞手法，冠于某词之前，起着修饰后续词或调整音节的作用，多为五音节构成的固定词组。

柿本人麻吕活跃在天武朝及持统朝日本国家意识高涨之际，高唱“大王乃神”（卷三，235）的赞歌，将长歌创作推向高峰。其作品构思宏伟，雄浑厚重，格调高雅，用词华丽。从内容方面来看，主要有仪礼赞歌、相闻长歌以及殡宫挽歌三种，尤以后两种独具特色。一方面在内容、修辞、结构等方面积极摄取中国文学的丰富养分，另一方面又将和歌中的枕词和序词①等修辞手法运用熟练，收放自如，代表了和歌创作的最高水平。《万叶集》中最早出现的柿本人麻吕的著名长歌（《近江荒都歌》）即为其中代表：

过近江荒都时柿本朝臣人麻吕作歌

亩傍山橿原，圣代传至今。
所生历代皇，于此天下临。
不知何所思，竟然舍大和。
更越奈良山，到此近江国。
地本处鄙远，大津建宫殿。
迁此乐浪地，治理天下焉。
闻知皇宫址，此地乃殿堂。
春草繁且茂，春阳笼霞光。
昔日宫阙在，一见心悲伤。（卷一，29）②

就内容而言，该长歌可以分成三段：第一段颂扬日本第一代神武天皇定都橿原的历史。橿原位于奈良盆地亩傍山的东南方向，据《日本书纪》载，神武天皇自九州开始东征，最终来到大和。此后，历代天皇以大和为中心，统治着天下四方。接着作者笔锋一转，开始叙述天智天皇迁都近江的情形，是为长歌的第二段。虽然天智天皇不顾周围反对，毅然迁都，但苦心经营的近江大津宫仅维持了五年多，壬申之乱（672）中毁于

① 序词：日本古代韵文的一种修辞手法，为引出某一词句而置于该词句前，并起修饰作用。它比枕词长，由一个或多个句子组成。

②《万叶集》，赵乐甡译，译林出版社，2002年版，第12—13页。

战火，获胜的天武天皇翌年又将首都迁回大和，近江沦为荒都，只留下一片废墟，令人生叹。第三段描写柿本人麻吕在废墟所目睹的凄惨情景，虽说宫殿遗址尚在，但早已是春草繁茂，霞雾茫茫，目睹此物此景，人麻吕终于发生“一见心悲伤”的慨叹。《近江荒都歌》是日本和歌史第一首以荒都为题材的文学作品，具有很高的文学价值。

第三期自迁都平城京（710）至天平五年（733）的 20 余年间。代表歌人为山部赤人、高桥虫麻吕、大伴旅人、山上忆良，其他主要歌人有笠金村、车持千年、小野老等。

和铜三年（710），元明天皇迁都平城京（今奈良市），是为奈良时代的肇始。养老元年（717），第八批遣唐使赴唐。中经元明、元正两代女帝，圣武天皇即位后恢复天皇行幸，由此涌现出笠金村、山部赤人、车持千年等从驾歌人。而在远离京城的九州，形成了以大伴旅人和山上忆良为中心的筑紫文学圈，积极摄取来自大陆的最新文化。随着大伴旅人和山上忆良于天平三年（731）及天平五年（733）相继去世，万叶第三期亦宣告结束。

这个时期，日本古代国家体制日趋完备，同时贵族之间钩心斗角不断，使得律令制矛盾深化。表现在文学方面，则属个性化发展时期。其中，山部赤人以描写清新优美的自然风貌见长，高桥虫麻吕则在传说的世界里展示出浪漫情怀。大伴旅人将人生情趣化，追求老庄风雅；山上忆良则将社会矛盾及生活苦难咏入和歌，并显示出散文的风格。他们的作品风格不一，各有千秋，使得这一时期在文学创作上呈现出百花齐放、个性纷呈的繁荣景象。其中最具代表的歌人是山上忆良。

山上忆良（660—733），曾任遣唐使少录，于 702 年赴唐，回国后历任东宫侍讲、筑前国守等，编有《类聚歌林》七卷，为《万叶集》编纂时的重要参考资料，惜乎散佚不存。《万叶集》收录山上忆良和歌共计 78 首，其中长歌 11 首，短歌 66 首，旋头歌 1 首。另有汉文 3 篇，汉诗 2 首，表现出作者所具有的丰富教养以及深刻的思想内涵。其长歌多附有用骈体汉文写的长序，亦可见其汉文修养之深。

山上忆良对和歌的重要贡献，主要在于将抒情和歌发展成思想和歌，作品少抒情而多叙事、多思索，被称为社会派歌人。与其他万叶歌人不同，山上忆良并无歌咏自然和恋爱之作，其作品主要是咏叹生老病死和人生的苦恼，愤慨于社会贫富的悬殊和苛捐重税对平民的压迫（如《贫穷问答歌》），并痛切地吐露对妻子家人的真挚思念（如《思子等歌》）。

一般说来，《万叶集》中多恋歌，但山上忆良却多吟诵家庭之间的亲情，另外，《万叶集》少佛教色彩，而山上忆良却将佛教哲理融于和歌的创作之中。因此，山上忆良在整个日本和歌史上占据着非常特殊的地位。下面这首《思子等歌》即为其代表作之一。

思子等歌并序及短歌

释迦如来，金口正说，等思众生，如罗喉罗。又说，爱无过子。至极大圣，尚有爱子之心。况乎世间苍生，谁不爱子乎。

食瓜思子女，
食栗更动心，
尔等缘何来，
合眼面影亲。
频现不离去，
辗转难安寝。（卷五，801）

反歌
金银贵，玉价高；
无如我儿女，
最是宝中宝。（卷五，802）①

这首长歌原文只有短短的九句，乃《万叶集》中最短的长歌之一，其主题就是对子女的爱。序文中引用佛典，说明人人皆有爱子之心，就连

① 《万叶集》，赵乐甡译，译林出版社，2002年版，第191页。

佛祖也不例外。罗喉罗(梵文 Rahula),系释迦牟尼出家前之子,后为佛祖十大弟子之一。另外,反歌中的"金银玉"即典出佛经中的七宝,盖指金、银、琉璃、玛瑙、珍珠、珊瑚等物。当然,这种父母对子女的爱,大千世界,芸芸众生,古往今来,概莫能外!但如山上忆良那样在作品中反复吟诵者,并不多见。因此,这首《思子等歌》已成日本文学史上的千古名篇,其中短歌尤为历代日本人所传诵。

第四期,自圣武天皇天平六年(734),至淳仁天皇天平宝字三年(759)的约 25 年间。代表歌人为大伴家持,其他主要作者有大伴坂上郎女、汤原王、笠女郎、田边福麻吕、大伴坂上大娘等。

这一时期,是天平文化的成熟期,圣武天皇及光明皇后皆醉心于大唐文化。但在繁荣的表象背后,产生于前朝的阴影日益浓重,停滞的气氛已无法掩饰,前后出现了藤原广嗣之乱(740)、橘奈良麻吕之乱(757)等。由于疫病流行,天灾人祸不断,圣武天皇频繁迁都,并开始笃信佛教,天平十三年(741),诏令各国建立国分寺、国分尼寺。天平十八年(747),诏令铸造东大寺庐舍那大佛,天平胜宝四年(752),举行隆重的大佛开光仪式。翌年,鉴真随第十次批遣唐使抵达日本,并于次年在东大寺登坛授戒。此前,圣武天皇已让位于女儿阿倍内亲王(孝谦天皇),自称三宝奴,法号胜满。

文学方面,以大伴家持为代表的这一时期堪称万叶和歌的一个高峰。和歌开始趋向兴趣上的唯美雅致,技巧上的精工娴熟,并在孤独中发现纤细的幽情。

大伴家持(718? —785),大伴旅人之子,曾任内舍人、宫内少辅、越中国守、参议、中纳言、陆奥按察使持节东征将军等。《万叶集》收录大伴家持和歌 479 首,其中长歌 46 首,短歌 432 首,连歌 1 首,为集中所收作品最多者。

大伴家持 16 岁开始步入和歌世界,青春时期与笠女郎、大伴坂上大娘等众多女性常有和歌赠答,且多以恋歌为主。中年时期的大伴家持以其在越中国(今富山县)任国守的丰富阅历,留下了超过 300 首的庞大作品。《万叶集》卷十七至卷二十，主要按照年月日顺序，收录了后期大伴家持及其周边人物的作品，日本学界称之为大伴家持的“和歌日志”或“和歌日记”。

一般认为，大伴家持的代表作是作于天平胜宝五年（753）二月的下列三首：

二十三日，依兴作歌二首

暮春临春野，缭绕霞起；
伤心对残照，
更兼黄莺啼。（卷十九，4290）

屋前细竹，聚生丛群；
风起微音过，
簌簌又黄昏。（卷十九，4291）

二十五日作歌

春日明丽，云雀飞啼；
独自沉思处，
中心添悲戚。（卷十九，4292）①

这三首咏唱春愁的和歌具有高度的抒情性，其中渗透的忧郁及孤独感与现代人息息相通，被称为“绝唱三首”。如题“依兴作歌”所示，三首作品皆为大伴家持即兴抒情之作，其中细细沁出的阴郁、感伤，既哀且怨的情感以及如微风中嫩竹轻曳般的细微变化，将和歌传统中的细腻抒情发展到了极致。由大伴家持确立的这种纤细哀怨歌风，成为后期万叶和歌的典型代表，并对《古今集》等王朝贵族和歌产生了深远影响。

天平宝字三年（759）元旦，大伴家持在因幡（今鸟取县）国厅宴请部

① 《万叶集》，赵乐甡译，译林出版社，2002年版，第815页。

属，吟咏了一首饱含瑞雪兆丰年的祝福歌（卷二十，4516）①，《万叶集》由此落下帷幕。

《万叶集》的作者十分广泛，既有天皇、皇妃、皇子、贵族，也有士兵、农民、乞丐、妓女，几乎囊括当时日本各阶层人物。除了上述著名歌人以外，《万叶集》中还有一半以上属于作者不详的无名氏作品，其中最为著名者为"东歌"和"防人歌"。

"东歌"是流传在日本本州东部的民歌，收录于卷十四，共计 230 首。它们大多以爱情为主题，不但语言纯朴自然，而且利用各种劳动场景作为比、兴等艺术手段，使这些民歌表现得情趣盎然，富于浓厚的地方特色和生活气息。有些歌还表达了不畏父母横暴干涉、对爱情忠贞不二的感情。

"防人歌"即远赴九州的戍边兵士之歌，主要收录于卷十三、十四及卷二十，共计 98 首。这些歌反映了在古代天皇制下被迫别父母、抛妻子，兵士远戍边疆的凄苦哀怨之情，有些作品还保留浓厚的地方方言，具有纯情、质朴的风格。

此外，《万叶集》还收有不少反映古代社会各方面生活的作品，如集中收录了 2 首《乞食者歌》、3 首《行路死人歌》，就反映了底层百姓的心声。

（本文收入教育部中文学科教学指导委员会组编，王立新、黎跃进主编：《外国文学史》（东方卷），高等教育出版社，2013 年版，第 98—106 页。）

① "新年伊始，初春；今日瑞雪重重降，事事尽吉祥。"《万叶集》，赵乐甡译，译林出版社，2002 年版，第 861 页。

第二章　额田王《思近江天皇作歌》与宫怨诗

一、前言

额田王有长歌3首、短歌9首共计12首和歌(另有1首重复出现的和歌)收录于《万叶集》中,其作品创作年代自孝德朝、齐明朝延及持统朝,被公认为名副其实的万叶初期代表歌人。然现存12首作品中,有11首收录于卷一、卷二,也就是"古歌卷"中,并呈现出宴会歌等创作于公共场合的和歌的特点,而她唯一"可以得知个人情感"①的作品,是收录于卷四的《额田王思近江天皇作歌》:

待君来,恋思正涌;
房门垂帘忽掀动,
竟是秋风。(卷四,488)②

---

① 中西进:《额田王论》,收入《中西进万叶论集》第一卷《万叶集的比较文学研究》(上),讲谈社,1995年版,第139页。

②《万叶集》,赵乐甡译,译林出版社,2002年版,第133页,下同。原歌汉字表记如下:「君待登　吾恋居者　我屋戸之　簾動之　秋風吹」,日文训读如下:「君待つと　我が恋ひ居れば　我が屋戸の　簾動かし　秋の風吹く」,小岛宪之、木下正俊、东野治之校注・译:《万叶集》(一),新编日本古典文学全集6,小学馆,1994年版,第279页。

众所周知，此歌后一首收录的是下面的《镜王女作歌》：

能将风恋，堪羡；
至少可待风来，
又有何叹。(卷四，489)①

此外，虽然汉字表记稍有不同，在卷八《秋相闻》开篇(卷八，1606—1607)，上述两首和歌几乎以相同形态再次收录。② 可以想见，在奈良时代的人们看来，此歌作已经是公认的脍炙人口的优秀作品了。

当然，这种具备王朝之美的作品，不仅是创作年代，甚至关于真正的作者也有诸多说法，总是包含着难于判断的因素。若从《思近江天皇作歌》这一题目判断，应为额田王思念近江天皇(即天智天皇)之作，却不似"蒲生野"之歌(卷一，20)可以断定具体的创作年代。同时，自古以来在赏析时都将此二首和歌视为额田王与镜王女之间的唱和之作③，然而唱和的对象并非近江天皇，却是镜王女，这一点又令人不解。故伊藤博将此二首和歌看作是由后世之人假托创作，并做出论断称："在类似王朝闺怨情思的宫廷歌风中，飘荡着一种实在无法认为是属于《万叶集》的，尤其是属于极为初期的作品的感觉。这种不可思议的感觉，只有认为这两首和歌并非两位女王亲作，而是奈良时代其他人假托为之，才可解释。"④梶川信行针对此歌也指出："不应将其视为身在发声为歌的世界里的七世纪歌人额田王的作品，而应视之为 8 世纪固定下来的文字世界里的歌

① 《万叶集》，赵乐甡译，译林出版社，2002 年版，第 133—134 页。原歌汉字表记如下：「風乎太尓　恋流波乏之　風小谷　将来登時待者　何香将嘆」，日文训读如下：「風をだに　恋ふるはともし　風をだに　来むとし待たば　何か嘆かむ」，小岛宪之、木下正俊、东野治之校注・译：《万叶集》(一)，新编日本古典文学全集 6，小学馆，1994 年版，第 279 页。

② 原歌汉字表记如下：「君待跡　吾恋居者　我屋戸乃　簾令動　秋之風吹」(卷八，1606)、「風乎谷　恋者乏　風乎谷　将来常思待者　何如将嘆」(卷八，1607)，日文训读同卷四 488 及 489，小岛宪之、木下正俊、东野治之校注・译：《万叶集》(一)，新编日本古典文学全集 6，小学馆，1994 年版，第 357 页。

③ 近年刊行的成果有身崎寿：《额田王：万叶歌人的诞生》，塙书房，1998 年版；多田一臣：《额田王论 万叶论集》，若草书房，2001 年版等。

④ 伊藤博：《万叶集释注》(二)，集英社，1996 年版。

人额田王的歌作。”①

事实上就额田王系近江天皇妃子这一事实，史书中全无记载。众所周知，与额田王相关的历史记录唯有一例，也就是见于《日本书纪》卷二十九天武二(673)年二月条中的“天皇初娶镜王女额田姬王，生十市皇女”②。正因为如此，梶川信行将《日本书纪》中记载的“额田姬王”，由《万叶集》编者创出的“额田王”，还有鉴赏史上经后世之人手创造出的“额田王”加以区别对待，鉴于万叶初期史料稀少，在额田王的研究上，种种实像与虚像相互交错乃是实情。③

当然，对于上述伊藤博的“后世假托说”，也有反论称：“决定性的根据完全不存在。”④相比假托之说，众多研究者似乎更致力于阐明和歌本身的表现特色。⑤ 下面本文就对额田王《思近江天皇作歌》在表现手法上的特点，从与宫怨诗的关联方面进行解读，提出与现有诸多说法不同的若干拙见。

二、先行研究再考

这首和歌的大意是：“等待你出现，我心正思恋，此时秋风吹动我家的门帘”。如中西进所述，“制造出纤细的感觉，是‘帘’与‘吹拂的秋风’”⑥，奠定和歌整体氛围的关键词恰恰就是“帘”与“秋风”。古泽未知男也早有如下论述：“创意及其表现手法实在让人觉得极富中国色彩。实际上与其在中国诗文中可以看到许多用例相反，我国当时的文献中未

① 梶川信行：《被创造出来的万叶歌人：额田王》，塙书房，2000年版，第196页。

② 小岛宪之、直木孝次郎、西宫一民、藏中进、毛利正守校注・译《日本书纪》(三)，新编日本古典文学全集6，小学馆，1998年版，第348页。

③ 参见梶川信行：《三位额田王》(载《国文学 解释与鉴赏》62卷8号，1995年)、《被创造出来的万叶歌人：额田王》(塙新书，2000年版)等。

④ 身崎寿：《额田王：万叶歌人的诞生》，塙书房，1998年版，第115页。

⑤ 参见平馆英子：《额田王论》(收入《讲座 万叶的歌人与作品》(第一卷)，和泉书院，1999年版)、多田一臣：《额田王论 万叶论集》(若草书房，2001年版)等。

⑥ 中西进：《万叶集》，鉴赏日本古典文学3，角川书店，1976年版，第130页。

见一例”[①]，这两首和歌具有以往的日本文学中所没有的崭新之处，为阐明整首和歌的含义，仍应从“帘”与“秋风”的意象与中国古典文学之间的关联予以考察。以下先对主要的先行研究稍加整理。

众所周知，率先提出该和歌与中国文学具有关联者，乃江户时期国学家契冲的名著《万叶代匠记》，其中先对额田王的和歌做出如下论述：

> 「簾動かし秋の風吹く」即念君到来之心，闻动帘秋风之音，亦思量此乃君来也。又《河图帝通记》云：“风者，天地之使也。”和汉共言风之使，则咏「君を我が恋ひ居れば」，心相通，秋风如君之使，吹帘动欤。[②]

对接下来的镜王女和歌则指出：“云此风者，使也。风者，天地之使也。陆士衡《拟古诗》云：惊飚褰反信。”[③]

契冲的论述揭示了两首和歌与中国文学之间的关系，从这一点上说是很重要的，但很难称之为严格意义上的“出典论”。这是由于注记部分的“风者，天地之使”，乃唐代李善注释《文选》卷十三宋玉《风赋》中的“夫风，天地之气”时，所引用的纬书《河图帝通纪》中的句子[④]，与额田王所属年代不符。此外，现存《河图帝通纪》的逸文是“风者天地之使，故恶风所起之方，必有暴兵”[⑤]，主要是基于汉代流行的将自然现象与国家命运相连的谶纬思想。

近代以来，率先将此歌与中国文学关联起来进行论述者是土居光知。他以《文选》卷二十九杂诗上收录的张茂先《情诗》中的“清风动帷帘，晨月照幽房。佳人处遐远，兰室无容光”的诗句为依据推测：“应受到某种暗

---

① 古泽未知男：《从汉诗文引用所见的万叶集研究》，樱枫社，1966 年版，第 167 页。

② 引自契冲：《万叶代匠记》初稿本。《河图帝通记》中“记”字为“纪”之误，原文如此。

③ 引自精撰本：《契冲全集(第二卷)：万叶代匠记》，岩波书店，1973 年版，第 302—303 页。

④ 原文如下：“《河图帝通纪》曰：风者，天地之使也。”萧统编，李善注：《文选》，中华书局，1977 年版，第 190 页。

⑤ 安居香山、中村璋八编：《重修纬书集成(卷六)：河图・洛书类》，明德出版社，1975 年版，第 102 页。“风者天地之使”这一表现形式，亦见于该书第 97 页《龙鱼河图》中。

示。"对接下来的镜王女和歌，也指出曹子建的《七哀诗》(《文选》卷二十三)等"或为其源泉"，称"感觉两女王似在竞技将汉诗改写为和歌的技巧"。①

其后，小岛宪之在张华的《情诗》以外，又举出了如下例子：

秋风入窗里，罗帐起飘扬。
仰头看明月，寄情千里光。
(《玉台新咏》卷十《秋歌》)②

昭昭素月明，晖光烛我床。
忧人不能寐，耿耿夜何长。
微风吹闺闼，罗帷自飘扬。
(《文选》卷二十七《乐府·伤歌行》)③

夜相思，风吹窗帘动，言是所欢来。
(《乐府诗集》卷第四十六《华山畿》)④

并论述称："也许在吟咏失宠的陈皇后的司马长卿《长门赋》(《文选》第十六)等情景中，与额田王的和歌有一脉相承之处。"⑤

另外对中国的六朝、隋及初唐时代的种种类似表现形式也有介绍，总而言之，土居举出的张茂先《情诗》与小岛宪之举出的《华山畿》似乎已经固定成为其中具有代表性的意见。例如小学馆新编日本古典文学全集本《万叶集》中，对此和歌注释曰：

---

① 引自土居光知：《比较文学与万叶集》，载《万叶集大成(第七卷)：样式研究篇·比较文学篇》，平凡社，1954年版，第249—250页；后收入土居光知：《古代传说与文学》，岩波书店，1960年版。

② (陈)徐陵编，(清)吴兆宜注、程琰删补，穆克宏点校：《玉台新咏笺注》(上)，中华书局，1985年版，第481页。

③ 萧统编，李善注：《文选》，中华书局，1977年版，第389页。

④ (宋)郭茂倩：《乐府诗集》(二)，中华书局，1979年版，第670页。

⑤ 小岛宪之：《上代日本文学与中国文学：以出典论为中心的比较文学考察》(中)，塙书房，1964年版，第896页。

歌境与六朝闺怨诗相通，意趣与“夜相思，风吹窗帘动，言是所欢来”（《清商曲辞·吴声歌·华山畿》）相近。①

岩波新日本古典文学大系本《万叶集》以及有斐阁《万叶集全注》卷四、卷八也基本上沿袭了上述说法。

这些先行研究提示了额田王的和歌与中国文学之间的关联性，从该意义上来说都是极富启发性的意见。但细读上述两首汉诗，须注意到其与额田王的和歌稍有不同。

首先，张茂先（即张华）《情诗》共有五首，本诗为第三首，是《文选》卷二十九《杂诗上》和《玉台新咏》卷二均有收录的著名作品。

清风动帷帘，晨月照幽房。
佳人处遐远，兰室无容光。
襟怀拥灵景，轻衾覆空床。
居欢惕夜促，在戚怨宵长。
拊枕独啸叹，感慨心内伤。②

该诗大意如下：清风袭来，吹动帐子和窗帘，黎明的月光照进房间深处。丈夫出了门，现在人在远方，所以房间里不见他那伟岸的身影。只能在心里装着那个虚幻的影子，只有薄褥子盖在没有丈夫的床上。从前和丈夫欢聚在一起时，总是惋惜夜晚的短暂，然而分别之后，在为独枕而忧愁的现在，夜晚的漫长则让人怨恨。独自一人抚摸着枕头，唉声叹气，内心唯为孤寂之思而伤痛不已。

诗第二句的“照”、第五句的“襟怀拥灵景”、第七句的“惕夜促”、第八句的“在戚”、第九句的“拊枕”、第十句的“感慨”，在《玉台新咏》卷二中分别作

① 小岛宪之、木下正俊、东野治之校注·译：《万叶集》（一），新编日本古典文学大系 6，小学馆，1994 年版，第 279 页。

② 萧统编，李善注：《文选》，中华书局，1977 年版，第 417—418 页。

“烛”“衿怀拥虚景”“惜夜促”“在蹙”“抚枕”“绵绵”。① 虽然两书可以找出些许文字上的不同，但整体的内容都是由“佳人”（指丈夫）出远门而哀叹不得相见贯穿起来的。可以说，是站在现在的视角上，吟咏一直思念正在出门人在远方的丈夫的女性形象的作品。与之相比，额田王的和歌在前半的“待君来，恋思正涌”，描写的是至今以来一直都在思念“君”的情感，后半的“房门垂帘忽掀动，竟是秋风”，显示的是季节持续到了秋天，也就是时间的推移，整体上是站在从过去到现在的视角上吟咏而成的。因此，“清风动帷帘”中的“清风”不能与额田王歌中的“秋风”等同而论。

同样，前述《乐府诗集》卷第四十六《华山畿》诗中，在描写时也让人认为风是“所欢”，也就是恋人的到来，而此处亦作“‘风’吹窗帘动”，并未作“秋风”。同时，根据《乐府诗集》引用的《古今乐录》所述，《华山畿》是女性回忆一直爱慕自己而后丧命的男性的连续作品，共有二十五首，上面引用的是其中的第二十三首。

如上所见，从上述两诗作中的确可以看到与额田王的和歌具有相似之处，但同时也不能忽视它们各自存在着不同点。就连出典论大家小岛宪之也未曾断言这些诗作即出典，而是说：“从语句的相似性而言，虽难说其定是源泉，但‘佳人秋风里’中所包含的优雅歌风，应该可以看作是从六朝诗中习得的吧。其中可得见以近江朝廷为中心的文学氛围。”②因此有必要拓展视野，对此和歌中“帘”与“秋风”这两个新元素的接受情况进行深入考察。

三、“帘”与宫怨

首先来看“帘”。《说文解字・竹部》有“帘，堂帘也。从竹廉声”；《倭名

① 全诗如下：“清风动帷帘，晨月烛幽房。佳人处遐远，兰室无容光。衿怀拥虚景，轻衾覆空床。居欢惜夜促，在蹙怨宵长。抚枕独吟叹，绵绵心内伤。”（陈）徐陵编，（清）吴兆宜注、程琰删补，穆克宏点校：《玉台新咏笺注》（上），中华书局，1985年版，第80—81页。

② 小岛宪之：《上代日本文学与中国文学：以出典论为中心的比较文学考察》（中），塙书房，1964年版，第896页。

类聚抄》卷六《屏障具》有"帘(音廉、须太礼①),编竹之帷也"。按《万叶词语事典》的解释:"'簀十垂'之意。把竹子或芦苇、麻等用线绳粗略编成的东西。一年四季均可用于隔断物品或者遮挡阳光。"②但关于"帘"的用例并不见于《古事记》与《日本书纪》之中,《万叶集》中唯一的用例也只有这首和歌(卷八·1606为重复出现)。另可见"小帘"用法3例,"垂帘"1例。

(1) 珠帘栊间,孤独望;
对此夜月,
无意观赏。(卷七·1073)③

(2) 垂挂小珠帘,
请君穿隙间;
来若阿母问,
告以风掀。(卷十一·2364)④

(3) 户垂小珠帘,入门难;
虽然寝不得,
也愿君往还。(卷十一·2556)⑤

三首和歌在"小帘"前都缀有枕词"玉垂"。对此,小学馆新编日本古

---

① "须太礼"三字表音,日语读作「すだれ」(译者注)。

② 青木周平等编:《万叶词语事典》,大和书店,2001年版,第45页。所谓"帘"为"簀十垂"之意,是由于日语中"簀"读作「す」,动词"垂"读作「たる」。"帘"读作「すだれ」,即将"簀""垂"合在一起,表示竹簀垂下来的意思(译者注)。

③ 原歌如下:「玉垂の　小簾の間通し　ひとり居て　見る験なき　夕月夜かも」。小岛宪之、木下正俊、东野治之校注·译:《万叶集》(二),新编日本古典文学全集6,小学馆,1995年版,第187页。

④ 原歌如下:「玉垂の　小簾のすけきに　入り通ひ来ね　たらちねの　母が問はさば　風と申さむ」。小岛宪之、木下正俊、东野治之校注·译:《万叶集》(三),新编日本古典文学全集6,小学馆,1995年版,第169页。

⑤ 原歌如下:「玉垂の　小簾の垂簾を　行きかちに　眠は寝さずとも　吾は通はせ」。小岛宪之、木下正俊、东野治之校注·译:《万叶集》(三),新编日本古典文学全集6,小学馆,1995年版,第216页。

典文学全集本《万叶集》头注解释如下：

> “玉垂”是将大量穿孔的珠子穿起来垂下而形成的奢华帘子，作为雅词使用，修饰同位语“小帘”。①

也就是说，把这些用例中的“玉垂の小簾”理解成汉语词“珠帘”的和语译词应该并无大碍。

上述三歌中，(1) 是卷七杂歌部收录的《咏月十八首》中的第五首，描写了透过帘子望月独坐的女性形象，可以认为她是一直在等待男子到来的女性，(2) 和(3) 都是收录于卷十一古往今来相闻歌部中的和歌，前者为旋头歌，后者归类于“正述心绪歌”。(2) 中为了不让母亲察觉，把通过帘子的夹缝进来的恋人比作风，(3) 也把“户垂小珠帘”当作障碍物来描述。诚如注释所述，“说的是就像住宅等入口处有门帘很碍事一样，由于母亲等人戒备森严，因此男子不能潜入”②，可认为其与前者意趣相同。这是因为，上述三例中的“小帘”均是作为描写男女恋爱的意象登场的。

此外在上代文学中，关于“帘”一词的用例还可从《怀风藻》中的纪古麻吕七言《望雪》诗里得见，也仅有一例。

> 垂拱端坐惜岁暮，
> 披轩褰帘望遥岑。③

然而此处描写的是在年末之时打开窗户、撩开窗帘、眺望远处重山积雪时的姿态，不用说，和在《万叶集》中给人的恋歌的印象是不同的。

其实与额田王和歌中“帘”相关的注释，在诸注本里甚少得见，因此，岩波新日本古典文学大系本《万叶集》的注释是十分重要的。

---

① 小岛宪之、木下正俊、东野治之校注・译：《万叶集》(二)，新编日本古典文学全集 6，小学馆，1995 年版，第 187 页。

② 小岛宪之、木下正俊、东野治之校注・译：《万叶集》(三)，新编日本古典文学全集 6，小学馆，1995 年版，第 216 页。

③ 小岛宪之校注：《怀风藻・文华秀丽集・本朝文粹》，日本古典文学大系 69，岩波书店，1964 年版，第 93 页。

“帘”也有像“玉垂の小簾”(1073)等歌中提到的把小珠子穿起来形成的东西，其乃“织珠为帘”(《西京杂记》二)，也就是对中国的珠帘的模仿。一边等待“君”的到来，同时看帘随风动，这种意趣也可以看作是对六朝闺怨诗的模仿。①

这里阐述了“玉垂の小簾”很可能是接受了汉籍中的“珠帘”并加以变化而来的。如果按题词解释，装饰了如此华丽的帘子的“我が屋戸”，便不是同为额田王作品的“秋野刈草苫棚顶，忆起当年宿在，宇治都，那草棚”(卷一，7)②一歌中所说的“草棚”，应该理解成是作为天皇的妃子生活的、一直等待天智天皇到来的后宫。由此可以称其为显示与宫怨诗之间关联性的关键词，而以下试对中国文学中“帘”的用例加以考察。

关于中国文学中“帘”的起源虽然不确定，但“帘”字在《诗经》《楚辞》等中并不得见，可以推断在秦代以前并未得到相当程度的普及。进入汉代以后，如《汉书・外戚传下》中有“严持箧书，置饰室帘南去”，方才在文献中登场。最著名的一例当属见于相传系西汉末期刘歆所撰《西京杂记》卷二中的如下用例：

汉诸陵寝以竹为帘，皆为水纹及龙凤之像。昭阳殿织珠为帘，风至则鸣如珩珮之声。③

《西京杂记》是关于西汉一朝的杂事的记录，上至皇帝、后妃、诸侯逸事，下至风俗、逸闻、杂事、传说等，收录了丰富多彩的故事。依其记载，西汉时期帝王陵中使用竹帘，装饰水纹以及龙凤图案。与之相对，昭阳殿使用珠帘，风吹时发出玉一般的响声。值得注意的是，在这里便早早地出现了“帘”与“风”的组合。

---

① 佐竹昭广、山田英雄、工藤力男、大谷雅夫、山崎福之校注：《万叶集》(一)，新日本古典文学大系 1，岩波书店，1999 年版，第 327 页。

② 原歌如下：「秋の野の　み草刈り葺き　宿れりし　宇治のみやこの　仮廬し思ほゆ」，小岛宪之、木下正俊、东野治之校注・译：《万叶集》(一)，新编日本古典文学全集 6，小学馆，1994 年版，第 28 页。

③ 刘歆撰：《西京杂记》，上海古籍出版社，1991 年版，第 45 页。

昭阳殿是汉成帝和受宠的赵飞燕姐妹居住的宫殿，是荣耀与宠爱的象征。装饰“珠帘”，自然说明了住在宫殿里的女性的高贵，同时在这个特殊的空间里，不断地重复着女性们之间围绕皇帝宠爱的激烈争斗。如同后文将会提到的那样，败在这场争斗中的班婕妤创作了《怨诗》，是为中国宫怨诗之滥觞。宫怨诗，不言而喻，是宫中女性感慨天子之爱衰，也就是描写宫中女子怨情的作品。

后世的宫怨诗的代表作，首先当举谢朓著名的《玉阶怨》（《玉台新咏》卷十）。

夕殿下珠帘，流萤飞复息。
长夜缝罗衣，思君此何极。①

如题目《玉阶怨》所象征的那样，该诗是描写住在用玉石装饰而成的台阶之上的宫中女子的忧愁之作。住在垂着珠帘、萤火交相飞舞的秋日长夜的宫殿里，一边缝制衣服一边“思君”的宫廷女性形象，在诗中被描写得淋漓尽致。

诸如此类的宫怨诗直至后世传承不绝，唐代的李白也以《怨情》（《全唐诗》卷一百八十四）为题，留下了如下名作：

美人卷珠帘，深坐颦蛾眉。
但见泪痕湿，不知心恨谁。

这首诗也完美地抓住了卷动珠帘、颦眉落泪的宫中女子的姿态，但和上述作品相同，与其说是把“珠帘”作为宫殿里的高档装饰品描写，倒不如说是作为宫怨诗中不可或缺的意象之一来吟咏的。

四、“秋风”与怨诗

下面继续对本首和歌中另一个关键词“秋风”进行考察。“秋风”在

---

① （陈）徐陵编，（清）吴兆宜注、程琰删补，穆克宏点校：《玉台新咏笺注》（上），中华书局，1985年版，第488页。

记纪歌谣未有涉及，是《万叶集》率先提出的元素，集中共吟咏了 57 处。根据辰巳正明的统计，“通过可以明确作者的作品进行考察，这些吟咏秋风的和歌在时代上都是比较新的歌作，作者未详者也是集中于卷十季节歌群，暗示代表新时代的高雅之风的可能性，”对额田王吟咏的“秋风”则称，“如此早地便出现在《万叶集》中，是因为汉文学所带来的理解”。① 进而，辰巳先生对于《万叶集》中的这些吟咏秋风的和歌，指出它们的特点在于“是对旅途中遇到的秋风的寒冷进行吟咏，或是作为秋天的优美景物来吟咏，而不见秋日的悲情”，称将“秋风”作为表现秋天这个季节的景物来描述，可以认为是与七夕相结合而来的，是七夕诗促成了七夕歌中的“秋风”。② 对其中的藤原宇合所作和歌：

等卿到几时，盼相会；
见面应今日，
秋风，已然吹。（卷八 · 1535）③

指出“明显是站在女性的立场上等待男子到来的和歌”，认为具有闺怨诗的特点，并提出“额田王的秋风歌也可以认为是她站在男性的立场上，吟咏等待中的女性形象的闺情诗”④。

对此“秋风”应该如何理解，自古以来都是争论的焦点。甚至可以说，在某种意义上，各家围绕额田王本首和歌的解释主要是围绕“秋风”展开的。古泽未知男、身崎寿、井手至对各家的说法进行了细致的整理，大致可以分类如下：

---

① 辰巳正明：《秋风之歌——悲秋与闺情》，收入辰巳正明：《万叶集与中国文学》（第二），笠间书院，1993 年版，第 489—490 页。

② 辰巳正明：《秋风之歌——悲秋与闺情》，收入辰巳正明：《万叶集与中国文学》（第二），笠间书院，1993 年版，第 490—491 页。

③《万叶集》，赵乐甡译，译林出版社，2002 年版，第 334 页。

④ 辰巳正明：《秋风之歌——悲秋与闺情》，收入辰巳正明：《万叶集与中国文学》（第二），笠间书院，1993 年版，第 491 页。

(1) 前兆说

(2) 风使说

(3) 错觉说

(4) 景趣说①

当然,这些都是权宜上的分类方法,在古泽与身崎之间也可以看到对具体说法在分类上的区别。另一方面,井手指出中国六朝时代的闺怨诗中多有"吟咏风无常吹动,哀叹不能与爱慕的人见面的内容",以及"女人位于'秋风'吹过的闺房,沉浸于对爱恋的思考,感叹不能与丈夫相见"②的作品,并注意到下面的《寄月》歌与额田王的歌作结构近乎一致:

我恋君,心灰意正冷;
秋风已起,
月已西倾。(卷十,2298)③

这里也把"秋风"作为女性焦急等待男子的意象来把握。井手称:"额田王和歌结句的'竟是秋风',也在表达含蓄却沁人心脾的秋风之意的同时,让人感到其中散发着一种对或不能再见天皇驾临的悲叹之情。在此可以指出,额田王'秋风'的用法,其源头可以看作是六朝时代闺怨诗中的'秋风',在时代上也是最早受到了中国闺怨诗的影响。"④当然,也如井手先生指出的那样,中国的闺怨诗基本上并不将晃动帷帘的秋风作为与丈夫相聚的前兆描写。

事实上,虽然上述诸多现有说法中未曾涉及,但中国自汉代固定下来的"秋风"意象是和更为重要的印象结合在一起的,甚至称其即解读宫怨诗中极为重要的关键词也不为过。

① 参见古泽未知男:《从汉诗文引用所见的万叶集研究》、身崎寿《额田王:万叶歌人的诞生》以及井手至《秋风之叹》(收入《游文录 万叶篇一》,和泉书院,1993年版)等。

② 井手至:《秋风之叹》,收入井手至:《游文录 万叶篇一》,和泉书院,1993年版,第260—261页。

③《万叶集》,赵乐甡译,译林出版社,2002年版,第460页。

④ 井手至:《秋风之叹》,收入井手至:《游文录 万叶篇一》,和泉书院,1993年版,第264页。

首先来看一下收录于《玉台新咏》卷一中的班婕妤《怨诗》及序。

新裂齐纨素，鲜洁如霜雪。
裁为合欢扇，团团似明月。
出入君怀袖，动摇微风发。
常恐秋节至，凉风夺炎热。
弃捐箧笥中，恩情中道绝。①

序曰："昔汉成帝班婕妤失宠，供养于长信宫。乃作赋自伤，并为怨诗一首。"据《汉书·外戚传下》的记载，班婕妤乃汉成帝即位时中选的妃子，因才貌双全，起初颇得宠于成帝，也受到皇太后的爱护。然而，后来赵飞燕、赵合德姐妹夺得了成帝的宠爱，因恐自身危险，退居于长信宫，侍奉太后，孤寂度日。当时创作的便是著名的《长信宫赋》以及这首《怨诗》。只是《汉书》仅收录了《长信宫赋》，并未收此《怨诗》。

本诗大意如下：新撕了一块齐国产的白绢，制成了一把形如满月的团扇。这柄团扇总从你的怀里或袖子里拿出来、放进去，每次挪动时都会扇起微风。然而令我担心的是，当秋风吹起，凉风夺去炎热之时，我自己便如秋日里的团扇一般，会被扔进箱子里，你的恩情也会到此为止。

从本因优良的材质和花纹而受到喜爱但至秋风时节便遭丢弃的团扇的命运中，女子看到了自己的影子，借由此诗发出感慨。以该诗为契机，"秋风"与"团扇"作为宫怨诗中的重要元素，稳固地立于之后的中国文学史上。当然，这里吟咏的"凉风"，和"秋风"的意思完全相同。

《文选》卷二十七《乐府上》中也有收录，题作《怨歌行》，而卷三十一《杂拟下》(《玉台新咏》卷五)所收江文通《杂体诗三十首》中，其三载拟《班婕妤(咏扇)》诗作。

① (陈)徐陵编，(清)吴兆宜注、程琰删补，穆克宏点校：《玉台新咏笺注》(上)，中华书局，1985年版，第26页。

纨扇如圆月，出自机中素。
画作秦王女，乘鸾向烟雾。
采色世所重，虽新不代故。
窃愁凉风至，吹我玉阶树。
君子恩未毕，零落在中路。①

该诗也以上述班婕妤《怨诗》为蓝本，吟咏了秋风吹起后被丢掉的团扇的命运，大意如下：白色绢布扎成的团扇形同圆月一般，它是用织机中的白绢制作出来的。上面画着秦穆公的女儿弄玉与丈夫萧史同骑鸾鸟，飞向烟雾缭绕的天空。美丽的色彩虽为世人所看重，但即便是新品也不应取代旧物。我所担忧的，是秋风吹来，会不会也吹到我玉阶上的树呢？这样一来，会不会在皇帝的恩宠还没有结束的时候，我却像团扇一样被抛弃了呢？

从诗题及整体内容上可得知，本诗系前文言及的班婕妤《怨诗》的拟作，这一点一目了然。尤其是在“窃恐凉风至”到“零落在中路”的末四句中，保留了浓重的沿袭痕迹。

如梁简文帝所吟“秋风与白团，本自不相安”（《怨诗行》，收入《玉台新咏》卷七）那样，原本是毫不相关的“秋风”与“白团（团扇）”，在班婕妤《怨诗》问世以后紧密地联系到了一起，几乎变成了固定搭配。比如《乐府诗集》卷四十二《相和歌辞・楚调曲中》，继班婕妤《怨诗行》之后，还收录了曹植、傅玄、梁简文帝、江淹、沈约、庾信、虞世南、李白等人的同题作品，并且接下来，陆机、梁元帝、刘孝绰、孔翁归、何思澄、王淑英妻沈氏、何楫等六朝时代人们所作的同题诗《班婕妤》（一曰《婕妤怨》）也收录在卷四十三《相和歌辞・楚调曲下》，表明在当时此题材多次为人所吟咏。此外，将典故咏入诗中的例子也很多见。在此从井手至论文中也提到的诗里举出一例，比如王僧儒的《秋闺怨》（《玉台新咏》卷六），具体如下：

① 萧统编、李善注：《文选》，中华书局，1977 年版，第 444 页。

斜光隐西壁，暮雀上南枝。
风来秋扇屏，月初夜灯吹。
深心起百际，遥泪非一垂。
徒劳妾辛苦，终言君不知。①

从题目《秋闺怨》便可得知，本诗描述的是女子秋日里的闺怨，至于第三句“风来秋扇屏”，不用说，是承袭了前述班婕妤《怨诗》的说法。

诚如梶川信行所述：“在《万叶集》中，通常是‘秋风’吹‘冷’，并且不是期待男子到来般的意象”，这意味着额田王的和歌“很可能是暗示着男子已经许久不至了”。② 若进一步推测，可以认为额田王此歌与其解作丈夫到来前兆之说，或是眼前的景趣之说，不如看作是对一味等待天智天皇的到来却总不能实现的悲叹，是作为宫中女性的怨情进行描写的。

五、结语

以上试对额田王《思近江天皇作歌》中担任最重要意象角色的“帘”与“秋风”，从与中国的宫怨诗之间的关联角度进行了若干考察。根据本文的解读，可以认为此歌描写了持续等待天智天皇到来的处于“宫怨”之中的额田王形象，歌中吟咏的“秋风”是对天智天皇迟迟不来所发出的感慨，应理解为其表达了作为宫中女子所具有的怨情。借用井手至的说法，是可以认为这首和歌“在时代上也是最早受到了中国闺怨诗的影响”的。

众所周知，近江朝从制度、文物等方面开始，都在摄取中国文化上十分积极。《怀风藻》序里记载了当时努力整顿制度、鼓励文艺的情景，即便多少有一些夸张的部分，也确在一定程度上传达了历史事实。遗憾的是，由于壬申之乱，很多作品散佚，使得在今天的研究中资料方面十分不

① (陈)徐陵编，(清)吴兆宜注、程琰删补，穆克宏点校：《玉台新咏笺注》(上)，中华书局，1985 年版，第 244 页。
② 梶川信行：《被创造出来的万叶歌人：额田王》，塙书房，2000 年版，第 199 页。

足。尽管如此，可以断言的是，活跃于近江王朝的额田王，在从代替他人创作到以自己个人名义创作的过程中，的确吸收了中国文学中丰富的要素。和歌的创作在万叶初期这一开端时刻，便已经对中国文化进行了积极的摄取，这一点在思考以后的日本文学以及日本文化上，可谓具有极为深刻的意义。

（原文为日文，题为「額田王の『思近江天皇作歌』と宮怨詩」，收入梶川信行编：《初期万叶论》，日本上代文学会研究丛书，笠间书院，2007 年版，第 275—293 页，钟薇芳译。）

第三章 论大伴旅人《赞酒歌》中的“猿”

一、前言

大宰帅大伴卿赞酒歌十三首①

(1) 无谓之思,思之何益;
一杯浊酒,
饮之自适。(卷三,338)②

(2) 所以称酒,以圣为名;
古之大圣,
其言巧成。(卷三,339)③

① 以下汉译据赵乐甡译:《万叶集》,译林出版社,2002年版,第95—97页。

② 原文汉字表记如下:「験無 物乎不念者 一坏乃 濁酒乎 可飲有良師」,日语训读如下:「験なき 物を思はずは 一坏の 濁れる酒を 飲むべくあるらし」。小岛宪之、木下正俊、东野治之校注・译:《万叶集》(一),新编日本古典文学全集6,小学馆,1994年版,第207页,下同。

③ 原文汉字表记如下:「酒名乎 聖跡負師 古昔 大聖之 言乃宜左」,日语训读如下:「酒の名を 聖と負せし 古の 大き聖の 言の宜しさ」。

(3) 曩昔曾有,竹林七贤;
其所欲者,
酒而盈坛。(卷三,340)①

(4) 高谈阔论,自作聪明;莫如饮酒,
醉泣涕零。(卷三,341)②

(5) 无言从之,无术为之;
极贵之物,
非酒莫属。(卷三,342)③

(6) 不为英杰,宁为酒壶;
有酒其中,
常浸肚腹。(卷三,343)④

(7) 貌似贤良,其丑不堪;
不饮酒者,细看如猿。(卷三,344)⑤

(8) 贵虽宝珠,其价难数;

---

① 原文汉字表记如下:「古之　七賢　人等毛　欲為物者　酒西有良師」,日语训读如下:「古の　七の賢しき　人たちも　欲りせしものは　酒にしあるらし」。小岛宪之、木下正俊、东野治之校注・译:《万叶集》(一),新编日本古典文学全集6,小学馆,1994年版,第208页,下同。

② 原文汉字表记如下:「賢跡　物言従者　酒飲而　酔哭為師　益有良之」,日语训读如下:「賢しみと　物言ふよりは　酒飲みて　酔ひ泣きするし　優りたるらし」。

③ 原文汉字表记如下:「将言為便　将為便不知　極　貴物者　酒西有良之」,日语训读如下:「言はむすべ　せむすべ知らず　極まりて　貴きものは　酒にしあるらし」。

④ 原文汉字表记如下:「中々尓　人跡不有者　酒壷二　成而師鴨　酒二染嘗」,日语训读如下:「なかなかに人とあらずは酒壷になりにてしかも酒に染みなむ」。

⑤ 原文汉字表记如下:「痛醜　賢良乎為跡　酒不飲　人乎熟見者　猿二鴨似」,日语训读如下:「あな醜　賢しらをすと　酒飲まぬ　人をよく見ば　猿にかも似る」。

怎能抵挡，
浊酒一壶。（卷三，345）①

（9）夜光宝珠，不能解忧；
莫如饮酒，
宽心消愁。（卷三，346）②

（10）人世之间，优游途多；
开心之处，
醉哭最乐。（卷三，347）③

（11）此生当乐，来世任之；
即或虫鸟，
我亦变之。（卷三，348）④

（12）生者终当，一死了之；
此生此世，
亟当乐之。（卷三，349）⑤

---

① 原文汉字表记如下：「価無　宝跡言十方　一坏乃　濁酒尓　豈益目八方」，日语训读如下：「価なき　宝といふとも一杯の　濁れる酒に　あにまさめやも」。小岛宪之、木下正俊、东野治之校注・译：《万叶集》（一），新编日本古典文学全集 6，小学馆，1994 年版，第 208—209 页，下同。

② 原文汉字表记如下：「夜光　玉跡言十方　酒飲而　情乎遣尓　豈若目八方」，日语训读如下：「夜光る　玉といふとも　酒飲みて　心を遣るに　あにしかめやも」。

③ 原文汉字表记如下：「世間之　遊道尓　洽者　酔泣為尓　可有良師」，日语训读如下：「世の中の　遊びの道に　かなへるは　酔ひ泣きするに　あるべくあるらし」。

④ 原文汉字表记如下：「今代尓之　樂有者　来生者　虫尓鳥尓毛　吾羽成奈武」，日语训读如下：「この世にし　楽しくあらば　来む世には　虫に鳥にも　我はなりなむ」。

⑤ 原文汉字表记如下：「生者　遂毛死　物尓有者　今生在間者　楽乎有名」，日语训读如下：「生ける者　遂にも死ぬる　ものにあれば　この世なる間は　楽しくをあらな」。

(13) 无为不言,可自为贤;
怎及饮酒,
醉泣心宽。(卷三,350)①

《万叶集》卷三所收大伴旅人(665—731)的十三首《赞酒歌》,从不同于记纪歌谣的视角来歌颂酒,作为独特的存在而受到瞩目。尤其是十三首和歌中,或多或少都可看到中国古典的影响,以出典论为中心的研究,已取得丰硕成果。例如,小岛宪之指出"心やる""この世""来む世""濁れる酒""古の七の賢しき人""価なき宝""夜光る玉"等词,分别为"遣闷、遣情、消闷""现世""来世""浊酒""七贤人""无价宝珠""夜光之璧"等的译词②;又如,辰巳正明考证"賢しら"一词即汉籍所言"贤良方正"中"贤良"一语的译词③。此类研究,自不必说,进一步加深了我们对《赞酒歌》的中国古典引用意识的理解。然而,对于第七首和歌中,将貌似贤良的不饮酒之辈比作猿猴加以嘲讽,围绕其出典,历来众说纷纭,悬而未决。拙稿欲就其与中国文学的关联,对"猿"的出典进行若干考察。

二、"猿"之历来诸说

在介绍第七首和歌的先行研究之前,有必要先对日本上代文献中关于猿的意象稍作梳理。因猿在《万叶集》里仅在该首和歌中出现过一次,故还需讨论《古事记》《日本书纪》《风土记》中的用例。日本上代文学中,将猿猴表记为"猿""猨""猕猴"等汉字,下文将以此为中心进行考察。

---

① 原文汉字表记如下:「黙然居而　賢良為者　飲酒而　酔泣為尓　尚不如来」,日语训读如下:「黙居りて　賢しらするは　酒飲みて　酔ひ泣きするに　なほ及かずけり」。小岛宪之、木下正俊、东野治之校注・译:《万叶集》(一),新编日本古典文学全集6,小学馆,1994年版,第210页。

② 小岛宪之:《上代日本文学与中国文学:以出典论为中心的比较文学考察(中)》,塙书房,1964年版,第931页。

③ 辰巳正明:《贤良——大伴旅人论》,载《上代文学》第34号,1974年4月。后收入辰巳正明:《万叶集与中国文学》,笠间书院,1987年版。中文版收入辰巳正明著,石观海译:《万叶集与中国文学》第二编"大伴旅人与中国文学"第一章"贤良",武汉出版社,1997年版。

日本最早有关猿猴的记载，并非日本本国文献，而是见于中国著名的史书《三国志》魏书·东夷传·倭人条（日本简称《魏志》倭人传）。书中介绍倭国风俗之后，亦对倭国物产有详细介绍。所列物产多为植物，动物则仅有"猕猴""黑雉"两种。尽管如此，从其记述可知，猿猴的确早就在日本列岛繁衍生息。

不过，《古事记》中猿猴只出现于神名、人名之中。如《古事记》、《日本书纪》中均有名为"サルタヒコ"的神，《古事记》用汉字表记该神名为"猿田毘古神"，《日本书纪》则表记为"猿田彦大神"，两者名义、属性不明处颇多。又如，天宇受卖命（《日本书纪》作天钿女命）的远祖猿女君，据说其名亦源于"サルタヒコ"。

《日本书纪》可见数处有关猿猴的记载，而对于猿猴与预言的关联性，尤其集中于皇极纪中。如，皇极纪二年冬十月戊午条有曰：

> 戊午，苏我臣入鹿独谋，将废上宫王等，而立古人大兄为天皇。于时有童谣曰：
>
> 小猴子在岩石上烤米，
> 山羊老翁啊，
> 吃了这烤米再走吧！①

注曰："苏我臣入鹿，深忌上宫王等威名，振于天下，独谟僭立。"即是说，苏我入鹿废除上宫王等人，欲立古人大兄为天皇时，这首歌谣被当做山背王覆灭的前兆歌谣，为世所流传，此处是将"小猴子"比作"苏我入鹿"。

另，皇极纪三年六月乙巳条可见如下记述：

> 乙巳，志纪上郡言，有人于三轮山见猿昼睡，窃执其臂，不害其身。猿犹合眼歌曰：

---

① 日文歌谣如下：「岩の上に　小猿米焼く　米だにも　食げて通らせ　山羊の老翁」，坂本太郎、家永三郎、井上光贞、大野晋校注：《日本书纪》下，日本古典文学大系68，岩波书店，1967年版，第248—251页。

> 盼望站在对面山峰的男子，
> 用他柔软的双手，
> 抓住我的手。
> 究竟是谁在用粗糙皲裂的手，
> 用这粗糙皲裂的双手，
> 抓住我的手啊！
>
> 其人惊怪猿歌，放舍而去。此是经历数年，上宫王等为苏我鞍作围于胆驹山之兆也。[①]

此处猿猴所咏之歌，成为寓意上宫王等覆灭的政治前兆。

又，皇极纪四年正月条，可见将猿猴与伊势神宫联系起来的记述：

> 四年春正月，或于阜岭，或于河边，或于宫寺之间，遥见有物。而听猴吟。或一十许。或廿许。就而视之，物便不见，尚闻鸣啸之响。不能获睹其身。（旧本云，是岁，移京于难波。而板蓋宫为墟之兆也。）时人曰，此是伊势大神之使也。[②]

山丘、河边、宫殿等，到处可遥见其形，亦可遥闻其声，但走近一看，却不见其影。此事《旧本》中以为是板蓋宫成为废墟的前兆，但据“时人”所言，此猴乃是伊势大神的使者。这被解释为“伊势大神预言国家重大事情”[③]，且与前例皇极纪三年六月条的记载一并认为是表示猿猴的一种属性，具有预言的能力。[④]

如上，《日本书纪》可见的三例均是表示猿猴与预言性紧密相连的事例，时而猿猴出现于和歌之中，时而猿猴自己咏歌言志。

除此之外，《日本书纪》《风土记》之中亦可见野生猿猴的数处记载。

---

① 日文歌谣如下：「向つ嶺に　立てる夫らが　柔手こそ　我が手を取らめ　誰が裂手　裂手そもや　我が手取らすもや」，《日本书纪》下，第256—257页。

②《日本书纪》下，第261页。

③《日本书纪》头注，第261页。

④ 山口敦史：《白色“猕猴”与说话的体裁——日本灵异记下卷第24录考》，收入《九州大谷国文》第25号，1996年7月。

十四年秋九月癸丑朔甲子、天皇猎于淡路岛。时麋鹿、猨、猪、莫莫纷纷、盈于山谷。(允恭纪)①

郡南七里、男高里。(中略)自池西山、猪猨大住。(中略)周里有山、椎栗槻栎生、猪猴栖住。(《常陆国风土记》行方郡)②

自郡东北十五里、当麻之乡。(中略)在二神之社、其周山野、栎柞栗柴、往往成林、猪猴狼多住。(《常陆国风土记》行方郡)③

诸如此类,猿猴和其他动物一起出现于山中的记载时有所见。

另,《日本灵异记》下卷第二十四有一则名曰“依妨修行人得猴身缘”的故事,说的是一只白猴作为陀我(多贺)神社的神,进入僧人惠胜的梦中,请求诵唱法华经而得以实现的故事。对此,寺川真知夫和山口敦史曾有卓见,认为这则说话是融合了外来佛教的说话影响和日本本土的土著要素的一则故事。④

关于猿猴的记述,除此之外,《日本书纪》天武四年还有一例,《出云国风土记》有九例,《播磨国风土记》有一例。但不论哪例,都如上述所举例子一样,上代日本文献里可见的有关猿猴的例子,或描述为自然生息的动物,或描述为表示具有预言能力的动物,而描述为激烈嘲笑的对象的动物,却不见一例。

如若这般,则《赞酒歌》中出现的猿猴的特别属性就更应关注。然而,遍翻与《万叶集》相关的注释书,却发现与此相关的说明出人意料的少。其中,如契冲的《万叶代匠记》精撰本有如下说明:

---

①《日本书纪》上,第 447 页。

② 秋本吉郎校注:《风土记》,日本古典文学大系 2,岩波书店,1958 年版,第 56 页。

③《风土记》,第 62 页。

④ 寺川真知夫:《祈求神身脱离的神的传承——外来传承纳入视野》,载《佛教文学》第 18 号,1994 年 3 月;山口敦史:《白色“猕猴”与说话的体裁——日本灵异记下卷第 24 录考》,收入《九州大谷国文》第 25 号,1996 年 7 月。

> 今按，应该和译为：不饮酒之人，细看，或似猴。自作聪明，不喝酒之人，细看似猴，并非人也，乃看似聪明而已。涅槃经曰：天竺人，因蛇似龙、马为宝、猪狗污秽、猴似人之故，而皆不食。此和歌类似李白“但得醉中趣，勿谓醒者传。”①

文中前半部分对整首和歌的意思进行说明，后半部分所引涅槃经中的话，与此和歌中猿猴的意思大相径庭，可以肯定的是这并非其直接出典。

即便是现代注释书，如泽潟久孝的《万叶集注释》也只是对这句话简单解释为“如仔细看，大概与猿猴相似吧！”并不见对猿猴寓意的详细考证。又如《万叶集全注》②，围绕着“与猴相似”的训读进行了详细考证，却未言及猿猴自身寓意的出典论。

当然，也有几篇从猿猴与中国文学的关联性进行考察，并试图探究其出典的论文。

首先，井村哲夫在《大宰帅大伴卿赞酒歌十三首》③中推断：“这首歌中引出猿猴来嘲笑人的想法，或许是从竹林七贤之一的阮籍《猕猴赋》中得到启示。”他在详细分析《猕猴赋》的基础上，暗示了阮籍的《猕猴赋》可能是其出典，文中写道：“针对那一时代和社会的伪善风气，大伴旅人的抵触情绪，与阮籍的《猕猴赋》形成共鸣，这或许是赞酒歌(7) 包含讽刺的原因。”

其次，平山城儿也在《赞酒歌的出典》④中，对猿猴的寓意从各个角度进行了详尽的探讨。并且，他在逐一分析了后汉王延寿的《王孙赋》、晋傅玄的《猨猴赋》及阮籍的《猕猴赋》的基础上，指出虽然阮籍的《猕猴赋》

① 《契冲全集》第2卷，岩波书店，1973年版，第120页。

② 卷三注释者为西宫一民，有斐阁出版，1984年版。

③ 载《万叶集》第123号，1986年2月。后收入井村哲夫：《赤小船：万叶作家作品论》，和泉书院，1986年版。

④ 载青木生子博士颂寿纪念会编：《青木生子博士颂寿纪念论集：上代文学的诸相》，塙书房，1993年版。

“不能说没有进入旅人的视野”，但是更偏向于傅玄的《猨猴赋》，认为“傅玄的《猨猴赋》完备地包含了酒、猿猴、丑陋这三大要素，如果从这方面考虑，我想指出，旅人的第 7 首和歌多少受到了《猨猴赋》的启示。”

又次，浅见徹《与猴相似论》一文①，在分析了《文选》《艺文类聚》等中国典籍里的若干用例的基础上，推测认为比起具体的某个作品，更应该考虑中国文献中多见的“栏中之猿”，他指出：“旅人在这里所吟唱的猿猴，应该认为是如这里举出的中国诗文中的‘栏中之猿’。”

其他还有颇多论文论及《赞酒歌》中猿猴出典者，但大抵说来，上述观点可作代表。这些推断虽皆值得玩味，但缺乏决定性的证据，未能成为学界定论。实际上，加藤清论文《旅人的赞酒歌与忆良的罢宴歌》②对该首和歌先行研究整理得颇为详尽，然关于猿猴的出典，却完全没有触及。

总之，关于此和歌中的猿猴，正如前述平山城儿论文所述：“关于这第 7 首和歌，目前还未见能做出恰当注释的。”③这便是现状。

三、中国文学中“猿猴”的意象——以“沐猴而冠”为中心

《赞酒歌》中猿猴的用例，如果说具有上代文学中其他文献没有特性的话，那这与其说是日本固有的表达，不如说更有可能是源于中国典籍故事。实际上，上文介绍的几个观点，也有谈到与中国文学的关联性的，但遗憾的是还未能成为学界定论。

在此，笔者且提一说，以列己一论。笔者认为，这其中第七首和歌中所咏之猴，应是源自中国文献中频频出现、广为人知的“沐猴而冠”这一典故。

---

① 载《万叶》第 153 号，1995 年 3 月。

② 载《讲座：万叶歌人与作品》第 4 卷《大伴旅人・山上忆良》(一)，和泉书房，2000 年版。

③ 平山城儿《赞酒歌的出典》，收入青木生子博士颂寿纪念会编：《青木生子博士颂寿纪念论集：上代文学的诸相》，塙书房，1993 年版。

笔者管见之内，对此有过论述的，唯有赵乐甡一人。他在《大伴旅人与长屋王之变——以〈赞酒歌〉为中心》[①]中，整理《赞酒歌》先行之说的同时，开陈己见，认为这其中第七首和歌的出典是“沐猴而冠”，并指出：“旅人的本意很清楚，他是要折槛直谏、斥责伪君子、伪善家、阴谋家乃至朝廷中的‘乱臣贼子’”。然而，该文不过是一篇札记类文章，并未详细展开论述。[②] 以下欲以“沐猴而冠”为中心，就中国文学中的猿猴意象稍作整理、分析。

上文平山城儿的论文中也有详细介绍，据荷兰学者高罗佩(Gulik，Robert Hans van，1910—1967)著《长臂猿考》[③]记载，中国的诗文中出现的多数猿猴，大致分为“猴”和“猿”两种。另据中野美代子所言：“自古代至唐朝，被称作猿的是长臂猿，被神秘化；而被称作猴的是猕猴，被卑俗化。”[④]前者“猿”具有代表性的用例，容易让人想起西汉的名将李广。据《史记》李广传：“(李)广为人长，猨臂，其善射亦天性也。”作为弓箭名人而驰名汉土的李广，天生有一双如猿一样的长手。另外，提到猿，中国人很快就会想起古典文学中频出的响彻三峡的猿声，关于这点，松浦友久的《猿声考——诗语与歌语 I》[⑤]中有详细介绍，可参照其研究。以下以“沐猴而冠”的用例为中心，进一步考证。

“沐猴而冠”这一表达，最初见于《史记》项羽本纪。鸿门宴后，项羽错过了诛杀刘邦的绝好机会，此后行动如下：

> 居数日，项羽引兵西屠咸阳，杀秦降王子婴，烧秦宫室，火三月不灭，收其货宝妇女而东。人或说项王曰：“关中阻山河四塞，地肥

---

① 载新潟大学《环日本海研究年报》第 2 号，1995 年 3 月。

② 另，赵乐甡在《万叶集》汉译本中亦指出：“可能借用中国‘沐猴而冠’的典故。见《史记·项羽本纪》，同见曹操诗《薤露》。”赵乐甡译：《万叶集》，译林出版社，2002 年版，第 96 页。

③ 高罗佩(Gulik，Robert Hans van)著，中野美代子·高桥宣胜译：《长臂猿考》，(日)博品社，1992 年版。中文译名亦作：《中国长臂猿——中国动物传说札记》。

④ 平凡社《世界大百科事典》“猿猴”条。

⑤ 初出见于早稻田大学中国古典研究会：《中国古典研究》第 22 号，1977 年 4 月。后收入松浦友久：《私语的诸多相——唐诗笔记》，研文出版，1981 年版。

> 饶，可都以霸。”项王见秦宫皆以烧残破，又心怀思欲东归，曰：“富贵不归故乡，如衣绣夜行，谁知之者！”说者曰：“人言楚人沐猴而冠，果然。”项王闻之，烹说者。①

大意为：鸿门宴后数日，项羽率兵向西，屠咸阳城，杀了秦降王子婴，烧毁了秦的宫室，火烧三月不灭，掠夺了财宝和妇女向东归去。这时，有人向项羽进言说：“关中隔着山河屏障，四方都有要塞，土地富饶，如果在这里定都，可以成就霸业。”项羽见秦的宫室已被全部烧毁，十分残破，心中想着向东回故乡，就说：“富贵不归故乡，就像穿着华美的服饰夜行一般，谁能知道？”进言的人听了，说道：“人说楚国人如沐猴而冠，果然如此。”项羽听了这话，非常生气，将其人烹杀。

文中的“富贵不归故乡”，乃是今日广为流传的一句名言，而后面出现的“沐猴而冠”也对后世的中国产生了极大影响。

首先，关于“沐猴”，《史记》注释书之一的宋·裴骃集解注引张宴之说，“沐猴，猕猴也”，将两者解释为一物。另外，孔颖达《毛诗正义》中对《诗经》小雅·角弓作的疏曰，“母教猱升木，如塗塗附”，并引晋·陆玑的《毛诗草木鸟兽虫鱼疏》如下：

> 猱，猕猴也。楚人谓之沐猴。老者为玃，长臂者为猨。猨之白腰者为獑胡。獑胡、猨、骏捷于猕猴。然则猱猨，其类大同。②

这里也认为猱与猕猴相同，楚人称其为沐猴。但关于为何称之为“沐猴”，并未做说明。明李时珍《本草纲目》记载，“猴好拭面如沐，故谓之沐。而后人讹母为猕，愈讹愈失矣”③，据此可知，因猿猴经常擦拭脸颊，如沐浴一般，故称之为沐猴。后世人讹以沐为母，进而讹以猕为母的发音。另一方面，清·段玉裁的《说文解字》也指出沐猴与猕猴是发音变化而来，曰：“沐猴，猕猴，皆语之转，字之伪也。”总而言之，沐猴与猕猴乃

---

① 司马迁撰：《史记》(一)，中华书局，1959年版，第31页。

② 《毛诗正义》孔颖达疏所引，《十三经注疏》上，中华书局，1981年版，第491页。

③ 《本草纲目》卷51兽部之猕猴条。

同一物。

上文中"沐猴而冠"所骂的对象,不用说就是项羽。但是,从"人言楚人沐猴而冠"这一记录来看,当时这已经是一个广为人知的俗语。《史记》的另一注释书唐·司马贞的索隐曰,"言猕猴不任久著冠带,以喻楚人性躁暴",即认为猿猴性急,不能做到长时间衣冠束带,故以此比喻楚人性格暴躁。《汉书》项籍传也沿袭《史记》这一记述,颜师古注曰,"言虽著人衣冠,其心不类人也",猿猴即便穿着衣服,其心也不似人类。"沐猴而冠"一词到了唐代,已经不能准确把握其本意了。但可以确定的是,这一表达原本是用来激烈嘲笑人的。正因为这样,项羽才将诋毁他的人杀掉。①

顺便指出,《艺文类聚》卷九十五兽部下"猕猴"一条所载的内容,并非引自《史记》,而是引自《汉书》。②

《汉书》中"沐猴而冠"另一个用例,是卷四十五的《伍被传》,淮南王与伍被有以下对话。

> 王曰:"夫蓼太子知略不世出,非常人也,以为汉廷公卿列候皆如沐猴而冠耳。"被曰:"独先刺大将军,乃可举事。"

伍被原本是楚地的策士,因才能出众,淮安王刘安招来做最高地位的策士。刘安平日即有谋反之心,常与伍被商谈谋反的机会,均遭伍被的反对。最后两人都因为谋反罪被杀。

上述对话中,刘安认为:"蓼太子有旷世之才,并非常人。汉朝廷的公卿列候都不过如猿猴著冠一般而已。"对此,伍被力谏道:"如果不先杀大将军(卫青),如何举事?"此处刘安骂了整个汉代朝廷的高官(公卿列候),认为他们都是"沐猴而冠"。

---

①《史记》里仅作"说者",汉书里则作"韩生"。

②《汉书》项籍传记载如下:后数日,羽乃屠咸阳,杀秦降王子婴,烧其宫室,火三月不灭;收其宝货,略妇女而东。秦民失望。于是韩生说羽曰:"关中阻山带河,四塞之地,肥饶,可都以伯。"羽见秦宫室皆已烧残,又怀思东归,曰:"富贵不归故乡,如衣锦夜行。"韩生曰:"人谓楚人沐猴而冠,果然。"羽闻之,斩韩生。

此外,《晋书》卷五十五《张载传》收录了张载的一篇文章《榷论》。文中张载首先指出"贤人君子"要出人头地,先要认清时势。接着,批评了"庸庸之徒"即所谓的凡人,最后强烈批评了"轩冕黻班之士"即所谓的高官们。

> 至如轩冕黻班之士,苟不能匡化辅政,佐时益世,而徒俯仰取容,要荣求利,厚自封之资,丰私家之积,此沐猴而冠耳,尚焉足道哉。

此处,张载激烈地批判了一部分人,这些人虽为身份高的官僚,却不辅佐政治,亦不为世人做贡献,不过一味地取悦他人,以谋求自己的名利,考虑积攒自己的家财,这种人与"著冠之猴"无异,不足与论。

以上是历史书中"沐猴而冠"使用的实例,接着让我们看看曹操有名的《薤露》一诗。①

惟汉廿二世,所任诚不良。
沐猴而冠带,智小而谋强。
犹豫不敢断,因狩执君王。
白虹为贯日,己亦先受殃。
贼臣持国柄,杀主灭宇京。
荡覆帝基业,宗庙以燔丧。
播越西迁移,号泣而且行。
瞻彼洛城郭,微子为哀伤。

《薤露》原本是汉代的挽歌名,曹操借其题咏叹董卓之乱前后的混乱状态。整首诗极为生动地再现了汉末的动乱历史,因此被誉为"汉末实录,真诗史也"(明·钟惺《古诗归》)、"此指何进召董卓事,汉末实录也"

① 《宋书》卷二十一,《乐府诗集》卷二十七作"二十二世"。

(清·沈德潜《古诗源》卷五)[①],后世给予了极高的评价。

诗的前半部分批判何进,后半部分谴责董卓。中平六年(159)汉灵帝驾崩,皇太子刘辨即位。何进的妹妹作为何太后临朝,朝政被宦官张让、段珪等人执牛耳。大将军何进欲一扫宦官,唤军阀董卓进京。但计划败露,何进被宦官所杀。灵帝也被强行带致小平津,随后被董卓带回京。手握国家大权的董卓后废灵帝,新立汉献帝刘协。于是,各地军阀集结讨伐董卓,董卓烧毁都城洛阳,挟汉献帝向西移居长安。在了解了上述历史背景之后,可知全诗的大意如下:

> 汉朝已是二十二代,所任官吏不过徒有其表,何进之辈如猿猴般著帽束带,知识浅薄却想图谋大事。做事优柔寡断,而致少献帝被挟持,白虹贯日这样的不吉现象顿生,他自己也被宦官所杀。而贼臣董卓取而代之握国权,杀少帝太后,灭帝京,颠覆帝业根基,宗庙被烧,帝京西迁长安,洛阳人号哭迁徙。远眺荒废的洛阳城郭,就如那微子唱起麦秀之歌一样,悲伤难耐。

诗的前半部分,曹操批评没有谋虑、优柔寡断的何进,谴责他"沐猴而冠带,智小而谋强"。这里的"沐猴而冠"这一表达,也是嘲笑明明居高位,却招致国家混乱的何进。当然这里添加一"带"字,是为了调整五言诗的韵律。

这一始自秦汉时代传至六朝时代的"沐猴而冠"典故,屡屡被人启用。最初只是对项羽的批判,之后则演变为用于对朝廷高官们的责难。使其更进一步发展的是阮籍的《猕猴赋》。

《猕猴赋》除收录于《阮籍集》之外,《艺文类聚》卷九十五也收录了重要部分。不过,文字颇多相异之处,对此,前文提到的井村哲夫的论文中有详细的校异,故参照之。这里依据陈伯君的《阮籍集校注》,引用如下:

---

① 《古诗源》第一句作"惟汉二十世",自刘邦建国至灵帝刘弘,前后二十二世,故还是"惟汉廿二世"比较恰当。

夫猕猴直其微者也，犹系累于下陈。体多似而匪类，形乖殊而不纯。外察慧而内无度兮，故人面而兽心。性褊浅而干进兮，似韩非之囚秦。扬眉额而骤呻兮，似巧言之伪真。藩从后之繁众兮，犹伐树而丧邻。整衣冠而伟服兮，怀项王之思归。耽嗜欲而眄视兮，有长卿之妍姿。举头吻而作态兮，动可增而自新。沐兰汤而滋秽兮，匪宋朝之媚人。终嗤弄而处绁兮，虽近习而不亲。①

现参照中岛千秋和井村哲夫的译文②，将上文大意解释如下：原本猿猴属于各种兽类中最不起眼的一类，即便如此，也位于人之后列。其体形似人，却非人类。姿态相异并不纯粹。表面看来似乎聪慧，实际上内在并无操守。故，虽有一副人脸，却是兽类。性质褊浅而寻求仕途，如同成为被秦所困的韩非子。扬起眉宇，时而瞠目而视，花言巧语以伪真实。以追随其后的众人为藩而守其身，但这正如砍倒作为与邻居为界的藩的树木，揭邻人的秘密，而丧失其友谊一般。整理衣冠穿上华丽的服饰，心怀如项羽般的心情衣锦还乡。沉湎于欲望暗送秋波之态，如司马相如般艳丽。抬起头扬起嘴角的姿态，愈作态愈成为让人奇异的新姿态。沐浴在兰花浴之中却越发污秽，不及那美男子宋朝。到末了，不过是落人笑柄，虽人在近处，却难以由衷地亲近。③

中岛千秋的研究认为阮籍的《猕猴赋》是“讽刺那些欠缺礼节之人，徒劳地炫耀其才干，取悦居于重要地位的当权者的下场”的一篇文章，“并不能明了具体指代的何人”。

与此相对，陈伯君认为“此文似有讽而作，否则，不至无端为猕猴写照”④，他指出《猕猴赋》为讽刺而作，具体来说是为了感叹曹爽而作。曹

① 陈伯君：《阮籍集校注》，中华书局，1987年版，第43—44页。

② 中岛千秋：《关于阮籍的〈猕猴赋〉》，收入广岛大学：《中国中世文学研究》第5号，1966年3月。井村哲夫上文引论文。

③ 中岛千秋：《关于阮籍的〈猕猴赋〉》，收入广岛大学：《中国中世文学研究》第5号，1966年3月。

④ 陈伯君：《阮籍集校注》，中华书局，1987年版，第43—44页。

爽为三国时代魏国人,受魏明帝宠爱官至大将军,明帝驾崩后,与太尉司马懿一起受遗诏之命辅佐少主。齐王芳即位,曹爽被封为侍中及武安侯,滥用权力。最终司马懿上奏告曹爽有叛逆之心,曹爽一族被灭。其传收录于《三国志》魏书卷九。

陈伯君注意到引用《晋书》高祖宣帝纪及《三国志》曹爽传的《魏氏春秋》,其中有句曰"我不失作富豪翁",他据此有以下推测。

> 曹爽"我不失作富豪翁"之言,与项羽之"富贵不归故乡"何其相似!此亦沐猴而冠耳。疑此文为讽刺或悼叹曹爽而作。[①]

根据陈伯君的观点,因曹爽"我不失作富豪翁"的言论与项羽"富贵不归故乡"的言论非常相似,所以这是讽刺曹爽"沐猴而冠"。实际上,在上文所引的《猕猴赋》中,阮籍在列举猿猴的种种丑态的同时,举了韩非子、司马相如、宋朝等,将项羽作为"整衣冠而伟服兮,怀项王之思归"的衣锦还乡的嘲笑对象进行列举。

《艺文类聚》卷九十五除收录了阮籍的《猕猴赋》("猕猴"条),还收录了东汉·王延寿的《王孙赋》("猕猴"条)、晋·傅玄的《猿猴赋》("猿"条)。《王孙赋》曰,"有王孙之狡兽,形陋而丑仪。颜状类乎老公,躯体似乎小儿",是以王孙的丑态与习性为主来作赋的,从现存的文章来看,这并未赋予深意。《王孙赋》终究只是富有趣味地表现了猿猴的习性,并没有将其与人进行比喻而滑稽化、讽刺化。正如中岛指出的那样,阮籍的《猕猴赋》在表现上,能看到踏袭王延寿的《王孙赋》的部分,但是它将其拓展,进而表现为对人类的讽刺。

另一方面,傅玄的《猿猴赋》也能见部分沿袭《王孙赋》的内容。比如,《猿猴赋》里的"既似老公,又类胡儿",无疑是基于《王孙赋》的上述表达。《猿猴赋》因其全文没有留存下来,故很难清楚断定,但正如其开头部分"余酒酣耳热,欢颜未伸,遂戏猴而从猿"所述,这里描写的是醉酒的

---

① 陈伯君:《阮籍集校注》,中华书局,1987年版,第43—44页。

我戏猴，猿猴做出各种可笑的动作。

由此可见，三者在表现对猿猴的厌恶感的时候，有其共通性和关联性，但从对人类的讽刺和嘲笑上来看，阮籍的《猕猴赋》明显与其他两部作品相异。从表达“外察慧而内无度兮，故人面而兽心”，列举包含项羽等中国历史上的人物为嘲笑对象等方面来看，阮籍的《猕猴赋》应该理解为最明显拓展了“沐猴而冠”这一形象的作品。

四、《赞酒歌》中的“猿”

上文以“沐猴而冠”为中心探讨了中国文学中的猿猴形象。由此可知，“沐猴而冠”这一表达，是从秦朝至六朝屡屡在中国的文献中出现，且大抵作为激烈嘲笑朝廷高官而存在的一种表现。这与《赞酒歌》中揶揄“貌似贤良”的表达是一致的，惯用中国典故的大伴旅人，将其引入和歌之中是极为可能的。

如果将“沐猴而冠”看作《赞酒歌》第七首和歌出典的话，那前面平山城儿论文中提及的几个疑问——即“貌似贤良”究竟是什么样的人？大伴旅人所理解的“貌似贤良”是怎样的一种人？“不饮酒之人”为何与猿猴相似？猿猴为何丑陋？等等一系列问题就容易解答了。

通观《赞酒歌》全十三首，大伴旅人明确表现出对“貌似贤良”的责难、对“醉酒而泣”的肯定姿态。这其中第七首与猿猴相似是嘲笑，即所谓“貌似贤良不饮酒之人”。正如辰巳正明在前述论文中指出的那样，“貌似贤良”是“贤良方正”的“贤良”的译词，原本在中国是作为官吏录用之际，考察其德行的词，但在当时的日本社会实际状态已经是充满伪善。正如井村哲夫所言，“天平时代是在律令制这一法制、礼制上，在大小贵族势力相互对抗下成立的社会，所以不难想象，这其中因循姑息的法制主义者、形式上的礼教主义者、左顾右盼媚俗的出世主义者、保身主义者、巧言令色者等人蔓延开来，大伴旅人的反抗，正是针对这种时代与社会的伪善风气”,可以理解这第七首和歌的嘲笑、讽刺意味。①

又如胡志昂在《赞酒歌论》中指出的那样,闻知长屋王之变的大伴旅人真切地感动悲愤,将“貌似贤良”不知分寸痛骂为猿猴,或许可以看作是藤原武智麻吕和藤原宇合。② 如比照中国“沐猴而冠”的用例,有充足理由认为大伴旅人《赞酒歌》揶揄的对象,是不择手段、执朝政牛耳的藤原氏。

《赞酒歌》的创造年代,据村山出的推断,为天平元年(729)③,很可能在长屋王被藤原氏谋杀事件发生不久之后。实际上,前文赵乐甡的论文就将《赞酒歌》看做是“长屋王之变后,鲜明反映帅之心境的作品”。也正如村山指出的那样,“貌似贤良”作为伪善的最高境界集中体现在长屋王之变中,大伴旅人对大伴一族的前途深感不安,这应该是他作此和歌的契机。④

如上文加藤清介绍的,大伴旅人的《赞酒歌》与山上忆良的《罢宴歌》可以理解为是一系列的和歌群,一种观点认为可以看作大宰府宴会上的作品。例如宫地多贺就在《万叶的动物们》中认为,大伴旅人嘲笑的直接对象是山上忆良之后,有如下论述:

> 山上忆良虽在宴会上中途退席,但不想惹大伴旅人不适,故将妻子儿女带去。但这反倒伤害了大伴旅人的自尊心。大伴旅人也许还在暗自思量:这难道不是应该偶尔忘掉妻子儿女,彻夜畅谈的酒宴吗?你不顾我的感受自己回去?你这装出一副老好人样子的蠢货!你脸简直像个猿猴脸。大伴旅人看到只喝了一点点酒就满脸通红、像猿猴脸一样的山上忆良,忍不住想笑,“快点回去吧”,猿猴调动了它粗心大意的智慧。⑤

---

① 井村哲夫上文引论文。

② 胡志昂:《赞酒歌论》,收入《奈良万叶与中国文学》,笠间书院,1998年版。

③ 村山出:《忧愁与苦恼:大伴旅人与山上忆良》略年谱,新典社,1983年版。

④ 村山出:《大伴旅人论》,收入《研讨会:万叶歌人与作品》第4卷《大伴旅人·山上忆良》(一),和泉书院,2000年版。

⑤ 宮地たか:《万叶的动物们》,溪水社,2001年版,第186页。

但是，正如前文所述，大伴旅人《赞酒歌》十三首，几乎都运用了中国的典故，如果唯独这第七首和歌没有出典的话，实在不自然。并且，可以肯定的是《赞酒歌》全十三首均以激烈的批评精神为基础。从这个意义上来说，这里揶揄为猿猴，与其说是针对山上忆良，不如说是批评以藤原氏为中心的当时的朝廷高官们，这样更为自然。就是说，大伴旅人所用的中国文献中频频出现的"沐猴而冠"这一典故，是在吐露自己的心情吧！

事实上，作为拙论的旁证，大伴旅人的作品中还有一例与猿猴相关的表达。亦即，断肠这一与猿猴相关的词。断肠一词，虽然在今日的中日两国都是惯用表达之一，但实际上在中国文学史上，与断肠相关的最有名的故事，是有关东晋桓温的《世说新语》黜免篇中的如下记述：

> 桓公入蜀，至三峡中，部伍中有得猨子者。其母缘岸哀号，行百余里不去。遂跳上船，至便即绝。破视其腹中，肠皆寸寸断。公闻之，怒，命黜其人。

这个故事对后世的中日两国文学带来极大影响，正如松浦友久《断肠考——诗语与歌语Ⅲ》[①]中所言，据此作为诗语的"断肠"被固定下来。

但松浦友久只是把这"断肠"作为相当于"肠断"的和语"はらわたをたつ""はらわたたゆ"来考虑，以此为前提，在查阅了汇集了从《万叶集》以下，《古今集》到《新古今集》的《国歌大观》(正续)及《夫木和歌集》等与古典和歌相关的索引类之后，认为几乎不见"はらわたをたつ""はらわたたゆ"之类的表达。所以，他断定"从这些检索对象的范围来考虑，可以认为至少从上古到中古到中世的和歌中，原本是几乎不存在的一种表达。"

然而，"断肠"的用例很早就在《万叶集》中出现。那便是出现在大伴旅人有名的《报凶问歌》的序文。

---

① 初出早稻田大学中国古典研究会:《中国古典研究》第 24 号，1979 年 6 月。后收入《诗语的诸多相——唐诗笔记》，研文出版，1981 年版。

神龟五年六月二十三日，大伴旅人上任大宰府不久，妻子大伴郎女亡故，为此他作《报凶问歌一首》，并添加了汉文序。

祸故重叠，凶问累集。永怀崩心之悲，独流断肠之泣，但依两君大助，倾命缠继耳。笔不尽言，古今所叹。

尘世之中，诸凡皆空；
悟知之时，
愈益悲痛。（卷五，793）①

《报凶问歌》常被认为是《赞酒歌》的创作动机之一，且在其后据传是山上忆良之作的长长的汉文序中，可见“兰室屏风徒张，断肠之哀弥痛”的“断肠之哀”的表达。断肠一词，对当时的大伴旅人和山上忆良来说，都是惯用的表达，当然两人不可能不知道其由来。

五、结语

以上对大伴旅人的《赞酒歌》中的猿猴做了若干考察，最后将结论简单总结如下。

首先，为证《赞酒歌》中猿猴的独特性，探讨了《古事记》《日本书纪》及《风土记》中的用例，可得出结论为，上代日本文献中所见的猿猴，或作为自然生息的猿猴描述，或作为具备预言能力的动物描述，不见作为激烈嘲笑对象的。在此基础上，本文调查了与猿猴有关的先行研究，然而很遗憾并没有发现先行研究中找出合适出典的。

其次，文章以中国文学中的猿猴形象，特别是“沐猴而冠”这一表达为中心，进行了考察。始初于《史记》项羽本纪的“沐猴而冠”表达，直至六朝都被频繁使用，其多作为讽刺朝廷高官们的一种表现而被使用，这与《赞酒歌》中的猿猴的用法极为吻合。

又次，以此来分析《赞酒歌》的话，大伴旅人嘲笑为猿猴的对象，被认

---

①《万叶集》，赵乐甡译，译林出版社，2002年版，第187页。

为是不择手段，执朝政牛耳的藤原氏一族一样的高官们。从这个意义上讲，这一系列的《赞酒歌》可以理解为对藤原氏的揶揄和责难。

最后，作为大伴旅人以“沐猴而冠”为典故的旁证，也可以举出《报凶问歌》中曾使用过与猿猴相关的断肠一词。

关于《赞酒歌》与中国文学的关联，尚留有颇多课题，本文仅围绕其中的猿猴意象略陈笔者之见，敬请大方指教。

（原文为日文，题为「大伴旅人の『讃酒歌』における猿について」，载万叶古代学研究所编：《万叶古代学研究所年报》第一期，2003 年 3 月，第 135—139 页，占才成译。）

第四章　乐府诗与《万叶集》

一、前言

在《万叶集》与中国文学的比较研究中，主要的比较对象是《诗经》《文选》《玉台新咏》等，其研究成果丰富，不胜枚举。而从民间歌谣的视角来看，乐府诗与《万叶集》的关系也是不容忽视的。乐府诗在给《万叶集》的方方面面带来深刻影响的同时，二者同为民谣的共通性也清晰可见。本文先就乐府的内容和分类进行介绍，在此基础上对其与《万叶集》的关系作若干考察。

二、乐府的内容和分类

“乐府”这一名称的由来，源于汉武帝（前141—前87在位）时设置的名为“乐府”的宫中音乐机构，其主要目的是搜集整理民间各地歌谣，并培养能够演奏的乐工。也就是说，“乐府”这一机构名称后来演变为所搜集整理的歌谣的名称。《汉书・艺文志》中对乐府的设置及目的记载如下：

自孝武立乐府而采歌谣，于是有代赵之讴、秦楚之风，皆感于哀乐、缘事而发，亦可以观风俗、知薄厚云。

赵国与代国指的是现今河北省与山西省一带，秦国与楚国是陕西省与江南一带，从记述来看，民间歌谣采集的范围应遍及当时的南北各地，带有把握民情的重要政治目的。中国自《诗经》以来，为政者通过采诗这一制度，重视诗歌在政治中扮演的角色，简单说来民谣的采集相当于现在的舆论调查，因此汉、魏的古乐府饱含讽喻精神。

另外，汉魏时代将无名氏所作乐府称为"古乐府"，此后的长时间里，原歌曲调复杂多变，衍生出许多变曲和派生曲。即使同一曲名（乐府题），歌词长短不一致的作品亦不在少数。自魏晋时期起，对民间歌谣感兴趣的文人开始对乐府进行拟作，彼时或直接使用原曲名，或在原曲名前加"代""拟"之类的字，以示拟作。如此同一题材中不断生出新的乐府题。唐以后乐府实际上不再演唱，而是作为古乐府之题所创作的拟古乐府，成为古诗的一种。中唐时，白居易等人以当时的社会矛盾为诗针砭时弊，被称为"新乐府"。因此，乐府诗不仅创作历史长，题材也颇为丰富多彩。由于乐府诗的作者覆盖不同的社会阶层，所以作品涉及社会生活的各方各面。其中不仅有如《东门行》《妇病行》《孤儿行》等吟诵生活之苦的诗歌，也有如《陌上桑》《孔雀东南飞》（又名《古诗为焦仲卿妻作》）等五言长篇叙事诗。特别是后者长达 357 句 1785 字，作为中国第一长篇叙事诗广为传颂。

后来，宋代郭茂倩收集乐府诗，编成《乐府诗集》100 卷，将其分为以下十二类：

① 郊庙歌辞（郊祀和宗庙祭祀等历代国家祭祀的歌辞）

② 燕射歌辞（六朝时代官方宴会的歌辞）

③ 鼓吹曲辞（汉代以后的军歌及仪仗队之歌）

④ 横吹曲辞（汉代以后的笛曲、在马上吹奏）

⑤ 相和歌辞（原为汉代以后的民间歌谣、乐府采集的汉代俗乐

的主要部分）

⑥ 清商曲辞（六朝时代南方流行的民间歌曲，以吴声、西曲为中心）

⑦ 舞曲歌辞（宫廷中演奏的舞乐歌，有雅舞曲和杂舞曲）

⑧ 琴曲歌辞（用琴演奏的歌）

⑨ 杂曲歌辞（上述以外的歌辞，有不少民间歌谣）

⑩ 近代曲辞（隋唐时代的杂曲歌辞）

⑪ 杂歌谣辞（历代的歌谣、童谣、谣谶、谚语等）

⑫ 新乐府辞（唐代诗人的新题乐府诗）

因此，可称为民间歌谣集大成的乐府诗，为我们在与《万叶集》的比较研究时提供了绝好的素材。

三、乐府诗与《万叶集》

鉴于其内容之丰、范围之广，在目前为止的《万叶集》与中国文学的比较研究中，乐府诗也是不可或缺的一环。例如《万叶集》三大分类之一的挽歌，其所占比重之大是人所共知的。其中可视为挽歌之滥觞的《薤露歌》和《蒿里曲》，均为汉朝古乐府（《文选》卷二十八、《乐府诗集》卷二十七等所收）。另外，在用字法方面，有名的戏训“山上复有山”（卷九，1787）的出典《古绝句》亦为汉乐府（《玉台新咏》卷十等所收）。此外，在主题方面，给《万叶集》以深刻影响的《梅花落》《折杨柳》《陌上桑》等均为乐府诗。因此，乐府诗在很多方面都与《万叶集》密切相关。本文以下将以恋爱歌谣为中心，试论乐府诗与《万叶集》的关系。

众所周知，乐府所收录的歌谣中有许多大胆讴歌男女之爱的恋歌。《乐府诗集》卷十六所收《上邪》可以称为其代表作。

上邪，我欲与君相知，长命无绝衰。
山无陵，江水为竭，冬雷震震夏雨雪，

天地合，乃敢与君绝。[①]

这是恋人之间的誓言。女子想与喜欢的男子共度一生，于是指天曰："上邪"，立下誓言。自"山无陵"以下列举了五个现实中不可能发生的事情，申诉二人的爱永远存续。

不论古今中外，男女间爱的誓言是文学永恒的主题。尽管如此，在诗歌题材上，比起爱情更注重友情的中国悠久的诗歌传统中，这种大胆的表现是极其特异的存在，让人感受到生动的民间歌谣的气息。

另外，这种描写男女誓言的语句在《万叶集》中也能见到。

天与地，一旦绝其名；
你与我，
到头不相逢。（卷十一·2419）[②]

由于此歌与前面所述《上邪》的想法是相同的，因此有将前者视为后者的出典、欲承认其间影响关系的说法。[③]

但是，与其这样说不如说把男女之间交换爱情誓词时立天地这一行为看作是人类共通的感情。《万叶集》中有一首歌与前述持有类似想法。

高空明月，一朝失踪；
吾之恋心，
始可停。（卷十二·3004）[④]

---

① (宋)郭茂倩:《乐府诗集》(一)，中华书局，1979年版，第231页。

②《万叶集》，赵乐甡译，译林出版社，2002年版，第477页。原歌训读如下:「天地と　いふ名の絶えて　あらばこそ　汝と我と　逢ふこと止まめ」，小岛宪之、木下正俊、东野治之校注·译:《万叶集》(三)，新编日本古典文学全集6，小学馆，1995年版，第183页。

③ 孙久富:《日本上代的恋爱与中国古典》第六章《〈万叶集〉中恋爱歌的汉诗文出典与汉语词汇的诠索及相似例的对照一览表》，新典社，1996年版。

④《万叶集》，赵乐甡译，译林出版社，2002年版，第544页。原歌训读如下:「ひさかたの　天つみ空に　照る月の　失せなむ日こそ　我が恋止まめ」，小岛宪之、木下正俊、东野治之校注·译:《万叶集》(三)，新编日本古典文学全集6，小学馆，1995年版，第330页。

正因为天地与月的遥远，这些歌都以假想现实中不可能发生的事情立下爱的誓言。作为假想两者是高度一致的，但也不能断言一定就是在中国文学的影响下创作的。

四、双关语的使用

当然，如果全盘否定乐府诗对《万叶集》中恋爱歌谣的影响是不合事实的。此外，以修辞法为中心来看，其中“莲”“丝”等双关语的使用也是典型例子。

众所周知，《乐府诗集》的清商曲辞中收录了许多恋爱诗，特别是集合了江南民谣的吴声（吴地民谣）和西曲（楚地民谣），多使用双关语，让人生动得感受到民谣的气息。与之相关的著作有王运熙教授的《论吴声西曲与谐音双关语》①，详细可参照此书。

此处以辰巳正明教授《乐府清商曲辞的恋爱诗》②中提到的《子夜歌》与《子夜四时歌》为例进行简要论述。众所周知，莲（lian）＝怜（lian），丝（si）＝思（si），碑（bei）＝悲（bei），题（ti）＝啼（ti）等是最具代表性的汉语同音异字双关语。其他类似的双关语不胜枚举。以下列举《乐府诗集》卷四十四中收录的《子夜歌》与《子夜四时歌》中的少数实例。

始欲识郎时，两心望如一。
理丝入残机，何悟不成匹。（《子夜歌》其七）③

寝食不相忘，同坐复俱起。
玉藕金芙蓉，无称我莲子。（《子夜歌》其四十）④

---

① 收入王运熙：《六朝乐府与民歌》，上海文艺联合出版社，1955 年版。后收入王运熙：《乐府诗述论》，上海古籍出版社，1996 年版。

② 收入辰巳正明：《诗的起源——东亚文化圈的恋爱诗》，笠间书院，2000 年版。

③ （宋）郭茂倩：《乐府诗集》（一），中华书局，1979 年版，第 641 页。

④ （宋）郭茂倩：《乐府诗集》（一），中华书局，1979 年版，第 644 页。

朝登凉台上，夕宿兰池里。
乘月采芙蓉，夜夜得莲子。（《子夜夏歌》其八）①

掘作九州池，尽是大宅里。
处处种芙蓉，婉转得莲子。（《子夜秋歌》其十二）②

“莲子”从字面意义上来看是“莲的果实”，同时其双关语“怜子”有“与你相恋”的意思。此种修辞法为后世所继承，《游仙窟》中利用双关语进行交谈的言辞随处可见。

另一方面，《万叶集》中也有许多活用双关语的和歌。首先看其卷七《譬喻歌》中《寄丝一首》一歌。

河内女，手染线；
反复缠，虽是单股，
想必不会断。（卷七·1316）③

这首和歌从字面来看，是“河内的女子，她手染的丝线，不知缠绕多少次，即使是单丝，也不觉得会断”的意思，但从“寄情于丝”的诗题上的关联来看，很明显是借用了上述乐府诗的手法，“单丝”（片糸，かたいと）可以看作是“单相思”的双关表现。实际上，日本古典文学大系本《万叶集》中该诗的头注里，关于这部分的说明是“即使是脆弱的单丝（即使是单相思），也不觉得会断”，中西进教授在《万叶集全译注附原文》（讲谈社文库）中也将此和歌翻译为“正如河内的女子无数次缠绕的手染丝线，是反反复复坠入爱河的单相思。即使如单丝那般脆弱，难道就会轻易断掉吗？”④。通过以上不难看出关于“单丝”的部分都是作为双关语进行处

① （宋）郭茂倩：《乐府诗集》（一），中华书局，1979年版，第646页。
② （宋）郭茂倩：《乐府诗集》（一），中华书局，1979年版，第647页。
③ 《万叶集》，赵乐甡译，译林出版社，2002年版，第296页。原歌训读如下：「河内女の　手染めの糸を　絡り返し　片糸にあれど　絶えむと思へや」，小岛宪之、木下正俊、东野治之校注·译：《万叶集》（二），新编日本古典文学全集6，小学馆，1995年版，第250页。
④ 中西进：《万叶集全译注附原文》（二），讲谈社文库，1980年版，第133页。

理的。

以下试举以“莲”为双关语的例子。

献新田部亲王歌一首
我知胜间田，池中无莲；
犹如对人说，
君无须一般。（卷十六 · 3835）①

这首和歌是天武天皇的第七皇子新田部亲王所献，其间情形，汉文原注说明颇详：

右，或有人闻之曰：新田部亲王出游于堵里，御见胜间田之池，感绪御心之中。还自彼池，不忍怜爱。于时语妇人曰：今日游行，见胜间田池，水影涛涛，莲花灼灼，可怜断肠，不可得言。尔乃妇人，作此戏歌，专辄吟咏也。

由此可见，新田部亲王离开都城出游之时，见胜间田的池子而有所感触，归来后亦赞叹不已。因而他对妇人说“今日外出，见胜间田之池，水面波影晃动、莲花如燃般盛开。言语难尽其趣味。”对此，妇人作上述和歌作答。当然从妇人的答歌中可以看出，胜间田的池中根本没有莲花，所谓的“水影涛涛，莲花灼灼，可怜断肠，不可得言”，是以实际的无莲故作有莲，戏耍喜爱莲花的妇人。不论是新田部亲王还是妇人的对歌中，莲的双关语都占据中心位置。

另外，在这首和歌之前有一首《咏荷叶歌》，此歌如下所述：

原来莲叶，竟然如斯物；
意吉麻吕家者，

---

①《万叶集》，赵乐甡译，译林出版社，2002 年版，第 691 页。原歌训读如下：「勝間田の池はわれ知る蓮無し然言ふ君が鬚無き如し」，小岛宪之、木下正俊、东野治之校注 · 译：《万叶集》（三），新编日本古典文学全集 6，小学馆，1995 年版，第 116—117 页。

当是芋叶，谅无殊。（卷十六・3826）①

和歌的大意十分简单，“原来莲叶是这样的东西啊，意吉麿家里的莲叶就像芋头叶子一样”。但关于“芋”（いも），中西进教授的解释为“既是妹的双关语，也作叶形相似的芋解”②。因此，这首《咏荷叶歌》并不是利用汉字的同音，而是巧妙利用纯粹和语的同音——“芋”的双关语。

以上将乐府诗和《万叶集》的关联作为一个问题提出来，并进行了初步考察。当然乐府诗和《万叶集》的比较研究中还遗留着许多课题，期待今后更进一步的研究成果。

（原文为日文，题为「中日比較文学の視点から：楽府詩と『万葉集』」，载《万叶古代学研究所年报》第三期，2005 年 3 月，第 110—114 页，胡晓晖译。）

① 《万叶集》，赵乐甡译，译林出版社，2002 年版，第 689 页。原歌训读如下：「蓮葉は　かくこそあるもの　意吉麿が　家なるものは　芋の葉にあらし」，小岛宪之、木下正俊、东野治之校注・译：《万叶集》（三），新编日本古典文学全集 6，小学馆，1995 年版，第 113 页。

② 中西进：《万叶集全译注附原文》（四），讲谈社文库，1983 年版，第 38 页。

第五章　万叶文化馆与万叶古代学研究所

中国有句俗话“光阴似箭”，历时九个月的万叶古代学研究所的研修访问活动转瞬即逝，将于2003年3月底画上句号。应中西进馆长的盛情邀请，作为研究所接纳的首届海外访问研修员，笔者于2002年6月18日抵达日本，办理完奈良县所需的其他手续，真正开始在研究所的研修活动开始于6月24日。之后的九个多月间，笔者参加了万叶文化馆尤其是万叶古代学研究所主办的各种活动，以下笔者将对九个月来的活动作一简要整理和回顾。

一、万叶文化馆的设立及其功能

在被誉为“桃源乡”的万叶故乡飞鸟地方成立万叶文化馆，很好地说明了《万叶集》对日本人而言是极为重要的存在，具有非常深刻的意义！众所周知，此馆正在建设时，从这块土地（被命名为“飞鸟池工房遗迹”）中出土了日本最古的铜钱“富本钱”，还发现了写有“天皇”的最古的木简，引起学界的注目。就我个人而言，对“白马鸣向山，欲其上食草。女人向男笑，相游其下也”这一散发和习的最古汉诗木简尤感兴趣。

2001年9月15日，奈良县立万叶文化馆正式成立，聘请《万叶集》研究大家中西进博士为首任馆长。作为古都奈良新设的重要文化机构，万叶文化馆的职能主要可归纳为以下三点：

1. “调查、研究职能”

即调查研究《万叶集》的文化意义与古代的生活文化、经济、技术等，将研究成果向一般民众广泛公开。

2. “展示职能”

即通过展示日本代表画家以《万叶集》为主题制作的“万叶日本画”以及使用人偶、影像、音乐等各种手法，介绍万叶时代的生活与日常样态。

3. “图书·信息提供职能”

旨在对《万叶集》等古代文化相关信息的收集与提供。

万叶文化馆以此三个职能为中心展开各式活动，尤其吸引笔者的是随季节变换展出的万叶日本画展，期间有幸欣赏到的画展如下：

1. 万叶日本画夏季展“凉——夏之景”(2002 年 5 月 24 日—8 月 19 日)

2. 万叶日本画秋季展“燃烧的秋天”(2002 年 8 月 24 日—11 月 25 日)

3. “历史画的明天”(2002 年 10 月 19 日—11 月 24 日)

4. “皇子物语”(2002 年 11 月 29 日—2003 年 2 月 17 日)

5. “岡桥万帆回顾展”(2002 年 11 月 29 日—2003 年 2 月 17 日)

6. 万叶日本画展“缭乱·万叶之花”(2003 年 2 月 22 日—5 月 12 日)

7. “万叶之花·三人展”(2003 年 2 月 22 日—5 月 12 日)

8. “巴米扬石窟壁画·摄影展”(2003 年 3 月 6 日—4 月 13 日)

以上所列主要是以万叶为题材的日本画展。通过这些画展，不仅可领略当代日本代表画家的绘画风格，还可了解其各自对《万叶集》的理解，非常有趣。

二、万叶古代学研究所主办的共同研究

这九个月的研修活动主要在万叶古代学研究所展开，故以下对研究所的活动进行简单总结。

在万叶文化馆内设立万叶古代学研究所，旨在以《万叶集》为中心展开古代学的综合研究，体现了中西进馆长的开阔视野。其最大的特征是以跨领域、跨国家、普及性地大规模展开万叶古代学研究。换言之，万叶古代学是以《万叶集》为接点，统合多种多样学问的总称。为了展示这一新兴学问——万叶古代学的研究成果，自 2002 年 6 月开始，万叶古代学研究所开始组织共同研究“欧亚大陆与《万叶集》Ⅰ”。此研究旨在探讨欧亚大陆文化圈中《万叶集》在文化史上的地位，以及考察《万叶集》的源流，捕捉欧亚大陆各地文学的起源及其展开的普遍样态，明确《万叶集》成立的意义。① 该共同研究为期两年，第三年举办研讨会，报告两年的研究成果。笔者加入的 2002 年，该研究首先对欧亚诸地域古代歌谣(诗歌)及文学在现代的存在样态展开调查、报告，继而探索地域间的影响关系。

1. 第一次(2002 年 6 月 9 日)

寺川真知夫(万叶古代学研究所所长，同志社女子大学教授)：“《万叶集》中的宴会歌”。

首次共同研究会时因本人尚未赴日，很遗憾错过了寺川真知夫所长

① 报道资料:《关于万叶古代学研究所主办的首届共同研究》，奈良县企划部文化观光课、财团法人奈良县万叶文化振兴财团，2002 年 5 月 7 日。

的研究发表。第二次之后的研究会，笔者皆有幸参加，现根据分发的资料，将发表者与发表题目列举如下。

2. 第二次(2002年8月31日)

上野诚(万叶古代学研究所副所长、奈良大学教授)："关于本项目方法论基础的一点思考——从民俗学与万叶研究的关系视角"。

原山煌(桃山学院大学教授)："蒙古的口承文艺——特色与问题"。

3. 第三次(2002年9月1日)

辰巳正明(国学院大学教授)："《大歌》起源的探讨——从与中国西南少数民族歌唱系统的关系来看"。

松村一男(和光大学教授)："异界的神话学：以海的异界为中心"。

4. 第四次(2002年10月27日)

王晓平(帝冢山大学教授)："敦煌愿文与日本愿文"。

皆川隆一(庆应义塾高中教师)："神之歌·亡灵之歌——高山族人的对唱"。

5. 第五次(2002年12月22日)

金两基(常叶学园大学客座教授)："韩国诗律与音律的交互"。

高桥孝信(东京大学教授)："南印度泰米尔族的古代文学事例研究"。

6. 第六届次(2003年1月12日)

岩城雄次郎(泰国文学翻译家)："泰国的民间歌谣"。

栗原成郎(创价大学教授)："基辅罗斯(中世俄罗斯)的文学

起源”。

如上所示，参加共同研究的发表者不仅有日本学者，还有来自中国和韩国的学者加入。而且，发表题目也多种多样，内容不限于日本，更扩展至中国、韩国、蒙古、印度、俄罗斯等欧亚大陆。每次研究会先由共同研究员发表，再由特别讲师作报告，大概的形式是上午发表，下午讨论。每次研究会的中心论点都是各国各地域的文学起源问题，有很多是只能在此研究会上聆听到的，会上热烈的讨论也令人感到非常兴奋。①

在人文科学研究依然以个人研究占据主流的今天，这种跨国家、跨领域、普及性的共同研究具有非常重要的意义，期待今后研究所主办的共同研究不断取得辉煌的研究成果！

三、万叶古代学的普及活动

除去共同研究，万叶古代学的普及活动也是研究所活动内容的重要一环，故研究所与万叶同好会(友の会)每月共同举办一次“品读万叶和歌会”活动。这一年间，举办松田信彦主任研究员“品读《古事记》”系列讲座五次、松尾光总括研究员“品读木简”系列讲座两次、井上清香(Sayaka)研究员“品读《万叶集》”系列讲座五次，共计12次讲座，每每感动于众多万叶迷的热情前来。

研究所还面向日本各大学在校生，于2002年8月8日至11日，举办首届夏季合宿研讨会。在这三天内，研究《万叶集》与古代史的10名专家从多个不同角度展开讲解，日本全国的大学生及研究生共计165人前来聆听讲座。参加最后一天的实地调查也有22人。此次活动，最令笔者印象深刻的是中西进馆长的首日演讲。8月8日当天，中西馆长以“日本人与节日空间”为题，一如既往地旁征博引、纵横无尽地讲述日本古典

① 本次共同研究“欧亚大陆与《万叶集》Ⅰ”的最终成果汇集为19篇论文，刊载于《万叶古代学研究所年报》第三期，2005年3月。

的美丽。即便超出预定时间,中西馆长仍然极为耐心地回答了学生们的所有问题,对此笔者深受感动。这次讲座让笔者深切感受到,作为《万叶集》研究大家的中西馆长无论如何也想要把《万叶集》等古典的魅力传达给年轻学生的满腔热情。

此外,笔者还参加了七夕音乐会、万叶文化馆开馆一周年纪念大会、新春万叶纸牌大会等万叶文化馆主办的多种庆祝活动。通过这些活动,使笔者更加感受到《万叶集》流传至今的巨大魅力及其有力地推广保护措施。

四、奈良县的其他活动

在此次研修期间,笔者还与奈良县立橿原考古学研究所、奈良文化财研究所等县内其他机构的海外研修员们一道,每月一次齐聚奈良县厅,在奈良县国际交流处的精心安排和指导下,一同参观奈良县下的各种文化设施。通过这些活动,不断加深笔者对奈良历史与文化的理解。此外,笔者还有幸于 2007 年 2 月 3 日至 5 日,在奈良县国际交流处松下员范先生的带领下,与其他海外研修员一道,前往北海道参加了为时三天的县外研修访问活动。函馆的美丽夜景、札幌的盛大冰雪节等,都已成为美好的回忆,一直留在笔者的脑海中。

此外,在研修访问期间,适逢奈良县文化观光处计划为向外国人提供综合观光信息,正在制作英语、汉语(简体版与繁体版)、韩语版的奈良县观光指南。为此,奈良县特别设立“外国人研讨委员会”,分别于 2002 年 9 月 21 日、11 月 21 日及 2003 年 1 月 21 日举行三次讨论会议。作为委员之一,笔者均出席了这三次会议,并在会上就观光指南的内容积极建言献策。此外,笔者还对汉语版原稿进行了校对与修订,为奈良县的观光事业贡献了自己的绵薄之力。衷心期望该旅行指南能被更多的外国游客所使用,为他们在奈良的旅行提供更大的便利。

五、结语

以上便是这九个多月研修访问活动的概况。如今稍作回顾和整理后，再次感受到活动内容的丰富与稠密。通过此次研修访问，笔者从多个层面加深了对《万叶集》的深入理解。首先，图书室藏有万叶相关书籍约万册，且可自由取阅，深深地感受到《万叶集》及万叶古代学研究的厚重积累。此外，俗话说“百闻不如一见”，要加深对《万叶集》的理解，实地走访万叶故乡也极为重要。在此意义上，每天都能够近距离欣赏万叶美景——如大和三山（香具山、耳梨山、亩傍山）、飞鸟川、雷丘、甘樫丘……真是一件幸事！

这九个月间的研修成果，已撰写完一篇研究论文，将刊载于2003年3月发行的《万叶古代学研究所年报》第一期。此外，笔者还于2003年3月1日的“第十届奈良县立万叶文化馆同好会讲座”上，做了题为“中国人眼中的《万叶集》世界”的演讲。虽然当日天公不作美，下起了大雨，但仍有很多万叶迷，冒雨前来会场，听了我的演讲并给予好评。今后，笔者将更多地致力于向中国介绍《万叶集》，尽可能地反映出此次研修访问的积极成果。

最后，衷心祝愿奈良县日益繁荣昌盛，祝愿万叶文化馆及万叶古代学研究所取得更大的发展！

补记：因万叶文化馆机构改组及功能调整，万叶古代学研究所于2012年3月被撤销，《万叶古代学研究所年报》自十一期开始，改名为《万叶古代学研究年报》，继续刊载有关万叶古代学的研究成果。

（原文为日文，题为「平成十四年度海外研修員研修報告」，载《万叶古代学研究所年报》第一期，2007年3月，第135—139页，陈茜译，标题为笔者所加。）

第六章　中西进先生的《万叶集》研究

中西进先生从事《万叶集》研究已逾半个世纪，被誉为日本万叶研究第一人，著作等身，成果斐然。他所开创的“中西万叶学”，不仅在日本，甚至在世界比较文学界，都有着巨大影响，原国际比较文学学会会长、美国普林斯顿大学教授厄尔·迈纳(Earl Miner)博士就曾亲切地称中西先生为“万叶先生”。① 日本讲谈社曾于1995—1996年，陆续推出《中西进万叶论集》全八卷，收录了中西先生有关《万叶集》的几部重要学术著作，其中第一卷及第二卷为《万叶集比较文学研究》(上下，辰巳正明校订及解题，1995年)，第三卷为《万叶与大海彼岸》《万叶歌人论》(清水章雄校订及解题，1995年)，第四卷及第五卷为《万叶史研究》(上下，辰巳正明校订及解题，1996年)，第六卷为《万叶集形成研究》《万叶集的世界》(山田直巳校订及解题，1995年)，第七卷为《万叶集原论》《柿本人麻吕》(犬饲公之校订及解题，1995年)，第八卷为《山上忆良》(东茂美解题及校订，1996年)。此前，中西进先生于1978年至1983年由讲谈社文库陆续刊

① (美)厄尔·迈纳:《万叶先生》，载《中西进万叶论集》第三卷附录月报第3号，(日)讲谈社，1995年版，第5—6页。

行《万叶集(全译注附原文)》全四册①,其后作为别卷,中西先生又编著了《万叶集事典》(1985 年),对《万叶集》的版本、研究史、万叶假名、用字法、遣外使节、官制、国名、皇室及藤原氏·苏我氏·大伴氏等贵族谱系等事项,作了非常详细的归纳和整理,二者为《万叶集》的普及做出了重大贡献。截至 2018 年底,《万叶集(全译注附原文)》已重印数十次,成为很多大学学习《万叶集》的基础教材,可见其影响之深且广。②

《万叶集》是日本最古的和歌总集,成立于 8 世纪中后期,共计二十卷,收录了上至天皇贵族、下至士兵百姓的 4500 余首和歌,为我们展示了一幅古代日本绚丽多姿的美妙画卷。日本有关《万叶集》的研究成果可谓汗牛充栋,数不胜数。尤其是在二战期间,《万叶集》曾被某些学者用以鼓吹日本文化纯粹论,当作日本民族乃优等民族的证据,其中的某些作品被军国主义者大肆宣扬,沦为号召日本男儿为天皇战死的工具。

中西进先生 1929 年生于东京,1953 年毕业于东京大学文学部日本文学专业,1959 年毕业于东京大学研究生院博士课程,在反省战争的思潮中开始其学术研究,在批判战争期间国粹主义的过程中构建起其学术体系,成为用比较文学方法研究古代日本文学与中国文学的先驱者。

"中西万叶学"的奠基之作是 1963 年出版的长达 1082 页的博士学位论文《万叶集比较文学研究》③。在该书第一章《万叶集与比较文学》中,中西先生开宗明义地指出,战后万叶学的出发点,就是将此前追求的所谓"日本特性及纯粹性"④彻底驱除,以恢复《万叶集》的本来面貌。为此,中西先生提出了自己研究《万叶集》的两大目的:第一,将研究重点放在《万叶集》

---

① 其中第一册刊行于 1978 年,收入凡例、解说及《万叶集》卷第一至卷第五;第二册刊行于 1980 年,收入《万叶集》卷第六至卷第十;第三册刊行于 1981 年,收入《万叶集》卷第十一至十五;第四册刊行于 1983 年,收入《万叶集》卷第十六至卷第二十。

② 其中第一册于 2017 年 6 月 1 日第 52 次印刷,第二册于 2018 年 6 月 1 日第 53 次印刷,第三册于 2017 年 8 月 1 日第 34 次印刷,第四册于 2017 年 8 月 1 日第 32 次印刷。

③ 中西进:《万叶集的比较文学研究》(上下),南云堂樱枫社,1963 年初版。后收入《中西进万叶论集》第 1—2 卷,(日)讲谈社,1995 年版。

④ 中西进:《万叶集的比较文学研究》(上),《中西进万叶论集》第一卷,讲谈社,1995 年版,第 5 页。

本身；第二，以对东方文学史的参与为目的。① 后者明显表现出作为比较文学研究者的宽泛视野。书中以比较文学法国学派的代表人物梵·第根(P. Van Tieghem)的理论为基础，分别从作家论、作品论、主题论等角度，对《万叶集》与中国文学进行了全方位的比较研究，将《万叶集》还原到古代中国、日本和朝鲜半岛生机勃勃的文化交流大潮之中，展现其与中国文化的深厚渊源。该书除大量利用有关万叶研究的文献资料以外，还充分汲取了日本汉学研究的最新成果。这部皇皇巨著甫一出版，即在日本万叶学界引起巨大反响，荣获1964年度读卖文学奖。此后中西先生又于1968年出版了另一部长达1124页的力作《万叶史研究》②，收录了1961年至1967年之间发表的42篇论文。由于上述两部巨著在《万叶集》研究领域里所作出的巨大贡献，中西先生于1970年荣获日本学士院奖。由此可见，"中西万叶学"主要形成于20世纪60年代。

1980年至1981年，中西先生应邀担任美国普林斯顿大学客座教授，在将近一年远离日本的安静环境里，一直在思考引用所蕴含的文学意义，亦即日本古典文学的作者们，究竟是出于何种目的来引用中国典籍的。最终，中西先生将这种引用看作"比喻"，从接受者的视角来重新审视和解读日本古典文学。《万叶集与中国文化》所收的《用作隐喻的典故》(原题为《引用的比喻》)，就是这种理论的最早尝试。此后中西先生又在此基础上，对另一部日本古典名著《源氏物语》详加解读，出版了《源氏物语与白乐天》(岩波书店1997年版)，并荣获大佛次郎奖。该书中文版已由马兴国、孙浩两教授翻译出版。③

正如中西先生在《中西进万叶论集》第三卷后记所述，普林斯顿大学的一年，是其学术生涯的第二个开始，而《万叶与大海彼岸》④则宣告"中

① 中西进:《万叶集的比较文学研究》(上)，《中西进万叶论集》第一卷，讲谈社，1995年版，第11页。

② 中西进:《万叶史研究》，(日)樱枫社，1968年初版，后收入《中西进万叶论集》第4—5卷，讲谈社，1996年版。

③ 中西进著，马兴国、孙浩译:《源氏物语与白乐天》，中央编译出版社，2001年版。

④ 中西进著:《万叶与大海彼岸》，角川书店，1990年初版，收入《中西进万叶论集》第三卷，讲谈社，1995年版；后收入《中西进著作集》第32卷，四季社，2012年版。

西万叶学”迎来了新的起点，该书是继《万叶集与比较文学》《万叶史研究》之后，中西先生关于《万叶集》与中国文化比较研究的又一部重要的研究成果，出版后曾荣获1990年度和辻哲郎奖。

《万叶集与中国文化》①由前后两部分组成，前编“万叶集与中国文化”即选自《万叶与大海彼岸》，后编“万叶集与神仙思想”则选自《乌托邦幻想——万叶人与神仙思想》②。《万叶与大海彼岸》共收录论文13篇，除本书所收的八篇之外，《藤原宫御井歌》《万叶集的自然》《万叶集与大宰府》《万叶集与韩国歌谣》《人麻吕歌的修辞》等五篇论文因内容及篇幅关系，经与中西先生商议，此次割爱未译。其中《用作隐喻的典故》及《万叶集与汉语》两篇乃本丛书主编王晓平教授所译，曾收入由其翻译出版的《水边的婚恋——万叶集与中国文学》③一书。此次承蒙王晓平教授厚意，略为改动后收入本书，所引万叶和歌则保留了原译风貌。

1990年，日本大修馆书店创办旨在探讨东亚文化的《SINIKA》月刊杂志，自创刊号开始，中西先生便开始了以《万叶集的文化脉络》为题的长达两年的每月连载工作（1990年4月至1992年3月），《乌托邦幻想——万叶人与神仙思想》一书就是在此基础上结集而成。经与中西先生商议，本书翻译时省去了最后一章“荒都”。读罢本书，读者可以略窥“中西万叶学”的门径，领略其博大精深的学术风采。书中不仅广泛涉猎中日古典有关文献，充分吸收中日学界的最新研究成果，而且还将思考的触角，经过古老的丝绸之路，延伸到古代的印度、波斯甚至两河流域。其学术视野之宽广，学术功底之深厚，在当今的日本学界实属罕见。由此而言，中西先生的研究成果，不但对我国的日本文学研究，而且对中国的古典文学研究以及比较文学研究，都具有极大的启迪作用。

最后，还需特别指出的是，中西先生不仅是位著作等身的学术大师，

---

① 中西进著，刘雨珍、勾艳军译《万叶集与中国文化》，中华书局，2007年版。

② 中西进著：《乌托邦幻想——万叶人与神仙思想》，大修馆书店，1993年版。该书后收入《中西进著作集》第32卷，四季社，2012年版。

③ 中西进著，王晓平译：《水边的婚恋——万叶集与中国文学》，四川人民出版社，1995年版。

还一贯积极推动中日之间的学术交流，对中国学者奖掖提携，关怀备至。在担任国际日本文化研究中心主干教授期间，中西先生先后邀请了一大批国内著名日本研究学者来日，其中包括北京大学的严绍璗教授、南开大学的王家骅教授、天津师范大学的王晓平教授、辽宁大学的马兴国教授、杭州大学的王勇教授等人。同时，还与中方学者一同策划了中日合作出版的十卷本《中日文化交流史大系》，并亲自担任日方的丛书主编。该丛书中文名《中日文化交流史大系》(浙江人民出版社，1996 年版)，日文版名《日中文化交流史丛书》(大修馆书店，1995—1996 年版)，由周一良、中西进二位先生担任中日双方总主编。丛书由中日学者联合执笔，分为以下十卷：1. 历史卷(王晓秋・大庭修主编)；2. 法律制度(刘俊文・池田温主编)；3. 思想(严绍璗・源了圆主编)；4. 宗教(杨曾文・源了圆主编)；5. 民俗(马兴国・宫田登主编)；6. 文学卷(严绍璗・中西进主编)；7. 艺术卷(王勇・上原昭一主编)；8. 科学技术卷(李廷举・吉田忠主编)；9. 典籍卷(王勇・大庭修主编)；10. 人物卷(王勇・中西进主编)等，曾荣获亚洲太平洋出版协会 1996 年学术类图书金奖，在中日学界产生广阔而深远的影响。

另外，中西先生还在担任日本比较文学学会会长期间，联合中日韩三国学者，于 1996 年发起成立了"东亚比较文化国际会议"，该国际会议由中日韩三国轮流承办，隔年召开。2006 年 9 月中西先生不顾 77 岁高龄，亲自参加了在复旦大学召开的中国大会，作了题为"古代日本的文化形成"的特别演讲，并被聘为复旦大学日本研究中心的顾问教授。此外，由王晓平教授担任主编、汇聚国内日本文学研究界最新成果的"人文日本新书"近年来由宁夏人民出版社陆续推出，中西先生也是丛书编委会的顾问之一，由此可见中西先生与中国学术界关系之密切。

笔者最早聆听中西先生讲授《万叶集》，是于 1987 年 9 月考入北京日本学研究中心硕士研究生班之后。当时中西先生担任我们语言文学班的班主任，为我们讲授日本文学，包括每周讲授一次《万叶集》。先生授课时，风趣幽默，旁征博引，深入浅出，循循善诱，每次听后都有如沐春风之感，笔者至今保留着当时的听课笔记，读来仍感受益无穷。后来中西先生的《乌托邦幻想——万叶人与神仙思想》及《中西进万叶论集》刊行之际，笔者也曾受命参加过一些文献的核对工作，当时就想一定要向国内介绍一些中西先生的最新研究成果。这次承蒙王晓平教授的厚意，有机会将中西先生有关《万叶集》与中国文化的研究成果翻译出版，总算了结了多年来的一大心愿。

本书先由勾艳军女士译出初稿，在此基础上本人逐一加以修订，并统一了注释体例。需要说明的是，除前述王晓平教授的两篇译文外，本书所引万叶和歌均引自赵乐甡译《万叶集》①，个别地方则根据需要略有改动。

最后，谨对丛书主编王晓平教授以及中华书局的张彩梅编辑致以衷心的谢意，并祝愿中西先生身体健康，为中日文化交流做出更大的贡献！

补记：

1. 2007—2012 年，日本四季社分六期刊行《中西进著作集》36 卷，内容涉及《古事记》《万叶集》《源氏物语》等诸多日本古典文学，以及日本神话、日本人的生死观、日本人的爱情观、日本人与樱花等众多领域，与前述《中西进万叶论集》8 卷一道，构成中西万叶学、日本古典学及日本文化论的巍峨高峰。

2. 2013 年，因对日本文学及日本文化研究和普及的巨大贡献，中西进先生作为人文学者的杰出代表，与著名演员高仓健（1931—2014）、著名书法家高木圣鹤（1923—2017）、2018 年度诺贝尔医学奖获得者本庶佑教授（分子免疫学），以及著名学者岩崎俊一教授（工学）等四人一道，荣获 2013 年度日本政府授予的最高荣誉——文化勋章，2013 年 11 月 3 日由明仁天皇在宫中亲自颁发。

3. 2018 年 9 月 29 日—30 日，东亚比较文化国际会议日本大会在东

---

①《万叶集》，赵乐甡译，译林出版社，2002 年版。

京二松学舍大学隆重召开，中西进先生作为名誉会长，在大会开幕式致辞后，又做了题为“释、孔的哀与美”的特别演讲。中西先生虽年逾米寿，依然身体矍铄，思维敏捷，并出席了当日的欢迎晚宴，对东亚比较文化国际会议的今后发展提出了殷切期望。

4. 2019 年 4 月 1 日，日本政府公布了德仁天皇 5 月 1 日即位后的新年号为“令和”。据《每日新闻》等媒体报道，该年号的推荐者为中西进先生，典出《万叶集》卷五《梅花歌序》中的“初春令月，气淑风和”。

（本文为中西进著，刘雨珍、勾艳军译《万叶集与中国文化》所作的“译后记”，中华书局，2007 年版，第 310—314 页。该书为王晓平主编《日本中国学文萃》丛书之一，收入本书时有增补。）

第二编　中日文学的环流

第七章　东亚三国《临刑诗》的传承及其背景

一、前言

作为汉字文化圈共通的文学形式，汉诗在东亚各国的文学发展史中起了极其重要的作用。长期以来，对于东亚各国的文人学士来说，赋诗言志乃是他们的必备修养，东亚各国汉诗的影响与交流则为我们提供了丰富多彩的研究素材。本文拟对中日韩流传的《临刑诗》进行考察，以探讨东亚三国汉诗的交流问题。

据日本最早的汉诗集《怀风藻》(751 年成书)卷一记载，大津皇子在临刑前，曾赋《临终一绝》："金乌临西舍，鼓声催短命。黄泉无客主，此夕离家向。"①而与此类似的临刑诗又见于中国五代江为、明代孙蕡、清代金圣叹的临刑之作以及《水浒传》等小说戏曲之中，另外朝鲜李朝的著名学者成三问也传有此作，如此便形成一个纵贯千余年、横跨东亚三国的《临刑诗》群。这一有趣的现象早在江户时期就曾引起日本学者安积澹泊(1656—1737)、三浦梅园(1723—1789)的注意，不过二人皆

① 小岛宪之校注:《怀风藻・文华秀丽集・本朝文粹》(日本古典文学大系本 69)，岩波书店，1964 年版，第 77 页。

将其归于偶合①。近代以来，周作人首先对此现象加以介绍②，其后中日学者如梁容若、严绍璗、福田俊昭等人对此进行了详细论述，并将此归为日本汉诗向中国流传的结果。③ 近年来，由于小岛宪之、滨政博司、金文京等先生的努力，发掘了传为陈后主所作的《临行诗》及其他有关资料，有力地推动了相关研究的发展。④ 本文在吸收上述成果的基础上，对东亚三国《临刑诗》的传承及其背景进行一番梳理和探讨，不妥之处，敬请各国专家学者批评指正。

二、东亚三国现存的《临刑诗》

所谓“临刑诗”，是指因各种原因而被处以死刑前所吟咏流传的诗作。虽然有些诗并未使用“临刑诗”这一名称，但因其表达的时同样的内容与心情，我们也将其归为“临刑诗”的范畴加以论述。

关于东亚三国广泛流传的临刑诗，滨政博司在《大津皇子“临终”诗群的解释》一文中列表进行了归纳，其后金文京对此又稍作整理。⑤ 为了

---

① 安积澹泊《湖亭涉笔》卷四：“……明人未必见《怀风藻》，纵见之，未必蹈袭。事之巧合，乃有如此者。”（原文为汉文）三浦梅园《诗辙》卷四：“然《忠义水浒传》有〈万里黄泉无旅舍，三魂今夜落谁家〉之语，孙蕡该据此。《水浒传》所引，大津皇子之作，可谓自然巧合也。”

② 周作人：《孙蕡绝命诗》，收入《苦竹杂记》，上海良友图书，1936 年初版，岳麓书社，1987 年版。

③ 梁容若：《日本最古的汉诗集》（《中日文化交流史论》，商务印书馆，1985 年版）；严绍璗：《宋元时代日本诗人的唱和诗与日本文学的“反馈”》（《中日古代文学关系史稿》，湖南文艺出版社，1987 年版）；福田俊昭：《大津皇子临终诗之系谱》（载大东文化大学《日本文学研究》18 号）。

④ 小岛宪之：《近江朝前后的文学其二——以大津皇子的临终诗为中心》（收入《万叶以前——上代人的表现》，岩波书店，1986 年版）。滨政博司：《大津皇子临终诗与金圣叹・成三问——日中朝临刑诟的系谱》（收入《日中朝比较文学研究》，和泉书院，1989 年版）；《大津皇子临终诗群的解释》（收入和汉比较文学丛书第九卷《万叶集与汉文学》，汲古书院，1993 年版）。金文京：《黄泉之宿——临刑诗的系谱及其背景》（载《兴膳教授退官记念中国文学论集》，汲古书院，2000 年版）；《大津皇子〈临终一绝〉与陈后主〈临行诗〉》（载《东方学报》第 73 期，2001 年 3 月）。

⑤ 滨政博司：《大津皇子临终诗与金圣叹・成三问——日中朝临刑诟的系谱》（收入《日中朝比较文学研究》，和泉书院，1989 年版）；《大津皇子临终诗群的解释》（收入和汉比较文学丛书第九卷《万叶集与汉文学》，汲古书院，1993 年版）。金文京：《黄泉之宿——临刑诗的系谱及其背景》（载《兴膳教授退官记念中国文学论集》，汲古书院，2000 年版）；《大津皇子〈临终一绝〉与陈后主〈临行诗〉》（载《东方学报》第 73 期，2001 年 3 月）。

论述方便起见，现将迄今为止见于东亚三国各种文献的有关临刑诗列举如下，并在诗后附上适当的按语。诗的排列以作者的生平先后为序，括号内为各个作品的具体出处。

1. 陈·陈叔宝（553—604 年）《临行诗》（释智光撰《净名玄论略述》[①]卷一本，8 世纪中期）

鼓声推（催）命役（没），日光向西斜。
黄泉无客主，今夜向谁家？

按：开皇九年（589 年）正月，隋军横渡长江，攻占建康，陈叔宝避入井中被俘，陈朝灭亡。相传此诗为陈后主由建康被押往长安时所作，因此被称为《临行诗》。然该诗不见于中国国内文献，仅载于日本奈良时期释智光撰《净名玄论略述》。据考证，该书大约成立于 8 世纪中期。首句“推”恐为“催”、“役”恐为“没”之误。

2. 日本·大津皇子（663—686 年）《临刑诗》（《怀风藻》卷一，751 年）

金乌临西舍，鼓声催短命。
黄泉无客主，此夕谁（一作离）家向。

按：大津皇子为天武天皇的第三子，天武死后被告谋反罪而被处死，年仅 24 岁。此诗与皇子的另外三首汉诗一道，被收入 751 年编撰的《怀风藻》中。末句第三字，《日本古典文学大系本》本作“离”，而《群书类从》本等作“谁”，考之其他同类临刑诗，此处实应作“谁”。

3. 五代·江为（？—950 年？）《临刑诗》（陶岳《五代史补》[②]卷五，1012 年）

衙鼓侵人急，西倾日欲斜。

① 收入《日本大藏经》方等部章疏五。
② 收入《四库全书》史部 165 杂史类，台湾商务印书馆《景印文渊阁四库全书》第 407 册第 682 页。

黄泉无旅店，今夜宿谁家？①

按：江为，建州人，工于诗。后周乾祐年间(948—950年)，因替人草《投江南表》而获罪，临刑前赋此诗。该诗经明·胡震亨《唐音统签》戊签卷767，收入《全唐诗》卷741. 其后广为人知。然《全唐诗》首句“衙”误作“街”。

4. 明·孙蕡(1338—1393年)《临刑口占》(《西庵集》②卷七，15世纪初)

鼍鼓三声急，西山日又斜。

黄泉无客舍，今夜宿谁对？③

按：孙蕡，字仲衍，广东顺德人。洪武三年进士，被召为翰林院编修，曾参与修订《洪武正韵》。洪武二十六年，因蓝玉事件获罪。《明史》文苑传曰：“临刑，作诗长呕而逝”，然未载此诗。该诗除见于门人黎贞所编其诗文集《西庵集》外，还广泛载于明清时期的各类典籍，可知时人将其视为孙蕡之作而广为传诵。

5. 朝鲜·成三问(1418—1456年)《临刑诗》(《死文臣文集》所引《稗官杂记》④，1538年)

击鼓催人命，回看日欲斜。

黄泉无一店，今夜宿谁家？⑤

按：成三问，字谨甫，号梅竹轩，朝鲜李朝世宗时重臣，曾任集贤殿学士，参与制定“训民正音”。后因反对世祖篡夺王位而被杀，时

① 清·赵翼《陔余丛考》卷24“孙蕡诗”条前二句作“衙鼓惊人急，西倾日易斜”。《瓯北诗话》卷11“诗人佳句”条“衙”作“鼍”。

② 收入《四库全书》集部170别集类，台湾商务印书馆《景印文渊阁四库全书》第1231册第561页。

③ 钱谦益《列朝诗集小传》甲集“孙典籍蕡”条第二句作“西山月又斜”。

④ 收入《朝鲜历代文集丛书》44，汉城，景仁文化社，1993年版。

⑤《朝鲜古今名贤传》第二句“回看”作“西风”，第三句“无一店”作“无客店”；尹申甲编《朝鲜名人典》第二句“日欲斜”作“日落斜”。

朝鲜历史上著名的“死六臣”之一。此诗虽作为成三问的临别之作而在韩国几乎家喻户晓，但不见于其文集《成谨甫集》，而是载于成三问去世80年后所编《稗官杂记》这种，因此难以断定为其实作。

6. 金圣叹（1607—1661年）《临刑诗》（伍淑《日本之汉诗》[①]，1955年）

御鼓丁东急，西山日又斜。
黄泉无客舍，今夜宿谁家？

按：金圣叹，明末清初著名小说、戏曲评论家。顺治十八年（1661年），因参与哭庙案而被处腰斩。《沉吟楼诗选》收有金圣叹临刑前所作绝命诗三首，三首皆为七言绝句，且韵脚相同，属于绝命之际的一组作品无疑。[②] 此诗最早见于周作人《孙黄绝命诗》，文中介绍孙黄与叶德辉的临刑诗后，又说：“至于上述诗，有谓系金圣叹临刑之口，有谓徐文长所作。”然周作人对此持否定态度。其后香港中文大学教授伍淑在《日本之汉诗》一文中，又言及此临刑诗“世传是金圣叹诗”，但未言所据。由此可见，此说应为后人附会，实不足信。

7. 戴名世（1653—1713年）《临刑诗》（《安徽历史上科学技术创造发明家小传》，1959年）

战鼓咚咚响，西山日已斜。
黄泉无客店，今夜宿谁家？[③]

按：戴名世，安徽桐城人，因世居桐城南山，后人称为南山先生。

---

① 收入刘百闵等著：《中日文化论集》，台北中华大典编印会，1955年版。

②《沉吟楼诗选》（《金圣叹全集》第四册，江苏古籍出版社，1984年版）收录的三首临刑诗如下：其一《绝命词》：“鼠肝虫臂久萧疏，只惜胸前几本书。虽喜唐诗略分解，庄骚马杜待何如？”其二《与儿子雍》：“与汝为亲妙在疏，如形随影只手书。今朝疏到无疏地，无著天亲果晏如。”（自注：吾儿雍，不惟世间真正读书种子，亦是世间本色学道人也。）其三《临别又口号遍谢弥天大人谬知我者》：“东西南北海天疏，万里来寻圣叹书。圣叹只留书种在，累君青眼看何如？”《安徽历史上科学技术创造发明家小传》，安徽人民出版社，1959年版，第17页。

③ 何冠彪：《戴名世临刑诗辩伪》，载《中华文史论丛》1985年第三辑。

康熙四十八年(1709年)进士,授翰林院编修。两年后,因其著作《南山集》中南有南明三王年号而下狱,不久被处死,事迹详见《清史稿》卷484"文苑传"。关于此诗,何冠彪《戴名世临刑诗辩伪》一文已有详细考证,指出此说不知所据,亦不可信。

8. 叶德辉(1864—1927年)《临刑诗》(周作人《孙蕡绝命诗》,1935年)

> 慢擂三通鼓,西望夕阳斜。
> 黄泉无客店,今夜宿谁家?①
>
> 按:叶德辉,湖南湘潭人,光绪进士。曾极力反对陈宝箴等人推行的湖南新政,后因其反动言论而于1927年4月被杀。此事最早见于周作人《孙蕡绝命诗》,文中附记《立报》民国二十四年(1935年)10月31日大佛君所撰《近人笔记中几笔糊涂账》,介绍道:"近日某君记湖南名士叶德辉绝笔诗",并引用此诗。

以上我们列举出了从南朝时期的陈后主,至民国时期的叶德辉的同类临刑诗。但是,除有关大津皇子、江为、孙蕡的文献记载较为可信外,其他如陈后主、成三问、金圣叹、戴名世、叶德辉之作,皆不见于本人文集,所据文献有多有可疑之处,应属后人假托附会之作。

这些"临刑诗",虽然在用词方面有一些微妙的差别,但从诗的内容赫尔押韵来看,雷同之处甚多,简直如同一辙,应该看做同一首诗的不同变异。具体说来,除大津皇子的时一、二句顺序颠倒外,其余的临刑诗无论意象还是押韵方面都完全相同,即首句叙述行刑鼓声已响,烘托悲壮气氛;第二句描写日落西山,象征悲剧命运;第三句慨叹黄泉路上无旅店;末句则表达作者对于死后的恐惧与不安。

此外,该诗的后两句还广泛见于宋元以后的文学作品之中。除著名

① 见周作人:《苦竹杂记》,河北教育出版社,2002年版,第28页。

的《水浒传》之外，金文京教授还补充了一些元曲中的有关用例：①

9.《水浒传》第八卷“林教头刺配沧州道　鲁智深大闹野猪林”

万里黄泉无旅店，三魂今夜向谁家？

10.张国宝《薛仁贵衣锦还乡》杂剧第四折“豆叶黄”曲（《元刊杂剧三十种》）

黄泉无旅店家，晚天今夜宿在谁家。

11.无名氏撰《玎玎铛铛盆儿鬼》杂剧第一折“赚煞”曲（《元曲选》）

则我这一灵儿今夜宿在谁家？

12.秦简夫撰《宜秋山赵礼让肥》杂剧第一折“青哥儿”（《元曲选》）

今夜宿谁对，多管在茅檐下。

13.南戏《小孙屠》第十九出“香柳娘”曲（《永乐大典戏文三种》）

黄泉无旅店，今夜宿谁家？

其中金圣叹批点的“贯华堂第五才子书”《水浒传》（第七卷）中，在“万里黄泉无旅店，三魂今夜落谁家？”加上“正是”二字，表明此二句当时业已成语化，广为人知。可见，《临刑诗》的内容宋元以后已经广泛流传。

中日韩三国《临刑诗》之所以能够超越时空地广泛流传，当然时人民长期以来不断接受不断传播的结果。下面我们就对陈后主的《临行诗》、大津皇子的《临刑诗》以及成三问的《临刑诗》分别加以论述。

三、陈后主的《临行诗》与大津皇子的《临刑诗》

如前所述，在陈后主的《临刑诗》被发现之前，中日两国不少学者推

① 金文京：《黄泉之宿——临刑诗的系谱及其背景》（载《兴膳教授退官记念中国文学论集》，汲古书院2000年版）；《大津皇子〈临终一绝〉与陈后主〈临行诗〉》（载《东方学报》第73期，2001年3月）。小岛宪之：《近江朝前后的文学其二——以大津皇子的临终诗为中心》（收入《万叶以前——上代人的表现》，岩波书店，1986年版）。

测中国的《临刑诗》可能是受大津皇子《临终诗》的影响。但自从小岛宪之博士由《净名玄论述略述》中发掘出陈后主的《临行诗》后，我们可以推断大津皇子的《临终诗》是受陈后主《临行诗》影响的结果。

《净名玄论略述》为日人智光对中国隋代著名三论宗高僧吉藏(549—623)所注《净名玄论》的注疏。作者智光，日本奈良时期著名僧人，俗姓锄田连，后改为上村主。从奈良元兴寺高僧智藏学习三论，除《净名玄论略述》四卷外，尚著有《般若心经述异记》一卷、《大般若经疏》二十卷、《法华玄论略述》五卷、《中论疏记》三卷等，今唯有前二书传世。

《净名玄论略述》的撰述年代不可考，据小岛宪之博士考证，大约成书于八世纪中叶，与《怀风藻》属同一时期。其中卷一本中对吉藏大师"至长安，悬芙蓉曲水日严精舍"的下列注疏，有助于我们清楚地了解陈后主《临行诗》的创作背景，现摘录于下，其中括号内为笔者改正之处。

> 如有传曰：后周终王号少帝阐，将诸大夫京(享)祀先庙。掌客之臣扬(杨)坚有二美女与一男，男是扬(杨)光也。坚使此二女举觞上帝，帝感于二女好色，即敕之曰："欲纳其弟女耳。"坚乃献之。仍纳此女而弃先妃，宠爱甚重。经乎三年，女启帝曰："欲见父焉。"乃诏："莫过三日，归矣。"女退语父："欲帝位乎?"父曰："若似朝花，一日得耳。"女曰："欲赍铦刀。"遂置靴里而入宫中。帝善非违约，甚为燕乐而卧。女以铦刀密刺帝颈，乃出敕曰："扬(杨)坚入宫，因宠爱女而让位于坚矣。"坚乃施行云："威宪去可去，用可用。不知所以然之，忽行此事。"已获天下，群臣皆服，无敢出异言者。躬治万机，其势亦尔。坚乃兼文武远振威德，次其子光袭于帝位，然即隋有二君，合三十八年。坚初年号开皇二十年，次年号仁寿四年，光年号大业十四年。
>
> 凡陈合五主三十二年，从大将军陈霸先至舛(叔)宝。舛(叔)宝在位八年，以己酉年正月为隋扬(杨)坚所威(按："灭"之误)。舛(叔)宝之臣号曰妙景，其妻妍美，王闻感念，乃任以景将军，居戍隋

之南境，而集其妻纳于宫中。唱乃言："戍境有限，无所奈何。心虽甚悔，今无所为。"遂生叛逆，使人告隋朝曰："舛(叔)宝无义失道，虐恶甚之。"坚固作色而怒曰："天授不取，还受殃耳。"乃以扬(杨)光为大将军，率诸兵卒，度江伐陈。临发之日，坚语光等："朕闻其吉藏者，善达法门，宜申诚心要请之。至今伐于陈，岂贪其地乎？良由有道之王耳。"以铁琐与鼓权为浮梁而度□津，景前导而伐之。遂平其城而囚执舛(叔)宝并子。光乃申坚意确请，大师抚叹而应之。既已，还于长安矣。宝发路咏曰："鼓声推命役，日光向西斜。黄泉无客主，今夜向谁家?"及度□津至梁上，宝咏曰："闻道长安路，今年过□津。请问浮梁上，度几失乡人。"遂至于隋，诸家大人看之感慕。宝子入官，坚便(使之误)为咏。咏曰："年少未敢言，口咏墙上草。生处非不高，但恨逢霜早。"又作咏曰："野林无大小，山花色并鲜。唯有权折枝，独自不知春。"

然坚目大师之前预造日严精舍，遂及至，自躬出迎之，止诸其中，事以国师之礼，劝请传法，暨于光辰，弥复敬重。于是大师兴隆大法，仍制净名玄等，禀法之徒，百千万众。……①

本文为叙述吉藏大师从建康移至长安之历史背景，引用某"传"而穿插了两个故事。首先是北周最后的皇帝——少帝阐看中了隋文帝杨坚之女，遂纳为妃。然该妃为使乃父杨坚即位，而将少帝刺杀。另一个则是陈后主叔宝为夺取将军妙景之妻，将妙景调任南方国境，妙景遂弃陈投隋，最终将陈消灭。当然，上述故事并不见于正史记载，传抄过程中又出现不少基本性错误(如杨坚之子"杨广"误作"扬光")；从其生硬的文体判断，该文绝非出自中国文人之手，应是日人根据当时流传的故事著录而成。所本典籍，据金文京教授考证，或为《开业平陈记》之类的杂史类著作。②《开业平陈记》见于《隋书・经籍志》史部・旧事类及《新唐书》

---

① 《净名玄论略述》一卷，载《日本大藏经》方等部章疏五，第 218—220 页。

② 金文京：《大津皇子〈临终一绝〉与陈后主〈临行诗〉》，载《东方学报》第 73 期，2001 年 3 月。

《旧唐书》艺文志·杂史类,后失传,元·陶宗仪所编《说郛》卷45辑有《平陈记》一卷,疑为其逸文。"开业"为隋文帝年号"开皇"与隋炀帝年号"大业"之合称,从书名判断,该书主要记载隋灭陈的一些趣闻逸事。

那么,智光又是从何处了解到这些趣闻逸事的呢?据推测,应自乃师智藏处获知。据《怀风藻》记载:"释智藏者,俗姓禾田氏,淡海帝世遣学唐国,时吴越之间有高学尼,法师就尼受业,六七年之,学业颖秀。(后略)"①智藏于淡海帝即天智天皇时在吴越之地留学长达六七年,期间当然有机会接触到上高数趣闻逸事。当时唐朝处于高宗时代,隋灭陈的故事尚广泛流传。上述陈后主父子诗或非本人所作,而为后人假托,但无论如何,智光从乃师智藏处得知这一传说,而将其记录到《净名玄论略述》之中。

至于大津皇子如何而接触到这些材料。据《日本书纪》持统天皇称制前纪记载:"皇子大津(中略)及长有才学,尤爱文笔。诗赋之兴,自大津始也。"可见皇子对中国文学之热爱。另外,《怀风藻》对大津皇子记载如下:

> 皇子者,净御原帝之长子也。状貌魁梧,器宇峻远。幼年好学,博览而能属文。及壮爱武,多力而能击剑。性颇放荡,不拘法度。降节礼士,由是人多附托。时有新罗僧行心,解天文卜筮,诏皇子曰:太子骨法,不是人臣之相。以此久在下位,恐不全身。因进逆谋,迷此诖误。遂图谋不轨,呜呼惜哉!蕴彼良才,不以忠孝保身,近此兼竖,卒以戮辱自终。古人慎交游之意,因(固)以深哉。时年二十四。②

此处言大津皇子为净御原帝即天武天皇的长子,而据上述《日本书纪》记载,实为第三子。由于皇子礼贤下士,身边聚集了不少人才,甚至

---

① 小岛宪之校注:《怀风藻·文华秀丽集·本朝文粹》,日本古典文学大系69,岩波书店,1964年版,第79页。

② 同上,第74—75页。

包括新罗僧人。我们可以推测，皇子在这种博览群书、广交贤才的过程中，当然有机会接触到前述陈后主的《临刑诗》。

朱鸟元年(686)十月，天武天皇驾崩后不久，大津皇子被告谋反，随即被赐死于自宅"译语田舍"(《日本书纪》持统天皇称制前纪)，其实这是皇后(后即位为持统天皇)为确保其亲生的草壁皇子顺利即位而使出的一个政治阴谋。

皇子于临刑前吟作的这首《临终诗》，虽然脱胎于陈后主的《临行诗》，但在句式、押韵、用词等方面还是可以看出一些改动的痕迹，如将第一、二句次序颠倒，改变韵脚，以及用词上的刻意雕琢等。如果我们仔细比较两者的基本词汇如"日光—金乌，黄泉—泉路，今夜—此夕"等，便可发现，陈后主的《临刑时》用语非常浅显，几近日常口语，似为脱口而成，而大津皇子的《临终诗》则力求典雅，刻意认为是在前者的基础上雕饰而成。

当然，作为汉诗，大津皇子的《临终诗》也存在一些问题。首先，该诗与其他同类《临刑诗》的最大区别，在于押韵的不同。除此之外，其他所有《临刑诗》皆用"斜""家"作韵脚，押下平六麻韵。而此诗由于第一、二句颠倒了顺序，以致全诗的韵脚变成"命""向"，这显然不合近体诗的押韵规范。但如金文京教授所言，此类以中古音"曾梗摄(ing)"与"江宕摄(ang)"押韵的例子另见于智藏的《秋日言志》(情・声・惊・芳)及葛野王的《春日玩莺梅》(声・情・阳・觞)，只是如此押仄声韵的诗在《怀风藻》中亦属绝无仅有。

其次，末句的"此夕谁家向"并不符合汉语规范。虽然小岛宪之博士曾花费大量篇幅考证，此句中的"此夕"一词与出自《诗经・绸缪》中"今夕何夕兮，见此良人"的诗语"今夕"不同，很少见于中国诗歌，应属于"和习表现"即日本人创造的表现方式，但实际上这种说法不能成立。只要我们翻阅一下逯钦立编《先秦汉魏晋南北朝诗》(中华书局 1983 年版)中收录的六朝时期诗歌，便可发现使用"此夕"的例子也是时有可见。如：

谁能当此夕，独处类倡家。（梁宣帝《月夜闺中诗》）[①]

此夕甘言宴，月照露方涂。（北齐·魏收《月下秋宴诗》）[②]

愁人当此夕，羞见落花飞。（隋·李奉贞《酬萧侍中春园听妓诗》）[③]

此夕未央宫，应照仙人掌。（隋·许仪《暮秋望月示学士各释愁应教》）[④]

此夕穷途士，郁陶伤寸心。（隋·李密《五言诗》）[⑤]

可见，“此夕”在六朝时期的诗歌中还是较为常见的一个词语。

与此不同的是，句中后半部分“谁家向”可谓典型的“和习表现”。由于中日文语法结不同，此处虽符合日文的语法结构，却觉不符合汉语规范。虽然为避免这种矛盾，日本大多数教材将此句改作“此夕离家向”，但即便如此，以汉语习惯，“向”字后面还是缺少表示方位的名词。关于此点，江户时期的著名学者荻生徂徕就曾在《文戒》中指出过“‘谁家向’以下属和语，可笑！”“宛然和人之声口”。

另据《万叶集》记载，大津皇子在临死前，还曾作如下和歌：

大津皇子被死之时磐余池陂流涕御作歌一首[⑥]

百伝ふ　磐余の池に　鳴く鴨を　今日のみ見てや　雲隠れなむ（卷三·416）

（试译）磐余池里鸭悲鸣，今日见罢云中隐。

以前，皇子可以尽情地欣赏在自家附近的磐余池中鸭子们嬉戏鸣叫，但自己马上就要死去（云中隐），今后再也见不到它们欢快的姿态了。

---

① 《全梁诗》卷27（见《艺文类聚》卷32）。

② 《北齐诗》卷1（见《初学记》卷14）。

③ 《隋诗》卷1（见《初学记》卷15）。

④ 《隋诗》卷5（见《文苑英华》卷179）。

⑤ 《隋诗》卷6（见《隋书》李密传）。

⑥ 小岛宪之、木下正俊、东野治之校注·译：《万叶集》（一），新编日本古典文学全集6，小学馆，1994年版，第134页。

鸭子们也在不停地悲鸣，似乎在与皇子作最后的告别。歌中以悲鸣的鸭子为意象，表达了作者对生的无限眷恋之情。这首歌与前述的《临终诗》一道，成为日本文学史上的千古绝唱。

四、成三问的《临刑诗》

除上述中日两国外，在朝鲜文学史上，成三问的《临刑诗》也广为流传。

成三问（1418—1456），字谨甫，号梅竹轩，李氏朝鲜第四代名君世宗之重臣，曾任集贤院学士，协助世宗创立"训民正音"（朝鲜文字），为李朝初期的代表性学者之一。世宗去世后，继之即位的体弱多病，两年后病逝。其后，年仅 12 岁的端宗即位，通时野心勃勃的皇叔首阳大君（世祖）也开始剪除异己，伺机篡位，最终于 1455 年 6 月以禅让形式迫使端宗退位。成三问等先朝重臣认为此举有悖于君臣之道，于世祖即位后第二年，计划乘世祖接见明朝使节之际将其暗杀，终因事败未遂，成三问、朴彭年、俞应孚、李垲、何纬地、柳诚源等六人或被处死或自杀，被称为"死六臣"。而金时习、南孝温、元昊、李孟专、赵旅、成耽寿等六人，则从此远离朝政，隐居山林，被称为"生六臣"。他们或放浪形骸，或专心著述，其中金时习所撰《金鳌新话》成为朝鲜文学史上最初的小说。

以上故事作为朝鲜史上的重要事件而脍炙人口，长期在民众之间广泛流传，成三问的《临刑诗》，则作为其中不可缺少的一环而家喻户晓，至今仍收录于各种教材及辞典之中。

然而，据滨政博司调查，该诗并不见于成三问的文集《成谨甫集》，而是收录于《死文臣文集》著所引的著《稗官杂记》，其内容如下：

> 南秋江作六臣传，其李垲传曰：邻车载有诗云：禹鼎重时生亦大云云。朴彭年传曰：光庙以领议政宴于府中，朴有诗云：庙堂深处动哀丝云云。成三问传，不知何人添注于其下曰："临车载时有诗云：击鼓催人命，回看日欲斜。黄泉无一店，今夜宿谁家？"余按《今献汇

言》，孙蕢宋潜溪高弟也。被罪临刑，口占一诗曰：鼍鼓三声急，西山日又斜。黄泉无客舍，今夜宿谁家？此非成公之作明矣。实注者之误也。

《稗官杂记》的作者鱼叔权生卒年不详，1525年为吏文学官，由此推断，只是距离事件发生已过七八十年。据上述记载，不知何人在南秋江所作《六臣传》中添注“临车载时有诗云”，而加入成三问的这首《临刑诗》，南秋江即前述“生六臣”之一的南孝温（1454—1492年）。然现行本《六臣传》中并无此诗，因此很难推断此诗究竟何时为何人所插入。鱼叔权亦以孙蕢已口占《临刑诗》，而认定此处为“注者之误”。因此朝鲜文学史中将此《临刑诗》断为成三问的实际创作，如滨政博司氏所述，尚缺乏有力的证据。①

另外，《成谨甫集》中收录了一首题为“绝笔”的七言绝句：

食君之食衣君衣，素志平生莫有违。
一死固知忠义在，显陵松柏梦依依。②

这首绝笔，与成三问临终时所作的诗调《此身》风格颇为一致：

此身逝去化何物？
化为长松一株，挺立蓬莱山顶。
白雪满乾坤，惟见长松独青青！③

二者皆借用《论语·子罕》中“岁寒，然后知松柏之后凋也”的典故，以象征自己坚贞不屈的忠义气节。诚如韦旭升先生所言，这首时调“境

① 滨政博司：《大津皇子临终诗群的解释》，收入和汉比较文学丛书第九卷《万叶集与汉文学》，汲古书院，1993年版。

② 转引自滨政博司：《大津皇子临终诗与金圣叹·成三问——日中朝临刑诟的系谱》，收入《日中朝比较文学研究》，和泉书院，1989年版，第207页。另该诗后注曰：“《秋江集》以此诗为先生之考总管公之作，尹童土所编《鲁陵志》及他野乘皆作先生之诗，今从之。”可知此诗或做其父成胜之作，或作成三问之作。然《秋江集》现行本本无此诗，在此从《成谨甫集》编者所断，作为成三问之作。

③ 韦旭升：《朝鲜文学史》，北京大学出版社，1986年版，第183页。

界甚高，是对威武不能屈、贫贱不能移、宁为玉碎、不为瓦全的自我牺牲精神的一种歌颂”①，可以说较为符合成三问临刑前的实际心情。

虽然这首《临刑诗》是否为成三问实际创作值得怀疑，但从《稗官杂记》所注“临车载时有诗”云云的记载，我们也可理解为成三问于临刑前口占了这首《临刑诗》，这一点与孙蕡的“临刑口占”颇为相似。②

据明·董穀《碧里杂存》卷上“孙蕡”条记载：

> 孙蕡（中略）坐为蓝玉题画诛。临刑口占曰：“鼍鼓三声急，西山日又斜。黄泉无客舍，今夜宿谁家？”死后，太祖闻知此事，曰：“有如此好诗，不覆奏，何也？”并诛监斩者。③

孙蕡临刑前口占此诗，深得明太祖朱元璋赞赏，甚至为此而诛杀监斩官。此事另见梁忆《遵闻集》、邓球《皇明咏化类篇》别集卷133、焦竑《玉堂丛语》卷七、曹学佺《石仓十二代诗选》、钱谦益《列朝诗集小传》甲集等，可见在明清时期流传甚广。指导乾隆四十四年（1779年），四库馆臣校录《西庵集》时，于孙蕡“临刑口占”诗后录《明兴杂记》，并评价道：“今颂此诗，蕡可谓一死生，而高皇亦怜才矣。”④足见四库馆臣仍认为此诗乃孙蕡之作。成三问对于此诗及其背景应该是相当熟知的，因此极有可能仿效孙蕡，临行前“口占”了这首《临刑诗》。当然，也不排除后人将上述孙蕡的故事附加在成三问传中的可能性。

其后，著名学者赵翼（1727—1814）在《陔余丛考》卷二十四“孙蕡诗”条，引录《碧里杂存》和《五代史补》，首次指出此诗实乃江为之作：

> 此诗乃五代江为所作。（中略）今乃移之仲衍（按：蕡字仲衍），何耶？岂仲衍被刑时，诵此诗以寓哀，闻者不知，遂以为仲衍自作，

① 韦旭升：《朝鲜文学史》，北京大学出版社，1986年版，第183页。

② 滨政博司先生在《大津皇子临终诗与金圣叹·成三问——日中朝临刑诟的系谱”》中推测成三问也又可能通过《水浒传》接触到《临刑诗》，然《水浒传》只引用诗的后两句，且毫无具体背景说明，难从其说。

③《丛书集成初编》本，上海商务印书馆，1937年版，第3页。

④《四库全书》集部170别集类，台湾商务印书馆《景印文渊阁四库全书》第1231册第561页。

而董榖记之耶？（中略）《明史》于蕡传，但云临刑赋诗，长讴而逝，而不载其诗句，较为不露。然而临刑赋诗，似亦以诗为蕡自作也。①

此外，赵翼还在《瓯北诗话》卷十一“诗人佳句”中摘录江为此诗，题作《临刑口占》，惟首句中“衙鼓”作“鼍鼓”。② 至于江为制作《临刑诗》的情况，据北宋·陶岳《五代史补》卷五“江为临刑赋诗”记载：

江为，建州人，工于诗。乾佑中，福州王氏国乱，有故人任福州官属，恐祸及，一旦亡去，将奔江南，乃间道谒为，经数日，为且与草投江南表，其人未出境，遭边吏所擒，份於囊中得所撰表章。於是收为与奔者，俱械而送，为临刑，词色不挠，且曰：“稽（嵇）康之将死也，顾日影而弹琴。吾今琴则不暇弹，赋一篇可矣。”乃索笔赋诗曰：（诗略）。闻者莫不伤之。③

可见，江为在临刑前，曾仿效顾日影而弹琴的晋代名士嵇康，索笔而赋此《临刑诗》。当然，通过前述考察我们可知，江为所赋此诗亦非本人原创，不过是对传为陈后主所作《临行诗》稍加改动而已。其中将后两句“黄泉无宾主，今夜向谁家？”改作“黄泉无旅店，今夜宿谁家？”并未后世《临刑诗》所沿袭，如金文京教授所述，反映了唐代以后人们出行时普遍住宿旅店这一旅行条件的巨大变化。④

那么，江为又是如何得知传为陈后主所作的这首《临刑诗》的呢？或许这与该诗的流传区域有关。如周作人、滨政博司氏所言，中国流传的《临刑诗》大都与南京这一地缘有关。江为曾“诣金陵求举，屡屡黜于有司，怏怏不已”（《唐才子传》卷十），为求举而在南京滞留过，应该有机会接触到这首诗。只不过，亡国之君陈后主离开南京时，虽然对前路充满

① 赵翼：《陔余丛考》，上海商务印书馆，1957年版，第496—497页。

② 赵翼：《瓯北诗话》，人民文学出版社，1981年版，第172页。

③《四库全书》史部165杂史类。

④ 参见金文京：《黄泉之宿——临刑诗的系谱及其背景》，载《兴膳教授退官记念中国文学论集》，汲古书院，2000年版。

不安，但并无马上要赴黄泉的紧迫感。而对于临刑在即的江为来说，《临刑诗》中所描绘的一切显得更加紧迫和悲壮，更为符合当时的心情。这一点，一直为后世的《临刑诗》所继承。

五、结语

通过以上考察，我们对《临刑诗》在东亚三国的传承过程大概可作如推断：隋灭陈后，传为陈后主所作的《临刑诗》，曾长期流传于以南京为中心的江南地区。此后，一方面，通过留学吴越间的入唐僧人智藏传到日本，最终影响到大津皇子《临终诗》的创作；另一方面，又通过五代江为的临刑赋诗、明朝孙蕡的临刑口占，在中国不断流传下来并影响到朝鲜成三问的刑前赋诗。《水浒传》等小说戏曲中的引言，使得该诗在民众之间更加广泛流传，以致衍生出假托金圣叹、戴名世、叶德辉等名士的附会之作。

当然，《临刑诗》在传承过程中，之所以出现如此众多的变异，应与临刑口占这一特殊背景有关。面对即将受刑、离别人世的残酷现实，诗人们在大致相同的极端环境之下，追忆起前人流传下来的诗作，放声吟诵，期间文字稍有出入亦属自然。而这种悲剧性的故事，经过民间不断加工，逐渐衍生出更多的附会和传说。毋宁说，这也正是《临刑诗》流传如此之广的根本原因。

比较一下流传于东亚三国的《临刑诗》，可以发现，除陈后主的《临行诗》外，中国流传的《临刑诗》皆与文人的笔祸有关；而日本、朝鲜的《临刑诗》皆与皇位的争夺有关，这一点可谓与陈后主的《临刑诗》更为接近。[①] 然而，令我们更感兴趣的是，大津皇子与成三问除上述《临刑诗》外，还分别留下了用自己民族语言创作的和歌和时调。即使是告别人世之际，一方面要用汉诗这种东亚地区的共同语言赋诗言志，使其具有地区间的普

① 参见金文京：《黄泉之宿——临刑诗的系谱及其背景》，载《兴膳教授退官记念中国文学论集》，汲古书院，2000年版。

遍性；另一方面又须用自己的民族语言来表达自己的心声，使其具有特定的真情实感。近代以前东亚地区这种诗与歌奇妙组合，应该引起我们的进一步关注。

（本文为2001年9月8日至10日由南开大学、东亚比较文化国际会议主办的“变动期的东亚社会与文化”国际学术研讨会上的发表论文，后收入杨栋梁、严绍璗主编，赵德宇、刘雨珍副主编：《变动期的东亚社会与文化》，天津人民出版社，2002年版，第431—451页。）

第八章　杨贵妃渡日传说的流变及其原因

一、杨贵妃在中国

杨贵妃是中国古代著名的四大美女之一，身为唐玄宗的贵妃，曾集玄宗万千宠爱于一身，兄弟姐妹也因此而显赫一时。然安禄山兵变，潼关失守，玄宗一行匆匆蒙尘四川，行至马嵬驿，军队不前，玄宗为平军心，不得已令高力士缢死贵妃。一代国色，玉殒香消，时为天宝十五年(756)，贵妃年仅38岁。

大约在杨贵妃死后50年，白居易创作了千古名作《长恨歌》，使得杨贵妃的故事脍炙人口，妇孺皆知。

《长恨歌》的后半部分，着重描写玄宗回归长安后，派临邛道士四处寻找贵妃，道士排空驭气，“上穷碧落下黄泉”，终于在海上仙山中的太真院寻觅到杨贵妃。这种对仙境的铺张描写，引起许多有关杨贵妃未死的传说，如清代的洪昇在《长生殿》中便写杨贵妃是尸解而去(“尸解”折)，并借贵妃托梦说：“只为当日个乱军中祸殃惨遭，悄地向人丛里换装隐逃，因此上流落久蓬飘。”(“雨梦”折)暗示杨贵妃此后似曾流落民间。

这种意见，甚至亦见于现代学者之中。有人认为，《长恨歌》记述的是一件皇家逸闻，即在马嵬驿事变中贵妃未死，而是易服潜逃，流落民间，大概当了女道士。[①] 更有人认为，杨贵妃由马嵬驿潜逃后，混入难民中越过终南山，在东方海滨城中作妓女，也可能是名妓而兼“假母”，主持着一个很大的妓院。玄宗派遣使者寻访到贵妃，但贵妃不愿返回长安，只是将当年定情信物交给使者带回。[②]

总之，《长恨歌》以其缠绵的故事，优美的旋律，不仅深受中国历代读者的喜爱，产生了各种传说故事，而且也赢得了朝鲜、日本等各国人们的欢迎。日本的有关杨贵妃的故事传说，就是在此基础上形成并发展起来的。

二、日本的杨贵妃传说

日本所流传的杨贵妃传说，有的类似中国，认为杨贵妃在马嵬驿事变中未死，最终流落到了日本。如山口县大津郡友谷町久津二尊院就流传着如下传说：

> 马嵬驿军边，玄宗不得不忍痛割爱，令高力士缢死杨贵妃。然近卫军司令陈玄礼恋慕贵妃，不忍加害，便与高力士同谋，将杨贵妃的侍女缢死，以假乱真，迷惑众人。杨贵妃本人则乔装打扮。在陈玄礼的心腹保护下，抄小道南下，由现在的上海附近东渡日本，来到油谷町久津。安禄山之乱平定后，玄宗派方士来到久津，送给贵妃两尊佛像，贵妃则献上定情的头簪。此后，杨贵妃再也没回到中国，在此地平静地安度晚年。[③]

另外，京都市东山区的泉涌寺还传有杨贵妃观音像。据说安禄山之乱平定后，唐玄宗思念贵妃，特请用香木制作了与贵妃等身坐像大小相同的圣观音坐像。此像宋时传入日本，现安置在该寺的观音堂内。圣观

---

① 俞平伯：《〈长恨歌〉及〈长恨歌传〉的传疑》，原载《小说月报》第二十卷年第二期，1929 年，后收入《论诗词曲杂著》，上海古籍出版社，1983 年版。

② 孙次舟：《读〈长恨歌〉与〈长恨歌传〉》，《文学遗产增刊》年第十四辑，1982 年 2 月。

③ 寺尾善雄：《中国传来物语》，(日)河出书房，1982 年版，第 275—276 页。

音安然端坐，宛如贵妃生时。该像1955年对外开放，现作为愿结良缘、诸愿成就的观音，深受人们欢迎。

然而，在所有杨贵妃传说中，最为有名、最具代表性的还是名古屋市的热田神宫所流传的杨贵妃传说。该传说的主要内容，即杨贵妃本乃热田明神的化身，因为唐玄宗企图征服日本，热田明神便化作杨贵妃，去迷惑唐玄宗，挫败了玄宗的侵日之志。从前社殿的后面还有一座五轮塔，便是杨贵妃的坟墓。

下面对该传说作一具体的介绍与分析。

关于该传说的起源，我们能够找到的最早记载，应是镰仓时代末期比叡山僧人光宗（1276—1350）所著的《溪岚拾叶集》。《溪岚拾叶集》堪称日本天台宗的百科全书式书籍，内容涵盖显、密、戒、记录等诸多方面，除了纯粹教理外，还包含不少神社寺院的由来缘起谭和灵验谭，以下是有关蓬莱宫的问答：

问：以我国习蓬莱宫者，方如何？

答：唐玄宗皇帝与杨贵妃，共至蓬莱宫。其蓬莱宫者，我国今热田明神是也。此社坛后有五轮塔，（中略）此塔婆，杨贵妃墓也。①

在此明确记载，热田神宫就是蓬莱宫，唐玄宗和杨贵妃曾一起来此，神社内的五轮塔就是杨贵妃墓。而此处所说“五轮塔”，据说江户初期的林罗山（1583—1657）《本朝神社考》卷三记载：

热田之庙背有一基石塔，其长二尺许，其形太丑，巫祝等指之曰贵妃之塔也。又庙外有玄太辅之祠，佥云玄宗三郎之祠也。

另据《尾张国地名考》所载，该塔乃五轮石塔，在正殿西北方向，自镰仓时代便存在，直到江户时代的元禄时期（1688—1704）尚在，何时倒塌，不得而知。

上述杨贵妃为热田明神的传说，到南北朝时期更加广泛，如《曾我物

① 高楠顺次郎编：《大正新修大藏经》第76卷《续诸宗部》，一切经刊行会，1931年版，第518页。

语》中有一篇《玄宗皇帝之事》，前半段基本上承袭《长恨歌》的故事，但在结尾道士寻访贵妃处，却又这样言道：

(方士)乘飞车，来到我朝尾张国，化为八剑明神。杨贵妃乃热田明神者也，传说蓬莱宫，即指此地也。①

另外，足利义晴时编成的《云州樋河上天渊记》(《群书类丛》正28集)中也如此写道：

四十五代圣武、四十六代孝谦帝间，李唐玄宗慕权威，欲取日本。于时日本大小神祇聚集评议，请以热田生杨家而为杨贵妃，乱玄宗皇帝之心，醒日本夺取之志。诚如斯，贵妃失马嵬，乘船着尾州智多郡宇津美浦，归热田宫。

不但民间传说如此，就连当时的博学大儒清原宣贤(1475—1550)在讲解《长恨歌》中的"忽闻海上有仙山，山在虚无缥缈间"时，也将热田的蓬莱传说，与杨贵妃的故事结合起来。

日本有三处蓬莱，熊野金峰山、尾张之热田、骏河富士也。秦始皇遣徐福求长生不死之药时，先至熊野金峰山，其后至骏河富士云。又，方士寻至热田，贵妃闻玄宗之使至，召见入内对面，界内即仙境也。方士牢记于心，归唐后语以此界内之形状，造之于庭也。②

① 市古贞次、大岛建彦校注：《曾我物语》卷二第六《玄宗皇帝之事》，岩波书店，1966年版，第108页。原文如下：方士かへりまいりて、皇帝に奏聞す。「さること有、方士あやまりなし」とて、飛車にのり、わが朝尾張國にあまくだり、八劔明神とあらはたまふ。楊貴妃は、熱田明神にてぞわたらえたまひける。蓬莱宮は、すなわちこの所とぞ申。

② 原件图片参见京都大学附属图书馆藏《长恨歌并琵琶行秘抄》第406号右贴纸补记，https://rmda.kulib.kyoto-u.ac.jp/item/rb00007913#?c=0&m=0&s=0&cv=26&r=0&xywh=-3773%2C-14%2C10616%2C2275。原文如下：日本ニ三処ノ蓬莱アリ、熊野金峯山、尾張ノ熱田、駿河富士也、秦始皇長生不死ノ薬ヲ求ニ徐福ヲ使サレタル時ニハ、先熊野金峯山ニツク、其后駿河富士へ行タト云也、又方士ハ熱田テ尋逢タ、貴妃ノ玄宗ノ使トテ、坪ノ内へ使ヲ召テ、對面アリ、坪内則仙境也、方士能見覚テ、唐へ皈テ此坪ノ内ノ体ヲ語申処ニ、サラハ其体ヲ庭ニウツサセラレタリ。

杨贵妃听说方士受玄宗派遣来到热田，召其入内见面，此处强调指出“界内即仙境也”，表明它具有不同于世俗现实的神圣性。继而又在讲解“金阙西厢叩玉扃”时，如此阐述道：

> 一说此蓬莱乃言日本尾张热田明神，玄宗欲攻取日本，热田明神变成美女，以迷玄宗之心，其证据为，此社有门曰春叩门，春时道士叩其门，故门额如此，是一说也。①

由此可以看出，杨贵妃渡日传说已在中世日本朝野广泛流传。

到了江户时代，这个传说更是广为流传，当时无论是对《长恨歌》的讲解，还是民间故事，皆沿用此说，并加以扩充。如刊行于宽文年间传为浅井了意(1612—1691)所作的《杨贵妃物语》，便是用假名对《长恨歌》的章句进行逐句讲解，对“昭阳殿里恩爱绝，蓬莱宫中日月长”两句，是如此阐述的(笔者译)：

> 昭阳殿，华清宫南之御殿也，昔君常游此地也。恩爱绝，昔为君所宠爱，而今已绝也。今蓬莱宫中唯一人，从前春日秋夜，甚觉短暂，今此中日月颇长，不胜悲惨也。此蓬莱、方丈、瀛洲，乃仙人居处，山中有不老不死之药。此山在大海中，是谓日本也。日本有骏河之富士、尾张之热田、纪伊之熊野也。秦始皇时，有名徐福之道士为寻不死之药，来纪州之熊野也。又玄宗之时，有方士杨通幽寻贵妃来尾州之热田也。唐玄宗时，天下太平，安宁无事。而帝欲讨伐

① 国田百合子解说・校异：《长恨歌・琵琶行抄》，武藏野书院影印，1976 年版，第 177 页。另，原件图片参见京都大学附属图书馆藏《长恨歌并琵琶行秘抄》第 406 号左，https://rmda.kulib.kyoto-u.ac.jp/item/rb00007913#?c=0&m=0&s=0&cv=26&r=0&xywh=-3773%2C-114%2C10616%2C2275。原文如下：一説ニ、此蓬莱ト云ハ、日本ノ尾張ノ熱田明神ヘ尋行クト云義アリ、玄宗ノ日本ヲ攻テ、取ラントスルホトニ、熱田明神ノ、美女ト成テ、玄宗ノ心ヲ迷ハスト云、其證拠ニハ、此社ニ、春叩門ト云アリ、春ノ比、此戸ホソヲ、道士カ叩ク故ニ、其門ノ額ヲ如此ウツト云、是ハ一説也。

此日本，于是热田明神化为贵妃，乱唐世而救日本也。①

在这里，除了对原文的讲解外，还对日本几处流传的蓬莱传说作了说明，最后叙述热田明神化为杨贵妃的传说。

另外，江户时代与近松门左卫门并驾齐驱的净琉璃作家纪海音（1663—1742年），在《玄宗皇帝蓬莱鹤》中的“玄宗杨贵妃道行”一段中，也如此描写道：

> 御声又言道。陛下贪欲太深，为缓陛下夺取日本之志，特变作杨贵妃，此亦乃垂迹和合也。

所谓“垂迹和合”是日本的特有信仰，乃指神祇为助民众，从本来所居之处特地下凡。此处描写的，当然是热田明神现身杨贵妃，拯救日本的事情。

由此看来，到了江户时代，无论汉学家、儒者，还是一般民众，对于杨贵妃是热田明神化身的传说都是深信不疑的了。

三、热田神宫杨贵妃传说所产生的原因

以上我们对热田神宫所流传的杨贵妃传说作了大体鸟瞰，那么接下来的问题便是，究竟产生这种传说的原因是什么呢？下面就从《长恨歌》在日本的广泛流传、热田的徐福传说、中日间的紧张关系、热田神宫的日

① 仓岛节尚编：《杨贵妃物语》，古典文库478，1986年版，第127—129页。原文如下：せうやうでんハ花清宮のみなミにある御殿なり、爰にてつねづね君とあそバれし也。恩愛絶とハさしもわれを君のいつくしみおぼしめしけるも、今ハ絶はてたるとなり。今蓬莱宮のうちにひとりのミあれば、むかし春の日、秋の夜もミじかきをくるしミたりしに、爰にあればば中月日もなかうして、いハんかたなしとなり。これにつきて蓬莱、方丈、瀛州といふ。この山ハ仙人のすむところにして、山のうちにハ不老不死の薬ありといふ。この山大海の中にあり、これ日本をさすとなり。日本に駿河の富士、尾張の熱田、紀伊の熊野なり。秦の始皇のとき徐福と云道士が不死のくすりをもとめに、紀州の熊野にきたれりと也。又玄宗のとき方士楊通幽が貴妃をたづねて尾州の熱田にきたれりと也。唐の玄宗のとき、あまり静かに天下おさまりければ、みかど内この日ほんをうちとらんとうかゞひ給ふを、熱田の明神貴妃と成て、世をみだし、日本をすくひたすけ給ふといふ事侍へる也。

本武尊信仰等四个方面来分别加以探讨。

(一)《长恨歌》在日本的广泛流传

历代中国文人中,对日本文坛影响之大,无有出白居易右者,作为白居易代表作之一的《长恨歌》,在日本文坛的流行及其影响比之在本土中国,可以说是有过之而无不及。自平安时代至今,它的影响一直经久不衰。

如在和歌、汉诗方面,藤原公任(966—1041年)所编的《和汉朗咏集》中就收入《长恨歌》四联八句[①],此后藤原基俊(1056—1142)所编的《新撰朗咏集》中亦同样收入四联八句[②]。而藤原定家(1162—1241)的《拾遗愚草》、慈圆(1155—1225)的《拾玉集》中,都有将《长恨歌》中的某一句改作而成的"句题和歌"。

与此同时,一些物语文学中也开始出现了用假名讲解的杨贵妃故事。《更级日记》言:"闻说世上有人将《长恨歌》一文,写成故事。"现在我们所能见到的便有:源俊赖《俊赖口传集》百廿三《裁缝衣》[③],《今昔物语》卷第十《唐玄宗后杨贵妃依皇宠被杀语第七》,《唐物语》《玄宗与杨贵妃的故事》等。这些皆是以《长恨歌》为蓝本,对玄宗与杨贵妃的悲恋故事详加叙述,并适当地进行裁剪的,有的还配上了和歌。

此外,我们还可以从当时流传的《长恨歌》绘画中,看出人们对《长恨歌》的喜爱。

众所周知,《长恨歌》对《源氏物语》的产生曾起了极其重要的影响,尤其是首卷《桐壶》,无论是人物描写,还是遣词造句,皆可说是从《长恨

---

① 收入诗句如下:"迟迟钟漏初长夜,耿耿星河欲曙天"(卷上,秋夜条);"行宫见月伤心色,夜雨闻猿断肠声"(卷下,恋爱条);"春风桃李花开日,秋露梧桐叶落时"(同上);"夕殿萤飞思悄然,秋灯挑尽未能眠"(同上)。

② 收入诗句如下:"西宫南内多秋草,落叶满阶红不扫"(卷上,秋条):"梨园弟子白发新,椒房阿监青娥老"(卷下,老人条);"鸳鸯瓦冷霜华重,旧枕故衾谁与共"(卷下,恋条);"玉容寂寞泪栏干,梨花一枝带春雨"(卷下,妓女条)。

③《续续群书类从》第十五歌文部所收。

歌》脱胎而来的。其中有一段描写桐壶帝失去更衣后，朝夕思念的情景：

近来皇上晨夕披览的，是《长恨歌》画册，这是从前宇多天皇命画家绘制的，其中有著名诗人伊势和贯之所作的和歌及汉诗。日常谈话，也都是此类话题。①

然而，桐壶帝即使“晨夕披览”《长恨歌》画册，也难抵其失去更衣之痛：

皇上看了《杨贵妃》画册，觉得画中杨贵妃的容貌，虽然出于名家之手，但笔力有限，到底缺乏生趣，诗中说贵妃的面庞和眉毛似“太液芙蓉未央柳”固然比得确当，唐朝的装束也固然端丽优雅，但是，一回想桐壶更衣的妩媚温柔之姿，便觉得任何花鸟的颜色与声音都比不上了。②

由此我们可以得知，宇多天皇(887—897 在位)曾命画家绘制过《长恨歌》画册，并配有伊势和贯之所作的和歌及汉诗，但据《源氏物语》有名的古著、一条兼良(1402—1481)的《花鸟余情》中称：

《长恨歌》的画虽然亭子院时，曾令画工描绘过，然其画未能流传后世，而通宪法师(法名信西)参照唐书、唐历、杨贵妃外传等书，重新描绘成画，此即当今所见《长恨歌》画者也。③

似乎宇多天皇时的《长恨歌》画册并没有流传下来，后来通宪法师(信西)又参照《唐书》、《唐历》、《杨贵妃外传》等重新加以描绘过。

由上我们可以看出，《长恨歌》的故事在平安时代的贵族社会中，是广为流传而又影响深远的。不仅如此，后来谣曲中的《皇帝》、《杨贵妃》，即以唐玄宗与杨贵妃作为题材。直到现在，描写唐玄宗与杨贵妃爱情的

---

① 丰子恺译：《源氏物语》上，人民文学出版社 1980 年版，第 9 页。
② 中野幸一编：《源氏物语古注释丛刊》第二卷《花鸟余情》第一，武藏野书院，1978 年版，第 9 页。
③ 丰子恺译：《源氏物语》上，人民文学出版社 1980 年版，第 10—11 页。

作品还依然络绎不绝，像现代作家中就有菊池宽的《玄宗的心情》（平凡社，1929）、川口松太郎的《杨贵妃》（河出新书，1955），以及井上靖的《杨贵妃传》（讲谈社文库，1972）等。

就这样，自古至今，杨贵妃的故事一直深受日本人民的喜爱，可以说是妇孺皆知，无人不晓。应该说，这便是产生杨贵妃传说的首要原因。

（二）热田的徐福传说的影响

在对《长恨歌》长期的欣赏过程中，人们并不仅仅满足于欣赏原作，而是不断地去进行再创造。而《长恨歌》后半部分对仙境的铺张描写，又给日本人们提供了宝贵的创作源泉。

本来，徐福入海求仙、东渡日本的传说，自五代的《义楚六帖》后，在中日两国皆广为流传。然而，徐福到达的究竟是何处，日本传说不一，许多地方都流传着有关徐福的传说。另，如前已引用的浅井了意所作《杨贵妃物语》中，就同时提到富士山、热田、熊野三处。

关于热田的徐福传说，五山高僧惟肖得严（1360—1437）在其《东海琼华集》三《蓬莱小隐之叙》中说道：

> 世传，秦徐市上书始皇，请与童女五百人入海求三神山不死药，而得海岛，遂留不还，即我朝尾州热田神祠是也。①

在这里，惟肖得严明确指出，徐福抵达的乃是名古屋的热田神宫。我们可以说，热田所流传的这种徐福传说，便是产生热田神宫杨贵妃传说的第二个原因。

（三）中日间的紧张关系

不能忽视的是，此传说的产生与历史上中日两国的紧张关系有着密切的关联。

---

① 玉村竹二编：《五山文学新集》第二卷，东京大学出版会，1968年版，第790页。

元世祖忽必烈统一中国后,东征西伐,于1274年(日本文永十一年)和1281年(日本弘安四年)两次派遣大军攻打日本,这就是日本历史上所说的"文永之役"与"弘安之役"。虽由于内部不和以及台风袭击,元军皆以失败告终,但这两次入侵,对日本的震动非常大。位于东方大海中的岛国日本,第一次真正感到外来侵略的恐惧,这种恐怖影响之深,涉及其后日本的各个方面。

另外,据上垣外宪一教授研究,丰臣秀吉侵略朝鲜失败后,直到江户时代,日本朝野曾一度担心朝鲜与明联合起来,攻打日本。在庆长之役时,日军曾一度北上,直逼汉城,但不知为何,突然间又大撤退,据《明实录》言,主要是由于当时日军听到了明军要调集福建、浙江、直隶的南北水陆兵70万攻击日本的消息后,停止进攻的。

> 又声言:"调南北水陆兵七十万,旦暮福、广、浙、直水兵至,直捣日本"。倭闻风,遂不敢进。行长奔井邑,离王京六百里;清正奔庆尚,离王京亦四百里。①

明军进攻日本,这正是日本人最为担心的事情,小西行长和加藤清正闻此消息,皆远离王京。

另外,江户前期的著名朱子学家藤原惺窝(1561—1619)在与其朱子学老师、朝鲜战争中被日军俘虏的朝鲜大儒姜沆(1567—1618)的交谈中,也道出了当时的这种明与朝鲜联军进攻日本的担心:

> 日本民众的憔悴情形,没有比现在更惨的了,如果朝鲜与明一道出兵日本,吊民伐罪,先令投降的倭人及翻译用假名写好布告,告诉平民百姓是为了来把他们从地狱之苦中拯救出来,不会践踏军队经过的任何地方,那么打到白河关是没有问题的。②

白河关在今福岛县白河市,为古来由关东进入奥州的一大门户。藤

① 《明神宗实录》卷315"万历二十五年十月"条。

② 姜沆著、朴钟鸣译注:《看羊录》,(日)平凡社东洋文库410,1984年版,第182页。

原惺窝的话，指出了当时日本所面临的困境，国力疲敝，民不聊生。若是明朝与朝鲜趁机进攻日本，是很容易横扫日本列岛的。然而当时明朝也忙于防备新兴的清军南下，内忧外患，危机四伏，王朝统治摇摇欲坠，自身尚且难保，哪有余力去攻击日本？

而日本却一直被这种恐怖所困扰，出于这种恐惧心理，人们希望神灵加以保佑，于是便假托热田明神变成杨贵妃，以阻止玄宗侵略日本的野心。应该说，这也是当时民众惧怕明军入侵心理的一大反映。

（四）热田神宫的日本武尊信仰

热田神宫的杨贵妃传说与热田神宫的日本武尊信仰也有关联。

热田神宫祭祀的是日本传说中的英雄皇子日本武尊及三种神器之一的“草薙剑”。据《日本书纪》卷七“景行天皇纪”载，日本武尊奉父皇景行天皇之命，平定完九州熊袭的川上枭帅和出云的出云建后，返回京城奈良，席不暇暖，便被景行天皇派去征讨东国。

> （景行天皇廿八年）冬十月壬子朔癸丑，日本武尊发路之。戊午，枉道拜伊势神宫，仍辞于倭姬命曰：“今被天皇之命，而东征将诛诸叛者，故辞之。”于是，倭姬命取草薙剑，授日本武尊曰：“慎之，莫怠也！”
>
> 是岁，日本武尊初至骏河，其处贼阳从之，欺曰：“是野也，麋鹿甚多，气如朝雾，足如茂林，临而应狩。”日本武尊信其言，入野中而觅兽。贼有杀王之情，放火烧其野。王知被欺，则以燧出火之，向烧而得免。（一云：王所佩剑丛云自抽之，薙攘王之傍草，因是得免，故号其剑曰草薙也。）①

为此，日本武尊他绕道赴伊势神宫辞别姑母倭姬命，倭姬命赠其草薙剑，在骏河（今静冈县）遭到火攻时，用草薙剑退火突围，击退敌人。

---

① 坂本太郎、家永三郎、井上光贞、大野晋校注：《日本书纪》（上），岩波书店，1967年版，第303—305页。

归途，日本武尊在尾张（今爱知县）娶宫簀媛，因将草薙剑放置在宫簀媛处，过伊吹山时为山神所伤，最终病逝于能褒野，年仅三十岁。草薙剑便放置在热田神宫：

初日本武尊所佩草薙横刀，是今在尾张国年鱼市郡热田社也。①

据江户时代狩野派画家狩野永纳（1631—1697）在《长恨歌图抄》（1677）中评论乃父狩野山雪的《长恨歌画卷》时说：

谚云：唐代时，日本屡贡方物，贡物少时，便杀使者。玄宗欲灭日本。热田明神乃日本武尊也，此尊变成杨贵妃，住吉明神变成禄山，熊野大神变成国忠，入大唐，灭玄宗云。②

由此我们可以得知，民间传说中，玄宗将灭日本时，群神合力，各显其能，热田明神（即日本武尊）变作杨贵妃，住吉明神变作安禄山，熊野大神变成杨国忠，共入大唐，以灭玄宗。这大约反映了当时流行的一种神国思想。

然而，热田明神变作杨贵妃，应该还与日本武尊讨伐九州熊袭时，男扮女装，刺杀川上枭帅的传说有关。

（景行天皇廿七年）冬十月丁酉朔己酉，遣日本武尊，令击熊袭，时年十六。（中略）十二月，到于熊袭国。因以，伺其消息及地形之险易。

时熊袭有魁帅者，名取石鹿文，亦曰川上枭帅。悉集亲族而欲宴。于是日本武尊解发作童女姿，以密伺川上枭帅之宴时，仍佩剑裀里，如于川上枭帅之宴室，居女人之中。川上枭帅感其童女之容姿，则携手同席，举杯令饮而戏弄。于时也，更深人阑，川上枭帅且被酒。于是日本武尊抽裀中之剑，刺川上枭帅之胸。（中略）自今以

① 坂本太郎、家永三郎、井上光贞、大野晋校注：《日本书纪》（上），岩波书店，1967年版，第313页。

② 转引自近藤春雄：《长恨歌·琵琶行研究》，明治书院，1981年版，第162页。

> 后，号皇子应称日本武皇子。言讫，乃通胸而杀之。故至于今，称曰日本武尊，是其缘也。①

此后，日本武尊与草薙剑作为保佑日本国民的象征，在日本民间一直具有很高的信仰。

综上所述，热田神宫的杨贵妃传说，是以《长恨歌》在日本的流行为基础，随着中日关系的紧张，杂糅着日本固有的信仰等多种因素而形成的。从该传说中，我们可以看出中国与日本的既有友好又有紧张的历史关系。

四、中日文学的交流与杨贵妃传说的反馈

值得我们注意的是，日本的杨贵妃传说，通过中日两国的文人交流，很早就传入了中国。

明初，宋濂曾作过描写日本风土传说的《赋日东曲》十首，其中第六首便写道：

> 玉环妖血污寰中，岂有灵祠祝鬼雄。
> 莫是仙山真缥渺，雪肓花貌主珠宫。
> （自注：国有杨贵妃祠。）②

宋濂（1310—1381），字景濂，号潜溪，累官至学士承旨知制诰，当时朝廷祭祀、朝会、诏谕、封赐的文章，大多出于他的手笔，被誉为“开国文臣之首”。同时，我们在他的文集中，也能发现他的不少为日本人所作的文章，有的是为日本高僧作的碑铭，有的是为日本诗人诗集作的序。在

① 坂本太郎、家永三郎、井上光贞、大野晋校注：《日本书纪》（上），岩波书店，1967年版，第299—301页。

② 宋濂著、黄灵庚编辑校点：《宋濂全集》（四）卷一百二《萝山诗集》四《赋日东曲十首问海上僧僧多不能答时辛丑冬十月也》，人民文学出版社，2014年版，第2408页。关于宋濂的《赋日东曲》，可参见严绍璗：《中日古代文学关系史稿》，湖南文艺出版社，1987年版，第299—302页；陈小法：《明代中日文化交流史研究》，商务印书馆，2011年版，第42—47页。

这种交流过程中，宋濂自然由日本朋友处听说过日本有祭祀杨贵妃灵祀的传说。有关杨贵妃的传说传入中国，可以推测大概就是与此同时期传入的。

据诗题中的“时辛丑冬十月也”，则《赋日东曲》的成稿时间应为1361年即元顺宗至正二十一年，罗月霞主编《宋濂全集》就认定《萝山诗集》为入明前的刊本①。而据日本五山高僧横川景三（1429—1493）《补庵京华别集》记载：

> 皇朝太祖高皇帝，特敕吾使者，召见便殿，顾问海东熊野三山之事迹，忝赐御制一篇。又宋林学士宋景濂，赋日东曲十首以赠焉。就中振吾国王万世一姓之美、鸣传教、弘法显密二师入唐求法之美，东人到今荣之。②

据此，1376年明太祖朱元璋在宫中召见绝海中津时，宋濂曾以《赋日东曲》相赠。众所周知，当时绝海中津曾作《应制赋三山》：

> 熊野峰前徐福祠，满山药草雨应肥。
> 只今海上波涛稳，万里好风须早归。

明太祖回赠《御制赐和》：

> 熊野峰高血食祠，松根琥珀也应肥。
> 当年徐福求仙药，直到如今更不归。③

二人主要围绕日本熊野的徐福传说进行唱和。可见，当时有关徐福的故事，已在中日文人之间流传。杨贵妃的渡日传说，也应该是通过当时的人员往来带到中国。

另外，晚清的文廷式（1856—1904）也在其《樱花绝句》第三首诗中咏道：

---

① 罗月霞主编：《宋濂全集》，浙江古籍出版社，1999年版，前言第2页。

② 汤谷稔：《日明勘合贸易史料》，（日）国书刊行会，1983年版，第262—263页。

③ 入矢义高校注：《五山文学集》，新日本古典文学大系48，岩波书店，1990年版，第140页。

莺声霞外唤春回，十里云光锦障开。
如此仙山真缥缈，玉环金钿倘归来。[①]

文廷式，字道希，号芸阁，光绪十六年(1890)进士，曾任翰林院侍读学士兼日讲起居注，为帝党的重要人物。戊戌政变后，出走日本，光绪二十年回国。此诗即作于日本。

据作者自注云："有杨贵妃樱一种，宋景濂曾咏之"。杨贵妃樱，乃是一种拥有 15 至 20 片花瓣的淡红色大樱花[②]。虽然此诗所咏的是樱花，然由诗的后两句来看，或许作者对日本所流传的有关杨贵妃传说，也是耳有所闻的。

无论如何，流传于日本的杨贵妃传说，不久便反馈到中国，这既是中日两国人际交流的产物，同时也是两国文学交流的重要成果。

(本文日文版题为「楊貴妃」，載中西進、王勇编：『日中文化交流史叢書』10『人物』卷七「幻想の往還」，大修館書店，1996 年 10 月，第 400—422 页；中文版题为《杨贵妃渡日传说》，载王勇、中西进主编：《中日文化交流史大系》[10]《人物卷》第八章"超越时空的传说"，浙江人民出版社，1996 年 12 月，第 370—383 页。)

---

① 《知过辑诗集》，赵铁寒编：《文芸阁先生全集》，第 249 页，收入台湾文海出版社《近代中国史料丛刊续编》131)。

② 平凡社《大百科事典》第六卷 218 页"樱"条。

第九章　和歌、俳句在中国的流传与影响

一、和歌西传之始

和歌乃日本民族在漫长历史过程中所创造的文学形式。作为表达日本民族自我心声的工具，其产生可以上溯到记纪歌谣，至《万叶集》而蔚为大观。然而当时的日本，尚无自己的文字，于是他们在书写时开始借助于中国的汉字，即所谓的"万叶假名"。

和歌在其产生不久，就开始西传中国，此乃中日发生人际交流后的必然结果。7世纪以后，日本向中国派遣了十多次的遣隋使、遣唐使，以引进大陆的先进文化。他们历经千辛万苦，横渡波涛汹涌的大海，来到中国，一方面积极吸收中国的先进文明，另一方面又与中国诗人们作诗唱和，进行交流。唐代文献中，便保留着近百首中日诗人间的酬唱诗歌，成为早期中日文化交流史上的宝贵资料。

在这种交流过程中，遣隋使、遣唐使们亦起了将日本文化介绍到中国的媒介作用，和歌西传就是在此过程中得以实现的。

据现存文献资料，遣唐使们在中国所作的和歌有两首。

一首为《万叶集》卷一中所收录的《山上臣忆良在大唐时忆本乡作歌》：

いざ子ども 早く日本(やまと)へ　大伴の　御津の浜松　待ち恋ひねらむ(卷一·63)①

(试译)

归去兮同胞

大伴御津海浜松

想必等心焦

山上忆良(660—733)为万叶第三时期的代表歌人,他所创作的《贫穷问答歌》、《沉疴自哀文》等和歌,多着眼于人生疾苦,作品风格不仅在当时日本歌坛,乃至在日本文学史上亦属罕见。

公元702年(武则天长安二年,日本文武天皇大宝二年),山上忆良作为第8次遣唐使的遣唐少录来到中国。其归国时间尚难考定,但第8次遣唐使一行于704年到718年之间分3批归国,因此最迟也不应晚于718年。由此可以断定,这首歌制作的时期即为704年到718年之间。

这首和歌的内容主要是呼唤一同渡唐的日本同伴们早日回归日本,或许是作于归国前夕的宴会上。御津即日本难波的三津浦(今大阪市南区三津寺町),属豪族大伴氏的领地,当时为连接日本与大陆的交通港口,遣唐使出发时即经由此港。

在日语中,"松"与"待"发音相同(皆为"まつ"),此歌便是巧妙地利用这种谐音,来表达自己思念故土、盼望早日归乡之情的。它是否为当时中国诗人所知晓,现在尚不得而知,然作为日本歌人在中国创作的第一首和歌,其意义是重大而深远的。

大约晚于此歌半个世纪,唐代文坛上又诞生了另一首和歌,这就是有名的阿倍仲麻吕的《在大唐见月所咏》。此歌最早收入《古今和歌集》卷九羁旅歌卷首,后又收入《百人一首》,千古以来为人们所传诵。歌云:

あまの原　ふりさけみれば　春日なる　みかさの山に　い

① 小岛宪之、木下正俊、东野治之校注·译《万叶集》(一),小学馆,1994年版,第60页。

でし月かも①

（汉译）

翘首望天边

月光如洗照九天

三笠山月圆

阿倍仲麻吕(698—770)，于717年(唐玄宗开元五年，日本元正天皇养老元年)作为遣唐留学生随第9次遣唐使团来到中国，时年20岁。从此至死未能返回日本，取有汉名朝仲满、朝衡、晁衡等。初入太学，科举及第后，历任左拾遗、左补阙等职。734年，他上奏唐玄宗，请求随第10次遣唐使一同归国，然未得玄宗许可。753年，终于获准随第11次遣唐大使藤原清和一道回日。然而，船在航行途中遇到台风，阿倍仲麻吕所乘坐的船飘至越南。后来他回到长安，历任左散骑常侍、御史中丞等高官，73岁客死于中国。

关于此歌的创作背景，《古今和歌集》说明如下(笔者译)：

> 古传曰："昔，遣仲麻吕至唐学习，经年不见归来。本国再派遣使者，催其速归。一行归国途中，经明州海岸，彼国诗人，设宴话别。时夜深人静，月色清丽，仲麻吕难抑内心情感，故咏此歌。"②

据此可知，这是仲麻吕在中国友人设宴饯别时之作。前述阿倍仲麻吕出发为753年，此歌盖作于此时。又据《土佐日记》记载，当时这首歌

---

① 佐伯梅友校注：《古今和歌集》卷九第406首「唐土（もろこし）にて月を見てよみける」，作者作「安倍仲麿」，岩波文库，1981年版，第110页。

② 佐伯梅友校注：《古今和歌集》卷九第406首，岩波文库，1981年版，第110页。左注原文如下：「この歌は昔仲麿を唐土に物ならはしに遣はしたりけるに、あまたの年を經てえ歸りまうで來ざりけるを、この國より又使まかりいたりけるに、たぐひてまうできなむとて出でたりけるに、めい州といふ所の海邊にて、かの國の人むまのはなむけしけりよるになりて、月のいと面白くいでたりけるを見てよめる、となむ語り傳ふる」。

就被译成中文，为中国诗人所喜爱。① 从现存资料亦可看出，阿倍仲麻吕与著名诗人王维、李白、储光羲等皆有深厚交往，互相赠诗唱和，且王维、赵晔、包佶、徐凝等诗人还为仲麻吕留有送别诗。② 可以想象，饯别宴席上，中国诗人们定是与日本友人一起，凝神欣赏过这首脍炙人口的佳作。

综上所述，山上忆良与阿倍仲麻吕所作的和歌皆充满着眷眷的思乡之情，然具体看来，前者主要面对当时在唐的日本人，而后者则有很大可能是在中国诗人面前披露的。和歌在其诞生后不久，就由遣唐使们西传至中国，这不仅在日本和歌史上，而且在中日文化交流史上也具有重要的意义。

二、明代的和歌汉译

(一) 倭寇入侵与明代日本研究的兴盛

唐末大乱，中国遭受严重破坏。894 年(唐昭宗乾宁元年，日本宇多天皇宽平六年)，在菅原道真的建议下，持续 260 多年的遣唐使派遣终止了。自此中国与日本的官方交往虽然停止，但民间交流依然络绎不绝，日本人宋僧人与贸易商亦频繁往来于中日两国之间，在这种交流过程中，有关日本的知识亦渐渐传入中国，宋代的罗大经在《鹤林玉露》中，将从留学僧安觉听来的日语单词分别用发音相近的汉字一一加以介绍。③ 到了元末明初，著名学者陶宗仪又在其编纂的《书史会要》一书中，根据当时日本入元僧人提供的资料，按照“いろは歌”顺序，第一次完整记载

---

① 纪贯之在《土佐日记》中，将首句的“天の原”改为“青海原”，据铃木知太郎解释，此乃纪贯之看到当夜海上景色后即兴改动而成。参照铃木知太郎校注：《土左日记》，岩波文库，1979 年版，第 35 页。另外，关于此歌的创作地点及作者，还存在着不少争论，本文按通行观点叙述。

② 所作送别阿倍仲麻吕诗分别如下：
王维：《送秘书监归日本国》，载《全唐诗》卷 127。
赵晔：《送晁补阙归日本国》，载《全唐诗》卷 129。
包佶：《送日本国聘贺使晁臣卿东归》，载《全唐诗》卷 205。
徐凝：《送日本使还》，载《全唐诗》卷 474。

③ 罗大经：《鹤林玉露》丙编卷之四“日本国僧”条。

了日语的47个假名，指出其用途乃是“能通识之，便可解其音义”。①

然而，中国的日本研究取得飞跃发展，还是进入明代以后的事情。这种日本研究兴盛的直接原因，当然主要是为了抵抗倭寇的入侵。16世纪明朝与日本交流中断后，倭寇在大陆大行掠夺，尤其是在嘉靖、隆庆、万历年间，倭寇活动最为猖獗。倭寇初期成员主要由日本人组成，而后期则也包括中国人及韩国人。

明朝政府为了有效地抗击倭寇，积极鼓励官府与民间进行系统的日本研究。对于当时的情况，郑余庆在《日本考略·引》中指出：

> 余庆承乏定海，适遭其穷，以守城官兵并力拒守，蕞尔区壤，独不罹害，幸亦多矣。窃以幸不可再，思患而预防之者不可不密，蚤夜展转，以图后计。时即有若邑庠弟子薛生俊者。……乃命俊为《日本考略》若干卷，诚有裨于边防也。

在这种外患压迫下，明代涌现了大量研究日本的著作，主要代表作有薛俊的《日本考略》、郑若曾的《日本图纂》、《筹海图编》(以上为嘉靖年间刊行)；李言恭、郝杰的《日本考》、郑舜功的《日本一鉴》(以上为万历年间刊行)等。

(二)“寄语”的搜集

明代日本研究的成果，不仅反映在研究著作数量比以前大为增加，更主要的还体现在其研究质量方面达到了颇高的水平。“寄语”的创立便是其重大成就之一。

“寄语”一词，乃起源于《礼记·王制篇》：

> 五方之民，言语不通，嗜欲不同。达其志，通其欲，东方曰寄，南方曰象，西方曰狄鞮，北方曰译。②

① 《书史会要》卷八“外域”部。

② 《十三经注疏》(上)，中华书局，1980年版，第1338页。

薛俊在《日本考略》亦说明道："寄即译，西北曰译，东南曰寄"，并在该书中特设"寄语略"一栏。据此我们可知，所谓"寄语"，乃指日语词汇的汉译。如该书中所记"秃计、月""乌弥、海""摇落、夜"，上面为用汉字摹拟的日语发音，下面为该日语词汇所指的汉语意思。

明朝的日本研究书籍皆很注重"寄语"的搜集，如薛俊《日本考略》收录了 358 个，郑舜功的《日本一鉴》收录了 3401 个，李言恭、郝杰的《日本考》收录了 1186 个，如此以"寄语"方式大量介绍日语单词，在中国文学史上尚属首次。也正因为有着如此丰富的"寄语"积累，和歌的汉译也就成了可能。

(三)《日本考》中的和歌汉译

随着"寄语"研究的进展，和歌的汉译亦同时开始了。下面我们就以李言恭、郝杰编撰的《日本考》为对象，具体考察一下其中的和歌汉译问题。

《日本考》编撰与明万历年间，全书共由 5 卷组成，对当时日本的情况，从地理、风俗，到文字、工艺等，皆作了较为具体而全面的介绍。其中，卷三的"歌谣"部收有和歌 39 首，卷五的"山歌"收有歌谣 12 首，共计和歌 51 首，并对它们一一作了具体的汉译。这些歌，大多取自《古今集》、《后撰集》、《拾遗集》、《后拾遗集》、《伊势物语》等处，内容则是多种多样。

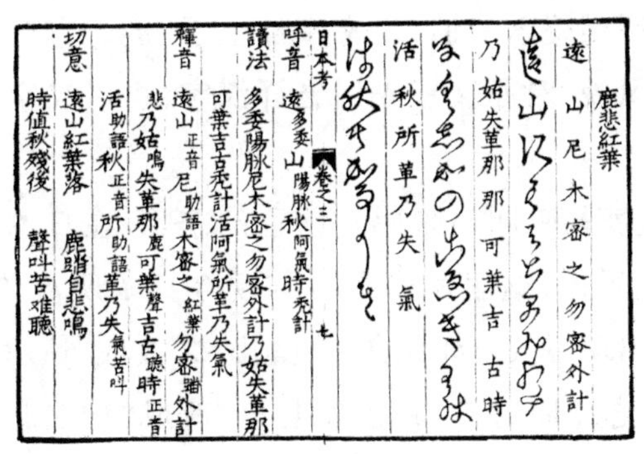
鹿悲紅葉
遠山尼木寄之勿寄外計
乃姑失革那那可葉吉古時
活秋所革乃失氣
日本考　卷之三　七
呼音　遠多委山陽脉秋阿氣時禿計
讀法　多委陽脉尼木寄之勿寄外計乃姑失革那可葉吉古禿計活阿氣所革乃失氣
釋音　遠山正音　尼助語　木寄之紅葉　勿寄蹈　外計　悲乃姑鳴　失革那鹿　可葉聲　吉古聽　時正音　活助語　秋正音　所助語　革乃失氣苦叫
切意　遠山紅葉落　鹿蹈自悲鳴
時值秋殘後　聲叫苦難聽

鹿悲红叶

纵观《日本考》中这些和歌的汉译，我们可以发现一个特色，即译者在翻译这些和歌时，每首都将其翻译程序加以细致而周到的说明。下

面,我们就以《古今集》卷四的著名和歌“奥山に紅葉ふみわけ　鳴く鹿のこゑきく時ぞ　秋はかなしき”①为例,看看其具体的翻译程序。

远山尼　木密之勿密外计 乃姑失革那那 可叶吉古时活 秋　所革乃失气

遠山に　もみぢふみわけ なくしかの　こゑきく時は あきぞかなしき

呼音:远多委　山阳脉　秋阿气　时秃计

读法:多委阳脉尼木密之勿密外计乃姑失革那可叶吉古秃计活阿气所革乃失气

释音:远山正音　尼助语　木密之红叶　勿密踏　外计悲　乃姑鸣　失革那鹿　可叶声　吉古听　时正音　活助语　秋正音　所助语　革乃失气苦叫

切意:远山红叶落,鹿踏自悲鸣,

时值秋残后,声叫苦难听。②

首先,按照中国诗歌习惯,译文中加上了“鹿悲红叶”这一题名。其次,为保持原有风貌,对原文皆先以音译汉字,再以汉字、假名混合方式进行介绍。

这首歌通过鹿的鸣叫声来感觉秋季的来临,在日本可谓脍炙人口,妇孺皆知。仔细看来,这里所介绍的与现今日本所流传的版本稍有出入,有不少地方出现错误。如原文的“奥山に”改成“遠山に”,“こゑきく時ぞ”改成“こゑきく時は”,“秋は悲しき”改成“秋ぞ悲しき”。这些不同,可能是在传抄过程中发生了变化。另外,“读法”中误衍一“那”字,

① 佐伯梅友校注:《古今和歌集》卷四第215首,岩波文库,1981年版,第66页。

② 李言恭、郝杰著,汪向荣、严大中校注:《日本考》,中华书局,2000年版,第104页。

“释音”中将“外计”（わけ）的意思误解为“悲”等，说明当时的日语理解水平还存在着不少问题。

具体翻译过程，大致分为“呼音”“读法”“释音”“切意”四个步骤。“呼音”乃是使用发音相近的汉字注音，相当于上述的“寄语”。“读法”则是将“呼音”中所得的汉字发音填入句中，得出全句的日话发音。“释音”则分为“正音”（如“远山”）、“助语”（如“尼”）以及对音译汉字的意思说明（如木密之）三种。

经过如此细致而周到的解释，最后译者在“切意”中将整首和歌译为五言汉诗。

从形式上可以看出，译文所采用的是中国传统诗歌的五言绝句形式，作为中国古典绝句，其本身亦自成一格，饶有情趣，可谓和歌汉译中的精品。

在和歌汉译中，译文除了上述用五言绝句以外，还有四言四句、七言二句、七言绝句、四五言杂句、四六言杂句、五七言杂句等各种形式。由此可见，译者在翻译中是因诗制宜的。如将《古今集》卷首的在原元方在立春之日所做和歌「年の内に春はきにけり　ひととせをこぞとやいはん　ことしとやいはん」①，题为“年内立春”，译为四言四句：

> 年内立春，已一年别。
> 算旧年节，当今时节。②

他如在原业平的著名和歌“月やあらぬ 春や昔の春ならぬ　我が身一つは　元の身にして”（《古今集》747，《伊氏物语》第 4 段），译文就题为“难中春怨”，译为如下四六杂言体：

> 月非昔月，春非昔春，
> 我身不比故旧，

---

① 佐伯梅友校注：《古今和歌集》卷一第 1 首，岩波文库，1981 年版，第 66 页。

② 李言恭、郝杰著，汪向荣、严大中校注：《日本考》，中华书局，2000 年版，第 106 页。

故旧不是我身。①

在由于倭寇活动之猖獗而引发的对日本研究的空前高涨之势中，和歌的汉译盛开出美丽的花朵。然而，倭寇之患逐渐消失后，研究日本的热情便又衰退下去。明代取得的丰硕成果，未能得到后人的继续推进，其时所进行的和歌汉译，并未在中国文学史上留下什么大的影响，其后便渐渐为人们所淡忘。

三、“小诗运动”与俳句的影响

（一）新诗的出现与“小诗运动”的兴起

中国的诗歌，直至本世纪初，一直是古典格律诗占据主流。1917 年的“文学革命”开始后，白话自由诗开始大量涌现，并逐渐取代古典格律诗的地位，给中国诗坛带来了巨大变革。

新诗诞生的 20 世纪初，外国诗歌通过翻译与介绍，陆续涌进中国。诗人们争先模仿，新诗呈现空前盛况。然而，这个时期所创作的新诗无论其形式或内容方面，大多还不够成熟，存在不少缺点。它们或为古典格律诗的现代翻版，或过分着重表达思想内涵，以致抒情性淡薄。这时的新诗需要注入新的血液。

在这种背景下，周作人将日本的短歌和俳句介绍到中国，对新诗的创作产生了巨大影响。20 年代初，中国文坛上出现了“小诗运动”，一时人们竞相创作，小诗运动空前高涨。

所谓“小诗”，据周作人定义，乃是“一行至四行的新诗”，其发生受印度和日本的巨大影响。②

周作人还将“小诗”分成两种，一种是以谢冰心的诗集《繁星》、《春水》为代表的哲理诗，另一种则是深受日本诗歌影响的俳句式抒情小诗。

---

① 李言恭、郝杰著，汪向荣、严大中校注：《日本考》，中华书局，2000 年版，第 109 页。

② 周作人：《论小诗》，《晨报副刊》1922 年 6 月 21、22 日，收入周作人：《自己的园地》。

前者如冰心在《繁星·自序》中所说，乃是深受泰戈尔的诗集《飞鸟集》的影响，而后者则受日本的诗歌，特别是俳句的影响很大。小诗运动中对俳句的接受，首先应归功于周作人对日本诗歌的介绍。

（二）周作人对俳句的介绍

周作人于1906年赴日留学，1911年回国，是“新文化运动”中的中坚分子。其创作的新诗《小河》就被胡适誉为“新诗中最初的杰作”（胡适：《谈新诗》）。

1921年5月，周作人在《小说月报》第12卷第5号上发表《日本的诗歌》一文，对松尾芭蕉、与谢芜村、小林一茶、正冈子规等的俳句，以及和泉式部、香川景树、与谢野铁干、晶子等的和歌，逐一作了选译并加以论评，向中国文坛详细介绍了日本的和歌、俳句。周作人在文中指出，比起中国诗歌来，日本诗歌具有两大显著的特点：一是其形式较短，虽不易于长篇叙事，但若要描写“一地的景色，一时的情调”，却很擅长；另一点则是，由于字数不多，所以“务求简洁精炼”，须追求余韵。

此后，周作人写下大量的有关日本诗歌的介绍文章，提倡在中国诗坛上普及小诗，①这种主张立即受到其他诗人的热烈欢迎。1922年1

① 据张菊香编：《周作人年谱》（南开大学出版社，1985年版），从1921年至1923年，周作人发表的有关日本诗歌的文章分别如下：

1921年5月《日本的诗歌》（《小说月报》第12卷第5号）

6月《日本俗歌五首》（《晨报》副刊6月29日）

8月《杂译日本诗三十首》（《新青年》9卷4号）

10月《日本诗人一茶的诗》（《小说月报》12卷11号）

10月《日本俗歌八首》（《晨报》副刊10月23日）

1922年2月《日本俗歌四十首》（《诗》1卷2期）

5月《石川啄木的短歌》（《诗》1卷5期）

6月《石川啄木的歌》（《努力周报》第4期）

6月《论小诗》（《晨报》翻刊21、22日）

9月《日本俗歌二十首》（《努力周报》20期）

1923年1月《石川啄木的短歌》（《小说月报》14卷1号）

4月《日本的小诗》（《晨报》副刊4月3—5日）

月，俞平伯、朱自清在《诗》创刊号上撰文表示赞同周作人的主张，呼吁诗人们创作小诗：

> 日本亦有俳句，都是一句成诗（见周启明先生所作的《日本的诗歌》一文）。可见诗本不限长短，纯任气声底自然，以为节奏。我认为这种体裁极有创作的必要。①

经过周作人的热情介绍，俞平伯、朱自清的强烈呼吁，日本诗歌尤其是俳句受到中国诗人的注目。特别是它那描写“一地的景色，一时的情调”的表现手法，成了诗人们竞相模仿的对象，可以说，20 年代初的诗人或多或少都曾作过小诗，大有小诗泛滥之势。这个时期出版的主要作品，有汪静之、潘漠华、应修人、冯雪峰的诗集《湖畔》，潘漠华、应修人、冯雪峰的诗集《春的歌集》，汪静之的《蕙的风》，徐玉诺的《将来的花园》，何植三的《农家的草紫》等。

（三）俳句对小诗的影响

综上所述，俳句式抒情小诗主要是在周作人的大力推动下步入中国文坛的。那么，具体说来，小诗在哪些方面受到了俳句的影响呢？

首先在创作手法上。正如周作人所述，俳句主要是表现某一瞬间的感觉，注重简洁精炼，尽量留有余韵，小诗亦是如此。如何植三的《夏日农村杂句》：

> 清酒一壶，
> 独酌
> 伴着荷花。②

这首诗是描绘夏日农村风景的。独自一人，清酒一壶，然有荷花作伴，未见孤独之感。短短十字，便将夏日的农村风景美妙地凝缩起来，可

① 俞平伯：《忆游杂诗》，载文学研究会编《诗》1 卷 1 号，1922 年 1 月。
② 何植三：《农家的草紫》，亚东图书馆，1929 年版，第 45 页。

谓小诗中的上乘之作。

其次在外在形式上。在周作人介绍下，小诗亦渐渐使用语气助词、“季语”等俳句所特有的手法。如潘四(潘漠华)的《小诗》：

七叶树呵，
你穿了红的衣裳嫁与谁呢？

1921年5月，周作人在《日本的诗歌》中翻译俳句时，凡属语气助词，一概用“——”来代替。如将松尾芭蕉的著名俳句“古池や　蛙飛び込む　水の音”，译为“古池——青蛙跳入水里的声音”；将小林一茶的俳句“秋風や　むしりたがりし　赤き花”译为“秋风——从前撕剩的红花(拿来作供)”。然而，在同年11月所作的《日本诗人一茶的诗》一文中，周作人将上述一茶的俳句改译为“秋风呵，撕剩的红花，拿来作供”，在“秋风”后面加上了“呵”这一语气助词。不用说，这乃是周作人有意识地翻译日本的语气助词。此后所写的有关俳句的文章中，将“や”、“かな”、“けり”等语气助词，基本上都是用“呵”译出。受此影响，其他诗人的小诗中，用“呵”的现象亦逐渐增多起来。

有的小诗直接借用俳句的意象。如何植三的《落叶》：

穿过了枫林，
恍惚见了一个影子，
我道是只蝴蝶，
原来是一片落叶。①

这首小诗，将作者穿过枫林时的一刹那错觉巧妙地表现出来。秋日眼前晃动了一个影子，开始以为那是只蝴蝶，然仔细一看，原来它乃是一片落叶。其实，这种蝴蝶与落叶的意象组合，应该说是源自日本的俳句。荒木田守武有过这样一首俳句：

① 何植三：《农家的草紫》，亚东图书馆，1929年版，第128页。

落花枝に帰ると見れば胡蝶かな

（试译）

只道落花返枝头，

原来是蝴蝶。

这首俳句在日本，虽然并没有松尾芭蕉、与谢芜村、小林一茶的俳句那么有名，但是明治以后来日的西洋人却对它抱有极大兴趣，经他们带回后，欧美立即将其看作日本俳句的代表作。据佐藤和夫考证，仅1896年至1914年的近20年间，该诗就译作英文、法文、德文，共11次。① 美国意象派诗人庞德（Ezra Pound，1885—1972）的著名短诗《在地铁车站》："人群中这些脸孔的魅影，湿黑枝头的花瓣"，就深受这首俳句的影响。

与前面所引小诗《落叶》相比，我们可以发现，两者之间具有众多共通之处。守武的俳句是将蝴蝶与翩翩飘落的花瓣意象重叠起来，而何植三的小诗则是将落叶比作蝴蝶。虽然在意象上有些顺序颠倒，然而两者基本上可以看成是结构相同之作。

何植三在小诗运动中极为活跃，其诗集《农家的草紫》收录了大量的小诗。他在自己创作的小诗中，刻意模仿日本俳句的季语、语气助词，并在自作的诗题中多用"句"字。由此我们可以看出，它受俳句之影响是极深的。这首《落叶》则可谓其典型例子。

小诗在20年代初期，确在中国文坛上风靡一时，但是1924年以后，它便渐渐销声匿迹了。其原因来自各个方面，然而至少有两点是确切的：仅仅是充满抒情性，已不能适应矛盾日益尖锐的国内现实，再加之小诗的大量泛滥反而导致其本身趋向衰退。

小诗运动衰退后半个多世纪间，由于中日战争的爆发以及随后的历史条件，日本诗歌再也没有机会在中国得到如此注目的介绍与产生影

① 见佐藤和夫：《从俳句到HAIKU——英美对HAIKU的接受》第八章"《落下枝……》翻译考"，（日）南云社，1987年版。

响了。

四、"汉俳"的诞生

中国进入改革开放的新时期以后，外国文学作品大量地翻译出版。对于日本和歌、俳句等诗歌翻译的探讨，亦成了日本文学研究者之间的热门话题，不但国内学者各抒己见，切磋琢磨，而且日本学者亦纷纷著文，就日本诗歌汉译的形式与内容问题提出不同的看法。与此浪潮相呼应，"汉俳"也在中国诗坛上应运而生了。

绿阴今雨来，山花枝接海花开，和风起汉俳。①

诚如赵朴初此首"汉俳"所述，"汉俳"的出现乃是中国诗人与日本俳人直接友好交流的产物。1980 年 5 月，在欢迎以大野林火氏为团长的日本俳人协会访华团一行的宴会上，赵朴初披露了所作的五・七・五新兴诗型，这便是中国诗坛上最早的汉俳。

1981 年 6 月，《诗刊》6 月号开辟"汉俳试作"专栏，除了刊登赵朴初、林林、袁鹰等所创作的汉俳外，同时还登载了林林所撰的介绍俳句的文章《最短的诗——略谈日本俳句》。同年 8 月 8 日，《人民日报》亦设"汉俳试作"栏，刊登了赵朴初、林林、袁鹰等人所作的汉俳。此后，"汉俳"在中国渐渐引起人们的注目，在当今诗坛上，作为新兴诗型之一已占据一席之地。

那么，"汉俳"的内容与形式究竟又是如何呢？我们还是先看看对其所作的定义。最先开设"汉俳试作"专栏的《诗刊》1981 年第 6 期，其"编者的话"中是如此说明的：

汉俳（汉式俳句），是中国诗人在同日本俳句诗人文学交往中产生的一种新的诗体（关于日本俳句，请参见本期林林《最短的诗》一

---

① 赵朴初：《赠日本俳人协会诸友》，载《人民日报》1980 年 5 月 29 日。

> 文)。参照日本俳句十七字(五・七・五)的形式,加上脚韵,形成一种三行十七字的短诗,近似绝句、小令或民歌。它短小凝练,可文可白,便于写景抒情,可浅可深,可吟可诵。

通过上述说明,我们可以得知,此处所谓的“汉俳”,只是借用了日本俳句的五・七・五形式而已,对于俳句中不可缺少的语气助词及季语,全无涉及。而且此说明之中又指出,“汉俳”须加上脚韵,并言其近似中国古典诗中的绝句、小令及民谣,这便带有浓厚的中国古典诗歌特征。《人民日报》1981 年 8 月 8 日“汉俳试作”栏中的“编者附记”亦大约沿袭上述观点。

那么,“汉俳”究竟具有哪些特色呢?下面且从两首诗作,看汉俳与俳句究竟有哪些密切关联。先看赵朴初的《送鉴真大师像返奈良并呈森本长老》:

> 看尽杜鹃花,
> 不因隔海怨天涯,
> 东西都是家。

1980 年 4 月,唐招提寺的森本孝顺长老带着日本国家级重要文物鉴真和尚坐像,来到鉴真的故乡扬州。在坐像返回奈良之际,赵朴初作了上述汉俳以示送别。据作者自述,这首汉俳乃是受了芭蕉的有名俳句“若葉して御目の雫ぬぐはばや”(试译:我多想用这片嫩嫩的绿叶,拭去您眼里的水珠!)的启发而作的。作为中国诗坛上的第一首汉俳,无论在形式上还是在内容上它都具有相当高的水平。

鉴真的故事,作为中日文化交流史的佳话,千古以来广为流传。此首汉俳首句便是叙述鉴真坐像返回故乡扬州后,为故里盛开的杜鹃花而陶醉,第二句则表明,虽然坐像马上就要返回日本,但并不会因为隔海相望而独自埋怨,最后一句更说东面的日本与西面的中国对于鉴真来说,都是自己的家。

赵朴初精通中国古典诗歌,此诗即可看出其深刻影响。首先,句尾

"花""涯""家"押着脚韵，此乃中国诗歌所具有的独自特色；其次，此诗后两句气派宏大，抒情性强，其表达之境界与古典诗歌亦颇相近。

然而在另一方面，此诗在形式上又吸收了日本俳句所独有的五·七·五形式，并用"杜鹃花"作为季语，使之与此前的中国古典诗歌具有不同的特色。

下面我们再来看一首林林的汉俳《咏山茶花》：

> 花红满绿枝，
> 不辞落地化为泥，
> 何必多怜惜。

在盛开的山茶花即将凋零之际，诗人劝告人们，不必为之怜惜，因为不久它就要化作春泥，哺育着来年盛开的花朵。在中国古典诗歌及日本和歌、俳句之中，每逢花开花落，诗人们总要感慨生命之短暂，人生之无常，而这首汉俳的风格却显得迥然不同。其实此诗的后两句中，我们可以看到清代诗人龚自珍《乙亥杂诗》其五的深刻影响：

> 浩荡离愁白日斜，吟鞭遥指即天涯；
> 落花不是无情物，化作春泥更护花。①

林林的作品正是沿用龚自珍诗意来赞美山茶花的，诗中，山茶花的"花"即为季语，各句末尾所使用的"枝""泥""惜"，在现代汉语中亦为押韵。

综上所述，汉俳在使用五·七·五的形式，并尽量引进季语等方面，可谓深受日本俳句的影响。另一方面，从诗中须用典、押韵等方面来看，汉俳与中国古典诗歌又有着千丝万缕的联系。而从内容方面来看，虽然同为使用五·七·五这一固定形式，由于汉语与日语的本质不同，其所表现的世界自然相异。从某种程度说，俳句所表现的是一种凝缩的世界，而汉俳所表现的则更富流动性，更具抒情性。

---

①《龚自珍全集》，上海古籍出版社，1975年版。

近年来,俳句(HAIKU)以各种形式被介绍到世界各地,俳句的国际化进展迅速,汉俳的出现当然亦可以从这种潮流中去把握。然而,汉俳在其成长的过程中,亦从中国古典诗歌中充分吸收各种养分,它是中日文化交流的又一成果。

(日文版收入中西進・嚴紹盪編:『日中文化交流史叢書』[6]『文学』第二章「詩歌」(中西進・劉雨珍),大修館書店,1995 年 12 月,第 106—129 頁;中文版题为《和歌、俳句在中国的流传和影响》,收入严绍盪、中西进主编:《中日文化交流史大系》[6]《文学卷》第二章"日中诗歌的本体与形态及其比较研究"附录,浙江人民出版社,1996 年 12 月,第 100—117 页)

第十章　“汉字不灭，中国必亡”略考

2000年6月出版的岩波书店月刊杂志《世界》(总第676期)刊载了加藤周一先生与一海知义先生的对谈《汉字文化圈的未来》，二位著名学者在对谈中大胆提议：站在百年的宏大视野上，21世纪中、日、韩三国应携起手来，为恢复和普及近代以前“汉字文化圈”内能够笔谈的区域共通语——汉文而共同努力。文中对汉字的优点作了具体阐述，并对中日文化进行了详细比较。一个月后，该对谈即被翻译为韩语(《emerge》，2000年7月号)。对于汉字本家的中国而言，该提议亦属惊人之语，因此我决定这篇对谈译为中文，并附以若干译者前言予以介绍。①

对谈中，一海先生指出汉字具有“快速阅读性”“省略性”“造词能力”“艺术性”等特点，具有很强的生命力，同时又指出，鲁迅在逝世前曾说过“汉字不灭，中国必亡”，现将有关部分引述如下：

> 1935年，鲁迅在逝世前曾说过：“汉字不灭，中国必亡”，他认为中国之所以在自然科学方面落后，原因之一就在于汉字。当时，中

---

① 中译文加藤周一、一海知义著，刘雨珍译：《[对话]汉字文化圈的未来》，载南开大学日本研究院编《日本研究论集》总第八期，天津人民出版社，2003年版。又，对谈原文及中文、韩文译文后一并收入加藤周一、一海知義：『漢字・漢語・漢詩——雑談・対談・歓談』，(日)かもがわ出版社，2005年版。

> 国的大多数知识分子，对鲁迅的这一说法深有同感。因为当时中国人在为中文打字和发电报等发愁。虽然人们发明了各种汉字打字机，但都不理想，无法像欧美那样只用26个字母就可完全解决。
>
> 发电报也很不容易。用中文发电报，先要将日常所使用的一万左右汉字标上电码，编成电报字典，发到各个家庭及单位。比如，要发电报“父死”，须用电码3637. 2984，收到电报后，又要对照字典，才能明白它的具体意思，若是生意上的很长的文章，就很费力了。
>
> 但这些问题，最近都一举得到了解决。前者可用文字处理机，后者可用传真机。鲁迅的权威本身也在不断受到挑战，不像以前那么绝对，像“汉字不灭，中国必亡”这种论调，再也没人相信了。①

众所周知，鲁迅先生病逝于1936年10月19日，上述对谈中的“1935年”纯属口误。随着科技的迅猛发展，电脑的汉字输入问题早已得到解决，在21世纪的智能手机普及和微信时代，甚至对谈中的文字处理机和传真机都显得落后，但“汉字不灭，中国必亡”作为鲁迅的废除汉字论相当知名，故我在翻译时，一直想确认其原始出处。

然而，翻阅颇具权威性的人民文学出版社1981年出版的十六卷《鲁迅全集》，及其后人民文学出版社于2005年11月最新出版的十八卷《鲁迅全集》，均未见“汉字不灭，中国必亡”之语。上穷碧落下黄泉，历经几番辛苦调查，终于查出此语出自一篇采访记录《前进思想家鲁迅访问记》，该文原载于1936年5月30日出版的《救亡情报》第四期，署名为本报记者芬君。

著名学者严家炎先生曾在1980年《新文学史料》第一期，发表《鲁迅对〈救亡情报〉记者谈话考释》一文，对《救亡情报》记者芬君的身份进行了详细考察，推测其可能是徐芬或杨芬君。实际上，芬君乃著名记者陆诒（1911—1997）的笔名。陆诒在随后的1980年《新文学史料》第三期

---

① 加藤周一、一海知义著，刘雨珍译：《［对话］汉字文化圈的未来》，载南开大学日本研究院编《日本研究论集》总第八期，天津人民出版社，2003年，第452—453页。

上，发表《为〈救亡情报〉写〈鲁迅访问记〉的经过》一文，作为对严家炎先生文章的回应。

据陆诒回忆，《救亡情报》是 1936 年 4 月，由上海文化救国会、妇女界联合会、职业界救国会、国难教育社及大学教授联合会等五个救亡团体联合创办的秘密刊物，陆诒受邀担任编委，并在 1936 年 5 月 6 日的创刊号上发表《何香凝先生访问记》，署名“静芬”。陆诒是著名的左翼报刊记者，曾任《新华日报》编委、采访部主任，上海《新闻报》记者等。

鲁迅先生逝世后，陆诒又以“静芬”的笔名，在 1936 年 11 月 1 日的《救亡情报》上，撰写了《从万国殡仪馆到万国公墓》一文，记述 10 月 22 日万众送别鲁迅先生的悲痛时刻，结尾部分写道：“鲁迅先生的躯体，虽然已经埋掉，但他的精神，他的遗教，将永远活在我们这一辈人的心底，成千成万的伙伴们，将坚决的踏上他所指示的战斗大道，迈步向前！”①

《为〈救亡情报〉写〈鲁迅访问记〉的经过》及《从万国殡仪馆到万国公墓》两篇文章，皆作为附录，收入 1994 年 5 月出版的《上海文史资料选辑》第 75 辑。该辑收入陆诒 40 篇回忆录，以《文史杂忆》之名刊行。

1936 年 5 月中旬，陆诒手持上海文化界救国会宣传和组织领导人徐雪寒的介绍信，手里拿着一份当日《申报》，作为相见的暗号，前往内山书店访谈鲁迅约 30 分钟。逝世五个月前的鲁迅强忍病痛，分别就“一二·九运动”以来的抗日救亡形势、全国救亡团体提出的“联合战线”问题、文学应担当的革命使命以及汉字等四个问题阐述了己见。“汉字不灭，中国必亡”就是在最后谈及汉字问题时提出的。此后，该文被各方转载。还分别以《几个重要问题》之题名收入唐弢所编《鲁迅全集补遗》②，以《与〈救亡情报〉记者的谈话》之题名收入刘运峰编《鲁迅佚文全集》③。

---

① 静芬：《从万国殡仪馆到万国公墓》，收入陆诒著：《文史杂忆》附录，中国人民政治协商回忆上海市政协委员会文史资料委员会编：《上海文史资料选辑》第 75 辑，1994 年版，第 278 页。

② 唐弢编：《鲁迅全集补遗》，上海出版公司，1946 年版。

③ 刘运峰编：《鲁迅佚文全集》，北京群言出版社，2001 年版。

在采访中，鲁迅有关“汉字不灭，中国必亡”的谈话内容如下：

> 汉字不灭，中国必亡。因为汉字的艰深，使全中国大多数的人民，永远和前进的文化隔离，中国的人民，决不会聪明起来，理解自身所遭受的压榨，整个民族的危机。我是自身受汉字苦痛很深的一个人，因此我坚决主张以新文字来替代这种障碍大众进步的汉字。譬如说，一个小孩子要写一个生姜的“薑”字，或一个“鸞”字，到方格子里面去，能够不偏不歪，不写出格子外面去，也得要花一年功夫，你想汉字麻烦不麻烦？目前，新文字运动的推行，在我国已很有成绩。虽然我们的政治当局，已经也在严厉禁止新文字的推行，他们恐怕中国人民会聪明起来，会获得这个有效的求知新武器，但这终然是不中用的！我想，新文字运动应和当前的民族解放运动，配合起来同时进行，而进行新文字，也该是每一个前进文化人应当肩负起来的任务。①

据文中记载，鲁迅先生“扶病谈话，时间费去半小时以上。谈话时热烈的情绪，兴奋的态度，绝对不像一个病者，他真是个永远在文化前线上搏斗的老当益壮的战士！这次访问所给予我深刻的印象，将永远的铭刻在我的脑机”。陆诒在文中最后括号注明“本文抄就后，经鲁迅先生亲自校阅后付印”，表明这次谈话曾经鲁迅审定，可以代表鲁迅病逝前的真情实感。

谈话中，鲁迅发出“汉字不灭，中国必亡”的惊天之语！并以“薑”“鸞”二字为例说明儿童习字的困难，力主推行当时盛行的新文字运动，主张汉字的拉丁化。于1934至1936年，鲁迅接连发表《汉字与拉丁化》（载2005年版《鲁迅全集》第5卷）、《门外文谈》《关于新文字》《论新文字》（载2005年版《鲁迅全集》第6卷）等相关文章，持续提倡汉字拉丁化。

---

① 芬君：《前进思想家鲁迅访问记》，收入陆诒著：《文史杂忆》附录，中国人民政治协商回忆上海市政协委员会文史资料委员会编：《上海文史资料选辑》第75辑，1994年版，第273页。

诚然，除鲁迅外，废除汉字论者不乏其人，如蔡元培、陈独秀、瞿秋白、胡适、吕叔湘、钱玄同、吴玉章等当时的著名知识分子皆在其列。鸦片战争以来，为内忧外患所苦闷的部分知识分子，将中国落后的矛头一齐对准了汉字。然而，以“汉字不灭，中国必亡”这一激进的表达方式向世人敲响警钟者，唯有鲁迅一人。

时至今日，中国国力大增，计算机的汉字输入问题早已得以妥善解决。正如一海先生在对谈中所言：“像‘汉字不灭，中国必亡’这种论调，再也没人相信了。”然而，回首过去，我们不能忘记，作为汉字本家的中国，确实也有一段废除汉字论的历史。

笔者认为，汉字乃中华文明之根本，是维系中华文明连续性的基石。历史上，中华文明虽数度遭受外族入侵占领，却仍能绵绵不绝地维系其血脉，思其根由，首推汉字之功。汉字一旦灭亡，中国将立刻陷入分崩离析、支离破碎之境地，中华文明自身也将濒临存亡之危机。故此，我想将鲁迅的话改换一字——“汉字若灭，中国必亡”。

（原文为日文，题为「『漢字不滅、中国必亡』をめぐって」，载《一海知义著作集》第10卷“汉字卷”月报4，藤原书店，2008年版，第7—8页，宋丹译，收入本书时内容有增补。）

第三编　笔谈与东亚文化交流

第十一章　清代首届驻日公使馆员在日笔谈资料研究

一、前言

笔谈一词，最早见于北宋沈括《梦溪笔谈》自序："予退处林下，深居绝过从，思平日与客言者，时纪一事于笔，则若有所晤言，萧然移日。所与谈者，唯笔砚而已，谓之笔谈。"[①]此处所谓笔谈，乃以笔砚随时记录之意。后来则称以文字交换意见或发表意见为笔谈。《现代汉语词典》"笔谈"条列有如下三项释义：

（1）两人对面在纸上写字交换意见，代替谈话。

（2）用书面发表意见代替谈话。

（3）笔记（多用于书名）：《梦溪笔谈》。[②]

本文所称笔谈，即用笔写字、代替口头语言进行沟通的交流方式，亦称笔话、笔语，乃东亚汉字文化圈内不同地域不同语言的人们相互交流的方法之一。这种方法的交流在近代以前尤为普遍，甚至日本江户时期

① 沈括撰、胡道静校注：《梦溪笔谈校证》，上海出版公司，1956年版，第3页。

②《现代汉语词典》，商务印书馆，2012年第六次修订版。

的儒学者常与朝鲜通信使用汉字笔谈的方式来争论儒学问题，来自安南的使节与朝鲜使节互赠汉诗等，可以说，笔谈乃近代以前东亚文化交流的主要手段之一。

由于笔谈诉诸文字，主要用毛笔书写在纸上，虽然大多已经散佚，但仍有一些笔谈得以保存，流传至今，在中国、日本、韩国、越南等汉字文化圈的图书馆、档案馆以及民间私人文书中，时而可以发现不少笔谈记录。

王晓秋教授曾指出笔谈资料的三个特点：一是原始性和真实性，二是内容的多样性与广泛性，三是互动性和趣味性。① 笔者曾编校整理《清代首届驻日公使馆员笔谈资料汇编》②，收录何如璋、张斯桂、黄遵宪、沈文荧等首届驻日公使馆员与日本友人及朝鲜修信使的笔谈资料五种，从中可以读出明治初期以东京为舞台的东亚文化交流画卷。本文在综合梳理上述五种笔谈资料的基础上，从笔谈资料与外交、汉诗酬唱、诗文切磋、资料提供等视角，对笔谈资料与东亚文化交流的诸问题进行探讨。

笔谈乃东亚文人相互交流的第一手资料，具有史料的唯一性与连续性，能够超越时空留存于世。由此而言，笔谈资料是一座研究东亚外交及文化交流的宝库，值得我们从各个角度去探讨。由于同属汉字文化圈，东亚各国笔谈资料丰富，涉及面广，其在东亚文化交流史上的价值不可低估。

通过对这些庞大的笔谈资料展开系统而深入的综合研究，不仅可以拓宽和深化东亚文化交流的研究领域，而且还能更好地认识中国传统文化在汉字文化圈内的软实力，对新世纪在全球范围内推广汉语及中国传统文化，对于中国文化走出去的国家战略，都具有重大的理论指导意义及现实意义。

---

① 王晓秋：《海外文字缘——清代中日笔谈交流研究》，载香港浸会大学编《人文中国学报》第十六期，上海古籍出版社，2010 年版，第 608—609 页。

② 刘雨珍编校：《清代首届驻日公使馆员笔谈资料汇编》（上下），天津人民出版社，2010 年版。

二、《中日修好条规》的签订与首届驻日公使的赴日

众所周知，中日两国作为一衣带水的邻邦，具有两千多年的交流史。而两国近代外交关系的建立，则肇始于1871年签订的《中日修好条规》。

1870年（同治九年，明治三年），日本政府派遣外务权大丞柳原前光等人来华，要求订约通商。总理衙门担心日本在条约中援引欧美各国对华立约条款，故援引《礼记・学记》中"大信不约"之语，予以拒绝，而李鸿章与曾国藩则力主与日订约。1871年6月，日本任命大藏卿伊达宗城为钦差全权大臣、外务大丞柳原前光为副使，来华议约。尽管明治新政府为美、英、法等国的不平等条约所束缚，却企图援引西方列强之例，将不平等特权列入条约。李鸿章则在曾国藩的提议下，坚决不肯将"一体均沾"的字样写入条文。经过长达数月的交涉，最终于9月13日（农历七月二十九日，下同），双方签订了《中日修好条规》（全称《大清国大日本修好条规》）。虽然明治政府以为条约有欠妥之处，于翌年5月派遣柳原前光再次来华，要求改约，但李鸿章坚决不允。明治政府见清廷态度坚决，成约难以更改，乃于1873年3月，命外务大臣副岛种臣来华换约。①

《中日修好条规》共计十八条，其中包括如下几条重要内容：

第一条　嗣后大清国、大日本国倍敦和谊，与天壤无穷。即两国所属邦土，亦各以礼相待，不可稍有侵越，俾获永久安全。

第二条　两国既经通好，自必互相关切。若他国偶有不公及轻藐之事，一经知照，必须彼此相助，或从中善为调处，以敦友谊。

第四条　两国均可派秉权大臣，并携带眷属随员，驻扎京师。或长行居住，或随时往来，经过内地各处，所有费用均系自备。其租赁地基房屋作为大臣等公馆，并行李往来及专差送文等事，均须妥

① 参见王芸生编著：《六十年来中国与日本》第一卷第一章"中日始订修好条规"，生活・读书・新知三联书店，2005年版，第29—44页。

为照料。

第六条　嗣后两国往来公文，中国用汉文，日本国用日本文，须副以译汉文，或只用汉文，亦从其便。(《同治条约》卷二十)

第一条乃对所属领土互不侵犯之规定，此后中日两国在围绕琉球归属进行交涉时，何如璋、黄遵宪等公使馆员曾屡加引用。第二条被欧美各国驻日公使疑为中日结盟，招致不满。第四条乃为互派使节之规定，而第六条对于往来公文使用汉文之规定，对近代中日交流具有深远意义。

根据条规，明治政府于1874年2月派遣柳原前光为公使来华驻扎。由于该年发生日本入侵台湾事件，清廷派遣驻日公使之事稍有推迟。

1877年1月15日(光绪二年十二月二日)，清廷任命翰林院侍讲何如璋为出使日本国钦差大臣、即选知府张斯桂为副使，因日本爆发西南战争，赴任被迫延期。据何如璋《使东述略》记载，8月17日(七月初九)由军机处颁发敕书及国书，9月10日(八月初四)离京。9月14日(八月初八)抵达天津，拜谒李鸿章，“语使事颇详”，并会晤继任日本驻华公使森有礼。10月25日(九月十九日)抵达上海吴淞口，继而赴南京面见南洋通商大臣沈葆桢，请派兵船东渡，沈葆桢乃命“海安”号护送。11月23日(十月十九日)，奏报出洋日期及所带随行人员，11月26日(十月二十二日)晚，偕副使张斯桂、参赞官黄遵宪等人登上“海安”号兵船。翌日，船出吴淞，11月30日(十月二十六日)抵达日本长崎，中日双方各放礼炮二十一响，互为敬意。后泊神户，一行登岸，日人观者如堵，“汉官威仪，见所未见，日人间从西京、大阪百十里来观者”。一行游览大阪、京都、神户后，于12月16日(十一月十二日)抵达横滨，宿外务省准备之行馆。20日，何如璋派黄遵宪赴东京，面见外务卿寺岛宗则，22日何如璋偕副使张斯桂入京，会晤外务卿寺岛宗则、外务大辅鲛岛尚信，“钞国书稿示之”。①

另据日本外务省外交史料馆所藏照会资料②，公使何如璋、副使张斯桂于1877年12月19日(光绪三年十一月十五日)向外务卿寺岛宗则发出抵日后的第一号照会：

大清钦差大臣何、副使张为照会事

本大臣奉使贵国，于我光绪三年十月二十二日自上海起行，二十六日到长崎，十一月初三日到神户，十二日到横滨，接见神奈川县令并贵外务省一等属官，情意殷勤，具征两国格外和睦，本大臣实深感悦。

兹本大臣于日内陆续搬运行李上岸，暂在贵出张所居住数日，所有随带官员、亲属、仆役等共五十人先开清单，送祈查照。除在横滨一面租房，与理事等官分驻外，特遣参赞黄遵宪、洋员麦嘉缔先到东京租赁公馆，望贵外务省妥为照料。一俟租定后，本大臣当即束装来京与贵大臣把晤，藉亲懿范，以笃和衷，本大臣不胜欣幸之至。

为此照会，须至照会者。

大日本国外务省卿寺岛

光绪三年拾壹月拾伍日

该照会对公使一行的出发及抵日时间进行了详细通报，并言将派遣参赞黄遵宪及洋员麦嘉缔赴东京租赁公馆。此外，该照会还附有下列“国书抄稿”及一行名单：

一、国书抄稿

大清国大皇帝问大日本国大皇帝好。朕诞膺天命，寅绍丕基，眷念友邦，言归于好。兹特简二品顶戴升用翰林院侍讲何如璋为钦差出使大臣、三品顶戴即选知府张斯桂为副使，往驻贵国都城，并令

① 参见吴振清、吴裕贤编校整理：《何如璋集》卷二所收《使东述略》，天津人民出版社，2010年版，第65—82页。

② 日本外务省外交史料馆藏：《清国钦差出使以来照会覆》。

亲赍国书，以表真心和好之据。朕知何如璋等和平通达，办理交涉事件，必能悉臻妥协。惟冀推诚相信，得以永臻友睦，共享升平，朕有厚望焉。

大清光绪三年七月初五日

二、名单

参赞官：黄遵宪

洋　员：麦嘉缔

正领事官：范锡朋

副理事官：余　隽

翻译官：沈鼎钟、张宗良、潘任邦、冯昭炜

随　员：沈文荧、陈文史、廖锡恩、吴广霈、张鸿淇、陈衍范、何定求、任敬和、刘坤

亲　属：何其毅、张子菁、施积犁、张德耀、罗贞意

又共其仆役二十八人

12 月 24 日，外务卿寺岛宗则将国书抄稿及一行名单抄送给太政大臣三条实美，并约定 28 日上午 11 时向明治天皇递交国书。①

12 月 28 日(十一月二十四日)上午，何如璋偕张斯桂、黄遵宪在外务卿、宫内卿、式部头(按：皇宫典礼长)的引导下，向明治天皇递交国书，“使臣口宣诵词毕，参赞捧授国书，使臣捧递日主”(《使东述略》)。下午，拜会太政官三条实美、岩仓具视以及参议大久保利通等人。

1878 年 1 月 15 日(光绪三年十二月十三日)，黄遵宪租下位于东京芝山增上寺内的月界院作为公使馆公馆，并于 1 月 23 日(十二月二十一日)自横滨的出张所搬入。虽然四周幽静，环境优美，但由于空间太过逼

① 参见日本外务省编纂《日本外交文书》第十卷，日本国际联合协会 1949 年版，188—190 页。然《日本外交文书》所引文字稍有不同，即国书钞稿中“二品顶戴升用翰林院侍讲”作“二品顶载　用翰林院侍讲用”，“三品顶戴”作“三品顶载”，名单中参赞官前尚有“正使　何如璋，副使　张斯桂”，“余隽”作“余携”，“任敬和”作“仁敬和”，无“又共其仆役二十八人”等字。

仄，最终于该年11月，公使馆迁至位于永田町的原华族会馆新址。本书所收的笔谈，不少即以此二处为舞台而展开。

公使馆在月界院安置妥当后，何如璋、张斯桂于1878年2月7日（光绪四年正月初六）向外务卿寺岛宗则发出第七号照会：

大清钦差大臣何、副使张为照会事

本大臣于东京择定芝山月界院作为公署，于光绪三年十二月二十一日自横滨移驻，所带官员、亲属、通事、并仆役人等，自应开单，恳饬地方官知照。因在我国度岁之期、故未及行照会，旋于光绪四年正月初一日接到尊函，具悉厚意。兹合将单送来，即烦贵大臣饬地方官查照可也。为此照会、须至照会者。

计单

右照会

大日本国外务省卿　寺岛

光绪肆年正月初陆日

官员

参赞官：黄遵宪

洋　员：麦嘉缔

翻译官：沈鼎钟

翻译官：冯昭炜

随　员：沈文荧

随　员：陈文史

随　员：廖锡恩

随　员：张鸿淇

随　员：陈衍范

随　员：何定求

随　员：任敬和

随　员：刘　坤

亲　属：何其毅、张子菁、施积型、张德耀

通　事：鉅鹿赫泰（日本国长崎县人）

又通共仆役二十六人：

范升、朱升、江天育、张德、宋全有、吴升、纪贵、郎升、郑福、洪仁、梁玉、古金、江林玉、黄三、薛坤、费德、王裕三、邹顺、马升、王升、叶仁、薛贵、陈龙。

初村盛四郎（年十七岁，日本国长崎县人），

汤日常次郎（年二十六岁，日本国广岛县人）

石川兼吉（年二十岁，日本国东京府人）

该照会通报了公使何如璋与副使张斯桂所带官员、亲属、通事及仆役等详细清单，与前述第一号照会相比，名单中已无赴任横滨及长崎的理事官范锡朋及余雋等人，而增加了日人通事及仆役 26 人（包括 3 名日本人）。

另外，前述翻译官中，沈鼎钟、张宗良及后任的杨枢皆为西文翻译官，而东文翻译官冯昭炜后调任驻神户领事，留在东京的潘任邦亦于 1878 年 8 月因病归国，何如璋等人的活动大多需要通过从天津带去的日本通事鉅鹿赫泰（又名鉅鹿赫太郎，中文名魏梨门、魏鲤门等）进行翻译，因此首届驻日公使馆始终面临着严重的翻译不足问题[①]。这也从客观上促使当时的公使馆员在与日本文人的交流时，并非完全借助口译，而是更多地使用笔谈（又称笔语、笔话）。

另一方面，对于首届中华使节的到来，明治初期的日本文人表现出空前的热情，诚如汉学家石川鸿斋在黄遵宪《日本杂事诗》跋中所述："入境以来，执经者，问字者，乞诗者，户外屦满，肩趾相接，果人人得其意而

① 参见王宝平：《甲午战前中国驻日翻译官考》，载《日语学习与研究》2007 年第五期；阎立：《清末中国的对日政策与日语认识》第五章"清国首届驻日公使馆团与日语"，日本东方书店，2009 年版，187—241 页。

去”①，造访公使馆的日本人络绎不绝。何如璋、黄遵宪、沈文荧等公使馆员在繁忙的公务之余，与日本友人频频笔谈，上至天文，下至地理，诗词格律，典章制度，语言文字，风土习惯，可谓无所不谈，极尽其欢，揭开了中日近代外交的序幕，谱写了波澜壮阔的中日文化交流画卷。

三、笔谈的主要参加者及笔谈资料的收藏情况

本书所收笔谈资料的参加者，主要是来自中国、日本、朝鲜三国的文人，他们自幼受过良好的汉学教育，通晓中国经典，能够使用汉文这一“汉字文化圈”内的通用文字自由交流，以克服语言不通所造成的巨大障碍，甚至常常赋诗酬唱，以增加彼此间的感情。下面就参考相关数据，对本书笔谈的主要参加者以及笔谈数据的整理收藏情况予以说明。

（一）中国人

参加本书各编笔谈的中国人，除了驻日公使馆员外，还有明治初期旅居东京的民间文人，以及短期游历日本的观光者。

1. 驻日公使馆员

虽然本书收录了不少公使何如璋、副使张斯桂的有关笔谈，但总体而言，首届驻日公使馆员之中参加笔谈最多者，应属参赞官黄遵宪及随员沈文荧。

何如璋（1838—1891），乳名行扬，字衍信，号子峨，别号璞山②，广东大埔人。1861年中举，1868年中进士，选为翰林院庶吉士，散馆后授翰

① 钟叔河：《日本杂事诗广注》，《走向世界丛书》第五辑，岳麓书社，1985年版，793页。

② 以上字号据吴振清、吴裕贤编校整理《何如璋集》“前言”，天津人民出版社2010年版。学界著述多作“何如璋，字子峨”，而据1878年2月25日何如璋与大河内辉声笔谈原件中所作的自我介绍：“仆名如璋，字璞山，号子峨。”（见本书第一编“戊寅笔话”第三卷第23话），另据1878年10月15日何子纶与增田贡笔谈：“家兄号子峨”（见本书第五编二），可知“子峨”确非何如璋之字，乃其号也。

林院编修，1875 年升翰林院侍讲，1877 年加二品顶戴充出使日本钦差大臣，成为中国首任驻日公使。1882 年任满归国，补授翰林院侍讲学士，次年任福建船政大臣，补授詹事府少詹士。1884 年中法马江海战爆发，福建水师战败，遭革职遣戍张家口。1888 年释回故里，主持潮州韩山书院，1891 年病逝。著有《使东杂咏》、《使东述略》、《袖海楼诗草》、《管子析疑》等，除《管子析疑》三十六卷抄本现藏于上海图书馆外，其他诗文稿大都收入吴振清、吴裕贤编校整理《何如璋集》(天津人民出版社 2010 年版)。

张斯桂(1817—1888)，字鲁生，浙江慈溪(今宁波市)人。1855 年开始担任清廷引进的第一艘现代海轮"宝顺轮"船长，在山东、江苏、浙江等沿海屡败海盗，战绩卓越。1862 年在李鸿章军营任职，次年充曾国藩幕僚。1863 年为丁韪良(W. A. P Martin)汉译《万国公法》作序，以春秋列国比拟中国与欧美诸国，并强调只有通过自我改革才能实现国家振兴，对中日两国知识界产生深远影响。1874 年日本以台湾土著人误杀琉球船民为借口，悍然发动侵台战争，张斯桂随钦差大臣沈葆桢赴台交涉。后由沈葆桢极力举荐，得以步入外交舞台。1877 年以三品顶戴候选知府出任钦差副使大臣，1882 年任满回国选授直隶广平府知府，1888 年卒于官。著有《使东诗录》、《游艺斋杂著》等。①

黄遵宪(1848—1905)，字公度，号人境庐主人、观日道人、东海公等，广东嘉应州(今梅州市)人。1876 年中举，1877 年以五品衔即选知县任首届驻日公使馆参赞官，1882 年调任驻旧金山总领事，1890 年任驻英二等参赞，1891 年任驻新加坡总领事，1894 年奉召回国，任江宁洋务局总办。1898 年任湖南长宝盐法道，后署理湖南按察使，协助巡抚陈宝箴推行新政。同年以三品京堂派充出使日本钦差大臣，因戊戌变法失败而遭放归故里，1905 年病逝。著有《日本杂事诗》、《日本国志》、《人境庐诗草》等，其著作大都由陈铮先生编入《黄遵宪全集》(中华书局 2005 年版)，其

---

① 详见龚缨晏:《张斯桂:从宁波走向世界的先行者》，载《宁波大学学报》(人文社科版)第 21 卷第六期，2008 年 11 月。

中第五编“笔谈”即收录了黄遵宪与大河内辉声、宫岛诚一郎、冈千仞、增田贡、金宏集等的笔谈数据。

沈文荧(1838—1880?),字梅史,号春萍馆,浙江余姚人,擅诗词书画,通音律。据其1878年3月3日与大河内辉声笔谈及1879年12月11日与增田贡笔谈可知,同治年间太平军攻占余姚时,曾率民兵抗击。后北上应礼部试,1865年投身陕西提督雷正绾帐下,转战关外,跋涉于天山葱岭之间。1877年以正五品陕西省候补直隶州知州任公使馆随员,1879年底丁忧回国,旋即去世。著有《春萍馆诗草》、《春萍馆外集》、《名石斋古文稿》等。

此外,参加本书笔谈的首届公使馆员尚有廖锡恩(字枢仙)、潘任邦(字勉骞)、何定求(字子纶)、刘寿铿(字小彭)、梁居实(号诗五)、黄遵楷(号幼达)、杨枢(字星垣)、任敬和(字谦斋)、陈衍范(号访仲)、刘坤(字静臣)等人。

2. 旅居日本的民间文人

除上述公使馆员等正式外交使节外,明治初年的东京还活跃着一群中国民间文人,包括《大河内文书》中频繁出现的浙江慈溪王氏兄弟——王仁乾、王治本、王藩清以及张滋昉、冯雪卿等人,他们自明治初期即长期旅居日本,虽在本国名不见经传,却颇受日本友人厚爱,频频出入贵族豪门,或教授汉语,或侍宴酬唱,或题字赠画,或作序评诗,成为近代中日文化交流史上重要的民间力量。

王仁乾(1853—?),字惕斋,浙江慈溪人。1870年赴日,主要经营书店,专售汉籍和文具。1877年末于浅草黑船町开设“凌云阁”,翌年初迁至筑地入船町。直至清末一直旅居日本。著有《无师自通东语录》,为我国最早的日语学习工具书。①

王治本(1835—1908),字维能,号桼园,又作漆园,别号梦蝶道人,浙

① 参见中国宁波网2010年7月1日《慈城发现100多年前出版的日语词典》。

江慈溪人，王仁乾族兄。1877年应日本汉学家广部精之邀赴日，先后任日清社、同人社汉语教师，后自创诗社“闻香社”，与大河内辉声交情深厚。据《大河内文书》，1878年9月初被聘为公使馆试用的“学习翻译生”，代为起草文书，并翻译日本诗文。1879年1月调任神户领事馆随员，旋即归国参加科举考试，4月复来日，寓居大河内辉声家，任其汉诗文教师。后多次漫游日本各地，1906年归国，两年后卒于故里。著有《栖栖行馆诗稿》、《舟江杂诗》等，此外尚有大量笔谈及为日本人所撰的序跋存世。①

王藩清，生卒年不详，字体芳，号琴仙，浙江慈溪人，王治本表弟，秀才及第。1877年7月赴日，初任日清社汉语教师，后以文为生，工书画，善音律。著有《翰墨遗余香》、《清国王琴仙书画状》、《桃园结义三杰帖》等。

张滋昉(1839—1900)，《大河内文书》中作“张鬳昉”，字袖海，号浮查散人，北京大兴人。1879年赴长崎，翌年赴东京，先后在兴亚会支那语学校、庆应义塾大学、东京外国语学校、中国驻日公使馆东文学堂、东京帝国大学等任教。1899年回国，翌年殁于上海。

冯雪卿(1844—1926)，名沄，字雪卿，号卧云，以字行，浙江慈溪人。青年时游沪，从钱塘吴鞠潭学书，画则师嘉兴朱梦庐，与任伯年、胡铁梅、舒萍桥友善。1875年以后，历游鄂、湘、川、粤诸省，嗣又东渡日本，受聘东亚语学校，长期教授中国书画及汉语。

除此之外，本书笔谈中所见寓居日本的汉土人士还有叶松石、卫铸生、周幼梅、陈曼寿等人。

3. 游历日本之文人

明治初期，尚有一些文人或应邀或自费游历日本，留下了一些与日本友人的笔谈资料，其中尤以王韬和李筱圃最为著名。

① 参见王宝平：《清季东渡文人王治本序跋辑存》，载《文献》2009年10月第四期。

王韬(1828—1897),字紫诠、兰卿,号仲弢、天南遁叟、弢园老民、蘅华馆主等,江苏苏州人,近代著名思想家,著有《普法战纪》、《弢园文录外编》、《弢园尺牍》、《西学原始考》等。1879 年 4 月至 8 月,王韬应日本文人邀请,游历日本长达四个月,先后考察了东京、横滨、大阪、神户等地,撰成《扶桑游记》三卷。所到之处,受到日本友人的盛情款待和热情欢迎,本书笔谈数据之中,王韬名字频繁出现,足见其在日本影响之深且广。

李筱圃,生卒年不详,江苏扬州人,曾任江西省吉安府莲花厅抚民同知。于 1880 年 5 月 4 日自上海出发,7 日抵达长崎,先后游历长崎、神户、大阪、京都、横滨、东京等地,6 月 16 日归国。王锡祺所辑《小方壶斋舆地丛钞》中收有一部题为《日本纪游》的东游日记,作者却作“阙名”。日本已故山形大学教授佐藤三郎先生根据《大河内文书》“庚辰笔话”中的笔谈资料,考证出《日本纪游》的作者即为李筱圃[①]。20 世纪 80 年代钟叔河先生主编《走向世界丛书》时,曾将《日本纪游》收录其中,作者标明为李筱圃。[②]

(二) 日本人

自 1877 年 11 月底初抵日本,至 1882 年 3 月任期届满,何如璋、张斯桂、黄遵宪等驻日四年有余,由于能与日本文人通过笔谈自由交流,得以克服因语言不通而造成的沟通障碍。据黄遵宪自称:“遵宪来东,士大夫通汉学者十知其八九”[③],可见与日本汉学家交流之广泛。参与本书笔谈的日本人士众多,不胜枚举,而各编笔谈资料的整理者大河内辉声、宫岛诚一郎、石川鸿斋、冈千仞、增田贡,可谓其中的杰出代表。

---

① 佐藤三郎:《关于〈日本纪游〉的作者》,载日本历史学会编:《日本历史》总 143 期,1960 年 5 月。

② 李筱圃:《日本纪游》(王晓秋标点、史鹏校订),见钟叔河主编:《走向世界丛书》第五辑,岳麓书社,1985 年版。

③ 黄遵宪:《中学习字本序》,陈铮编:《黄遵宪全集》上第 241 页,中华书局,2005 年版。

大河内辉声（1848—1882），又称源辉声、源桂阁，本姓松平，幼名恭三郎，名辉声、辉照，号桂阁，幕末高崎藩（今群马县南部）藩主。曾任幕府陆军奉行助理，1869 年为藩知事，1871 年因废藩离任，后为华族。

1878 年 2 月 25 日，在王治本及沈文荧的引荐下，大河内首次拜晤公使何如璋。自此，大河内频繁造访公使馆，风雨无阻，殆无虚日。有时带来的是旧藩主（如越前丸冈藩藩主有马道纯、大和高取藩藩主植郦家壶等），他们大都在废藩置县后被封华族，远离政治，专事风雅；有时带来的则是旧臣（如松井强哉、高木正贤、谷山之忠、山田则明、宫部襄等）；更多的时候则是与石川鸿斋、龟谷省轩等汉学家老友聚首公使馆，同何如璋、黄遵宪、沈文荧等人尽情笔谈，以加深对中国文化的理解。笔谈中，大河内屡屡尊称仅仅年长十岁的公使何如璋为“慈爹”，就充分体现出其对中华文明的顶礼膜拜之情。

值得注意的是，大河内在与中国文人交流时，即使对方会说日文或带有翻译，也明确表示更愿利用笔谈。如 1878 年 2 月 25 日大河内首次造访公使馆即言：“自今以后，每访两公使，不宜待魏少年之陪侍，却为笔话之妨害。”1878 年 3 月 1 日作《钦差大臣公署初谒作寄梅史沈君一律》诗曰：“不假辩官三寸舌，只挥名士一枝毫。莫言东海几蛮语，叙谈通情何可劳。”1878 年 6 月 16 日又言：“弟口讷不喜口谈，惟以一枝笔换千万无量语言”①。其目的是尽量留下清人墨宝，作为大河内家永世纪念。甚至在给中国友人写信时，大河内也不忘最后附上一笔“尊覆赐此余白”，并为对方回信留出充足空间，以便更好保存这些来往信函。

每当在公使馆见到新的面孔，大河内都会要求与对方笔谈。而每次笔谈之后，大河内都会精心整理，用红笔对笔谈中的人物、地点、动作、摆设、酬唱、信函等进行细致的补充说明。为便于分辨笔谈作者，大河内用红笔写上对方的一个名字，如以“如”字代何如璋，“斯”代张斯桂，“公”代

① 引文皆见刘雨珍编校：《首届驻日公使馆员笔谈资料汇编》第一编“与大河内辉声等笔谈资料”，天津人民出版社，2010 年版。

黄公度，“梅”代沈梅史，“黍”代王黍园，“桂”代源桂阁，“鸿”代石川鸿斋，“省”代龟谷省轩等。另外，对于每次笔谈（大河内皆用“笔话”二字），皆按年月日进行编号，精心整理，装裱成册，为我们了解当时的笔谈具体场景提供了极大便利。

据大河内生前好友龟谷省轩所撰《大河内桂阁君墓碑》：“君天资敏捷，善文辞，工笔札，有诗数卷，清韩笔话百卷藏于家”，这些笔谈后皆移至大河内家的菩提寺——位于埼玉县新座市野火止的平林寺内。而据已故早稻田大学教授实藤惠秀先生统计，现存笔谈共计 73 卷 71 册，包括笔谈原件以及实藤惠秀与佐藤三郎先生根据笔谈原件抄录者（以下简称“实藤抄本”）①。实藤先生将这些笔谈资料通称为《大河内文书》，今主要藏于日本大东文化大学图书馆及早稻田大学图书馆。1968 年，实藤惠秀、郑子瑜两先生将其中的黄遵宪与日本友人笔谈部分整理刊行，名曰《黄遵宪与日本友人笔谈遗稿》（早稻田大学东洋文学研究会 1968 年版）。后郑子瑜先生又对《笔谈遗稿》进行修订，最新改订本《与日本友人大河内辉声等笔谈》收入陈铮编《黄遵宪全集》上卷（中华书局 2005 年版）。

本书②第一编“与大河内辉声等笔谈资料”主要根据《大河内文书》中的“戊寅笔话”（原有 26 卷，现存 25 卷，缺第 24 卷，其中第 6 卷及第 15 卷为实藤抄本）、“己卯笔话”（原有 16 卷，现存 15—16 卷，缺第 1—14 卷，其中第 16 卷为实藤抄本，与庚辰笔话第一卷合为一册）、“庚辰笔话”（原有 10 卷，现存 9 卷，缺第 10 卷，其中第 1．4 卷为实藤抄本）编校整理，除吸收了前述《笔谈遗稿》中的相关成果外，还补充了何如璋、张斯桂、沈文荧、王黍园及其他公使馆员与大河内等日本友人的大量笔谈资料。

宫岛诚一郎（1838—1911），字栗香，号养浩堂，幕末米泽藩（今山形县南部）藩士。自幼接受汉学训练，被誉为神童，曾任藩校“兴让馆”助

① 参见实藤惠秀、郑子瑜编校：《黄遵宪与日本友人笔谈遗稿》“实藤惠秀序”，收入陈铮编：《黄遵宪全集》上卷，中华书局 2005 年版，554—558 页。

② 刘雨珍编校：《首届驻日公使馆员笔谈资料汇编》（上下），天津人民出版社，2010 年版。

教。幕末曾作为米泽藩的情报人员被派往江户及京都等地,戊辰战争期间,为谋求东北列藩联盟而东奔西走。明治维新后曾任左院议官、修史馆御用挂、宫内省御用挂、宫内省华族局主事补、爵位局主事补等,1896年被敕选为贵族院议员。着有《国宪编纂起原》、《养浩堂诗集》等。

据笔谈资料可知,宫岛初次访问位于芝山月界院的公使馆,是1878年2月15日,该日与公使何如璋、副使张斯桂进行了长时间笔谈。而宫岛与黄遵宪的初次晤谈,则为4月19日,两人一见倾心,相见恨晚。尤其是该年11月,公使馆迁至华族会馆新址后,由于宫岛家离公使馆只有一街之隔,交往更加密切。其间情形,诚如宫岛在《养浩堂诗集》序所言:"黄参赞公度,与余交莫逆",而黄遵宪后来也在《续怀人诗》其七怀念宫岛时咏道:"一龛灯火最相亲,日日车声碾曲尘"(《人境庐诗草》卷七),足见两人往来频繁,交情深厚。值得注意的是,宫岛一方面通过与何如璋、黄遵宪、沈文荧等公使馆员诗文交流,增进感情;另一方面却又利用与公使馆员的笔谈,暗中为明治政府提供有关琉球归属交涉等方面的情报。

宫岛与首届驻日公使何如璋及继任公使黎庶昌等人,皆有大量笔谈,这些笔谈资料今多藏于日本早稻田大学图书馆及国立国会图书馆宪政数据室,早稻田大学图书馆编有《宫岛诚一郎文书目录》,国立国会图书馆编有《宫岛诚一郎关系文书目录》,以方便研究者利用。此外,神户大学国际文化学部教授鱼住和晃先生也收集了不少笔谈原件的照片及其复印资料,编有《宫岛家文书收录数据目录》。①

由于宫岛不像大河内那样每次笔谈后立即整理,因此《宫岛文书》中的笔谈原件散乱情况相当严重。1882年5月9日,宫岛在整理笔谈资料时就曾慨叹:"以上清使笔谈,偶然存箧底者,收录以净书。其不存者,加倍之。诚可惜! 诚可惜!"②可知早在首届公使馆员任期届满的1882年,就有一半笔谈已经散佚。

---

① 神户大学国际文化学部纪要《国际文化学研究》第三号,1994年11月。

② 见早稻田大学图书馆藏《宫岛诚一郎文书》C12"清国公使笔谈"。

1893年，宫岛将与何如璋、黄遵宪等首届公使馆员的笔谈资料重新整理誊录，编为五卷，今第二卷封面尚有宫岛长子、著名书法家宫岛大八（号咏士）的题签《栗香大人与支人之问答录》①。《问答录》记录了自1878年2月15日初晤公使何如璋、副使张斯桂至1882年3月于横滨送别何如璋、张斯桂、黄遵宪的全部过程，可谓经宫岛本人系统整理的最为完整的笔谈数据。而宫岛与何如璋、黄遵宪等人的一些笔谈原件，则散见于早稻田大学图书馆及国立国会图书馆所藏的宫岛文书内。陈捷博士曾将宫岛与黄遵宪的笔谈部分，整理为《与日本友人宫岛诚一郎等笔谈》，收入陈铮编《黄遵宪全集》上卷（中华书局2005年版）。

本书第二编“与宫岛诚一郎等笔谈资料”即以早稻田大学所藏《宫岛诚一郎文书》中的《问答录》为底本，并据笔谈原件及其他相关数据，对宫岛诚一郎与何如璋、张斯桂、黄遵宪、沈文荧等人的笔谈数据进行了较为全面的编校整理。

石川鸿斋（1833—1918），名英，字君华，号鸿斋、芝山外史，三河国（今爱知县）丰桥人。著名汉学家，工诗画，着有《日本文章规范》、《鸿斋文钞》等四十余部。

由于石川鸿斋住在芝山月界院公使馆附近，1878年春便携知恩院大教正彻定、天德寺少教正义应二僧来访。开始，何如璋、张斯桂、黄遵宪等人皆误以为石川亦沙门中人，鸿斋乃作诗自辩，众人相继唱和，以为笑谈，后石川将此诗文酬唱编为一书，名曰《芝山一笑》。名字由来，据王治本序：“夫曰芝山，详其地也；曰一笑，白其诬也。”

《芝山一笑》由日本东京文升堂于1878年8月28日刊行，乃近代以来第一部公使馆员与日人之间唱和的诗文专集。虽然封面题签曰“清钦差大臣何如璋、同钦差副大臣张斯桂、日本石川鸿斋赠答”，但实际上收录了何如璋、张斯桂、黄遵宪、沈文荧、刘寿铿、廖锡恩、潘任邦、何定求等八位公使馆员及寓日文人王治本、王藩清与石川鸿斋间的酬唱问答，并

① 见早稻田大学图书馆藏《宫岛诚一郎文书》C7，目录题作《栗香大人与支那人之问答录》。

附有秦苏山、青木可咲、太田晴斋、西岛睡庵以及黄遵宪、沈文荧等人的诗评。卷首有沈文荧、王治本、源辉声、清泽秀等人所作序文，卷尾有彻定、义应、冈千仞的跋文以及藤原忠负、桂香、西岛俊、小野愿、青木可咲、松井操、增田贡、龟谷行、森鲁直等人的诗文题识。虽然龟谷省轩在题识中指出，这些诗文酬唱“大率一时仓猝之作，未暇求其工致”，但诚如沈文荧序中所言，“贤士大夫，联骑骈毂，往来过从，欢若一家，觞酒豆肉，言笑宴宴，此盖千古以来所未有也。”尚有其重要价值。

《芝山一笑》不同于本书所收的其他各编，并非纯粹的笔谈数据，但由于诗文酬唱亦属当时文人交流的重要组成部分，且其内容大多可与其他笔谈数据互证互补，故一并收录于本书。

冈千仞(1833—1914)，名千仞，字振衣、天爵，通称启辅，号鹿门，仙台藩人，明治时期著名汉学家、史学家。早年求学于藩校养贤堂及江户昌平黉，博通经史。因勤王有功，历任修史馆编修、东京书籍馆干事等职。后因不满藩阀专制而辞官，以教导学生及著述自娱，着有《尊攘纪事》、《北游诗草》、《观光纪游》、《米利坚志》、《法兰西志》等三百余卷。

冈千仞与何如璋、黄遵宪等公使馆员，以及游历日本的文人王韬等均有密切交往，其日记及稿本等今藏于东京都立中央图书馆特别文库室，包括冈千仞自身整理的《莲池笔谭》、《清燕笔话》手稿本，以及与黄遵宪的笔谈原件。这些笔谈资料已由陈捷博士整理发表于《日本女子大学纪要》(人间社会学部)第12期(2001年)，其中有关黄遵宪的笔谈部分，则收入陈铮编《黄遵宪全集》上卷(中华书局2005年版)。本书第四编则以此为基础，收录了1878年8月1日、9月20日以及1979年3月的全部三次笔谈，并据东京都立中央图书馆所藏原件进行了校订。

增田贡(1825—1899)，名允孝，号岳阳，骏河国田中藩(今静冈县藤枝市一带)人，明治时期汉学家。曾任藩校日知馆教授、田中藩家老等，维新后任东京高等师范学校汉文教谕。着有《清史揽要》、《满清史略》、《唐宋八大家丛话》等。东京都立中央图书馆特别数据室藏有增田岳阳自身整理的《清使笔语》卷三及卷四手稿本(卷一及卷二已佚)，所记与王韬等交流颇多，可补《扶桑游记》之遗漏。与《大河内文书》不同，《清使笔语》已将笔谈中的粗鄙内容全部删除，恰如增田 1879 年 8 月 23 日笔谈所言："酒间谐谑，属鄙猥之言，舍旃不载。"

《清使笔语》卷三、卷四的全部内容，已由陈捷博士整理发表于东京大学东洋文化研究所编《东洋文化研究所纪要》第 143 期(2003 年 3 月)，部分内容则收入《黄遵宪全集》上卷(中华书局 2005 年版)。本书以此为基础，并根据增田手稿本以及王韬的《扶桑游记》进行了校订。

(三) 朝鲜人

除了中日两国文人的笔谈之外，本书还收录了朝鲜修信使金宏集与何如璋、黄遵宪的笔谈。

金宏集(1842—1896)，本名金弘集，为避清高宗讳而改为金宏集，字敬能，号道园。1880 年作为修信使访日，带回黄遵宪的《朝鲜策略》，成为朝鲜开化运动的积极推进者。后任左议政，三度出任总理大臣，推动官制改革、断发令及废除科举等，1896 年被民众所杀，谥号忠献。

1880 年 8 月，朝鲜任命礼曹参议金宏集为修信使。一行共有 58 人，包括别遣汉学堂上李容肃、军官前中军尹雄烈、书记司宪府监察李祖渊、书记前郎厅姜玮等，其中有不少人为日后的朝鲜开化运动做出了重要贡献。一行于 1880 年 8 月 11 日抵达东京，滞留近一个月，与于 9 月 8 日(八月四日)离开东京，9 月 15 日(八月十一日)返回釜山港。

在日期间，金宏集与何如璋、黄遵宪共进行了 6 次笔谈，为弥补笔谈不能尽意之憾，何如璋命黄遵宪撰写《朝鲜策略》以赠之，这些笔谈资料("大清钦使笔谈")及《朝鲜策略》皆收录于金宏集的《修信使日记》。笔谈原件今已不存，《修信使日记》则有两个版本：其一为韩国国史编纂委员会编辑的《韩国史料丛书》第九卷所收之翻刻本①，其二为高丽大学中

① 国史编纂委员会编：《韩国史料丛书》第九卷《修信使日记卷二(朝鲜策略)》，1985 年版，160—171 页。

央图书馆编《金弘集遗稿》所收《修信使日记》[①]，乃影印高丽大学中央图书馆所藏之抄本。本编以《金弘集遗稿》所收《修信使日记》影印本为底本，参校国内所整理的有关何如璋、黄遵宪与金宏集的笔谈数据。

以上是有关本书[②]笔谈主要参加者及笔谈资料情况的介绍，至于笔谈中出现的其他人物，请参考各编注释；而有关编校时的注意事项，则请参阅各编的“编校说明”。

四、笔谈资料的文献价值

如上所述，中日韩东亚三国文人，以东京为舞台，以笔谈为手段，以汉诗汉文为纽带，展开了多种方式的文化交流。其情其景，宛如一幅幅画卷，跨越一百四十年左右的时空，一一呈现在我们面前。

毋庸置疑，本书所收的笔谈数据具有巨大的文献价值，它不仅可为近年来陆续刊行的《黄遵宪全集》、《何如璋集》等补充大量文献资料，而且还是我们研究何如璋、张斯桂、黄遵宪、沈文荧等首届驻日公使馆员外交、思想、文学、史学、学术、生活等不可或缺的第一手资料，堪称明治初期东亚外交及文化交流研究的资料宝库。

(一) 笔谈资料与外交

1. 笔谈资料与琉球归属交涉

首届驻日公使何如璋面临的最大外交课题，便是琉球的归属交涉问题。

琉球群岛位于中国台湾省和日本之间，作为独立王国存世五百余年。1372 年，明太祖朱元璋派杨载招抚琉球的中山、山北、山南三国，三

① 高丽大学中央图书馆编：《金弘集遗稿》所收《修信使日记》，高丽大学出版社，1976 年版，第 306—313 页。

② 刘雨珍编校：《首届驻日公使馆员笔谈资料汇编》(上下)，天津人民出版社，2010 年版。

国开始朝贡,成为明王朝的藩属国。自此直至清末的五百年间,中国共向琉球派遣册封使 24 次,其中明代 16 次,清代 8 次,一直维持者宗主国与藩属国的册封朝贡关系。1609 年,日本萨摩藩主岛津家久出兵入侵琉球,掳走国王尚宁,一方面对琉球加强控制,另一方面又允许其继续对清朝纳贡,由此形成对中日的“两属”局面。明治维新后,日本政府强制推行“琉球处分”,于 1872 年废除琉球国而设琉球藩,要求琉球停止向中国朝贡。琉球国王派使者向清廷求援,由此展开中日之间有关琉球归属的外交交涉。

本书所收的笔谈数据之中,《大河内文书》中的笔谈倾向于追求所谓风雅之交,远离政治外交。与此相对,《宫岛文书》中的笔谈则带有某种搜集情报的功能,将其与宫岛有关琉球的私人日记《养浩堂私记》①加以比照,其特色更加明显。《养浩堂私记》详细地记录了有关琉球归属交涉时的内幕,可作为本书第二编的背景说明。一方面,宫岛通过诗文酬酢,与何如璋、黄遵宪、沈文荧等公使馆员结成了深情厚谊;另一方面宫岛又充分利用这种私交身份,将所获的清廷有关琉球交涉的最新情报,迅速传达给大久保利通、岩仓具视等明治高官,成为明治政府掌握清廷动态的主要线索之一。②

由于宫岛具有深厚的汉文修养,利用笔谈等方式可与何如璋、黄遵宪等人自由交流,日本外务省曾考虑让他负责对华接待工作,据宫岛《养浩堂私记》卷二:“顷者,外务省有内谕,愿采用余为清国应接之差”云云,但宫岛经过斟酌后认为:“予亦自左院废院以来,深考时势,轻举妄动,贪一时之荣利,素非所好。况今日与清国公使谈话,乃两国交欢之始,仅皮肤之谈而已。其心术如何,却在闲谈交际之中,今若公开供职于外务省,

① 《养浩堂私记》十册,见鱼住和晃:《宫岛家文书收录资料目录》(神户大学国际文化学部纪要《国际文化学研究》第三号,1994 年 11 月)所收“一、缩微胶卷收录资料”之“2.《养浩堂私记》十册,宫岛诚一郎撰,手抄本”。

② 详见刘雨珍:《〈宫岛诚一郎文书〉中的琉球交涉史料》,载中国史学会、中国社科院近代史研究所编:《黄遵宪研究新论》,社会科学文献出版社,2007 年版,第 352—365 页。收入本书第五编第一章。

他日有事之时，却不免嫌忌。”[①]与大久保利通商量后，谢绝了外务省的工作。大久保告诉宫岛：“闲谈之交际，反而可为政府谋求利益”，并要求宫岛“今后只管注意两国之协和，致力于两国和平。”就这样，此后宫岛利用其与公使馆成员个人私交甚厚的特殊身份，主动充当起为明治政府提供清政府动态的情报员的角色。

《养浩堂私记》最早记述公使馆员对琉球问题的态度始于 1878 年 12 月 1 日：“十二月一日，访清公使何如璋笔谈，颇有关系于东洋，不啻琉球一事，以记之”（原文为汉文）。笔谈中，何如璋主要谈到俄国南下所带来的威胁，主张中、日、朝应携手防俄。最后，何如璋才附加指出：

> 顷者照贵外务，告琉球之事，外务未有答。中东本宜唇齿相依，此球在中东之间颇好，若有谬落外人之手，则忽为东洋祸根，今之时不可不有两便之法，如何？[②]

对此，宫岛批注曰：“此般何公使始言琉球之事，盖球人诉何公使乎？”而据《大河内文书》，十日前的 11 月 21 日，琉球使馆曾派尚姓和毛姓使者造访公使馆[③]。

其实，早在公使一行路过神户时，就曾有琉球使者马兼才（亦称与那原良杰、与那原亲方）求见，带来琉球国王尚泰密敕，伏地痛哭，恳请公使出手救琉球[④]。

此处所谓照会，乃指 10 月 7 日（九月十二日），为抗议明治政府阻止

① 以下引用《养浩堂私记》，除标明原文为汉文外，均为作者自译。

② 刘雨珍编校：《首届驻日公使馆员笔谈资料汇编》下册，天津人民出版社，2010 年版，第 469 页。

③ “桂阁：而那琉球先生姓名如何？ 公度：皆其使馆之官，一尚姓，一毛姓。桂阁：两人官系何职？ 公度：毛法司，尚耳目。”刘雨珍编校：《首届驻日公使馆员笔谈资料汇编》上册，天津人民出版社，2010 年版，第 272 页。

④ 黄遵宪《续怀人诗》其一五：“东方南海妃呼稀，身是流离手采薇。深夜骊龙都睡熟，记君痛哭赋《无衣》。”自注曰：“琉球马兼才。初使日本，泊舟神户。夜四鼓，有斜簪颓髻、衣裳褴褛者，径入舟，即伏地痛哭，知为琉球人。又操土音，不解所谓。时复摇手，虑有倭人闻之。既出一纸，则国王密敕，为言今日阻贡，行且废藩，终必亡国。令其求救于使臣者也。”陈铮编：《黄遵宪全集》上，中华书局 2005 年版，第 130 页。

琉球向中国进贡，何如璋向日本外务卿寺岛宗则提出的照会，其中使用了较为强烈的措辞："今忽闻贵国禁止琉球进贡我国，我政府闻之，以为日本堂堂大国，谅不肯背邻交欺弱国，为此不信不义、无情无理之事。"①日本政府故意回避阻止琉球向中国进贡、企图吞并琉球的事实，而指责何如璋上述措辞为"假想之暴言"②，要求向日方作出道歉，一时中日交涉陷入僵局。③

1879年2月26日，何如璋再次照会日本外务省，要求重开交涉，但外务省不予理睬，反而进一步加快吞并琉球的步伐。对于明治政府的强行措施，何如璋一方面向李鸿章及总理衙门报告，另一方面也利用宫岛的特殊身份，作为与明治政府交涉的一个窗口。为此，特派黄遵宪与沈文荧造访久病初愈的宫岛，据《养浩堂私记》卷二记载："三月一日④，清使馆黄参赞遵宪、沈知州文荧来访，笔话颇剧谈球事，余答辩太苦"（原文为汉文），足见当时的紧张气氛。

笔谈中，沈文荧提出因日本将要实行"废琉置县"，因此公使馆员皆准备撤出日本，返回本国。进而黄遵宪指出：

> 郡县之说，新闻纸所言不足尽凭。然贵政府若有事于球，非蔑球也，是轻我也。我两国修好条规第一条即言："两国所属邦土，务各以礼相待，不可互有侵越。"条规可废，何必修好？故必绝聘问，罢互市。吾辈不得不归也。"⑤

黄遵宪援引《修好条规》第一条，驳斥日本吞并琉球是对中国邦土的侵犯。沈文荧还威胁道："今贵邦政府贪其地而不顾理之是非，将来用兵而致祸患，仆甚不解其惑也。"暗示中方对此可能付诸武力。

---

①《日本外交文书》第十一卷125「十月七日　清国公使ヨリ寺島外務卿宛」，第271页。

②《日本外交文书》第十一卷126「十一月二十一日　寺島外務卿ヨリ清国公使宛」，第272页。

③ 详见米庆余：《琉球历史研究》第七章"中日交涉琉球归属问题"，天津人民出版社，1998年版。

④ 笔谈原件（早稻田大学图书馆藏《宫岛诚一郎文书》C9）之注记及《问答录》皆作"三月二日"。

⑤ 刘雨珍编校：《首届驻日公使馆员笔谈资料汇编》下册，天津人民出版社，2010年版，第474页。

3月10日，宫岛将此笔谈呈递给右大臣岩仓具视，岩仓态度未有改变，告之如下：

> 庙堂之议，今日已定。今若踟蹰此事，则先年大久保之施行，亦不成前后顺序，如此则除断然废藩、如内地一般施政外，别无他策。此笔谈非谈寻常文事，于国事颇有巨大干系，作为内部机密，惟可示以主管参议一人，烦请誊写一部。

对此，宫岛要求岩仓为其保守秘密："若此事外露，则有失清人交际之道，万请予以保守机密。"①

3月11日，日本政府派遣松田道之率领警察和军队奔赴琉球，27日松田抵达琉球，宣布废除琉球藩而设置冲绳县，要求31日前接管琉球王宫"首里城"。4月4日，明治政府通告全国实行"废琉置县"，5日任命锅岛直彬为冲绳县首任县令。5月27日，将琉球国王尚泰移居东京，琉球王国遂至灭亡。

正当中日两国琉球交涉陷入僵局之时，1879年6月，美国前总统格兰特(Ulysses Simpson Grant，1822—1885)周游世界，途经中国前往日本，李鸿章便委托其居中调停。格兰特6月2日从北京出发，21日到达长崎，7月3日抵达横滨。而宫岛则通过与沈文荧的频繁笔谈，最早获取了格兰特受清廷委托居中调停的情报。

6月20日，宫岛访问何如璋，感到何公使对于日方的废琉置县"不能心平气和"(《养浩堂私记》卷二)。7月18日②，宫岛再次来到公使馆，沈文荧笔谈中不小心透露出格兰特来日的目的："彼驻北京一月，我政府托球事于彼，彼来贵邦，为我作排解，仆辈望之。"对此宫岛内心大喜，在《养浩堂私记》中写道：

> 以上笔谈事件，颇为紧要，就中美国格兰特受清国之托，为其周

---

①《养浩堂私记》卷二。

②《问答录》作8月4日。

旋球事，实乃紧要中之紧要，若非沈氏之雅量，绝不至对外泄漏。若黄遵宪为其机要枢纽之人，从未透露过有关格兰特调停之片言只语。

得知这一秘密情报后，宫岛迫不及待地报告右大臣岩仓具视。

岩仓右府大喜，曰：今格兰特将琉球之事奏陈圣上，又忠告政府，然不知其乃受清廷之请愿而为其周旋。今得此言，实需仔细考虑，则我须先采取措施。①

7 月 12 日，明治政府指派伊藤博文、西乡从道、吉田清成为接待使，陪同格兰特参观日光、箱根等地。其间，伊藤等人劝说格兰特放弃支持中国的立场。8 月 19 日返京后，岩仓具视、大限重信、吉田清成又多次拜访格兰特下榻的延辽馆，反复陈述日方对琉球问题的态度。

8 月 16 日，宫岛再次访问公使馆，与沈文荧笔谈。其目的是“此时格兰特自日光归，想必有事告清公使者，欲试探其间情况”。但沈文荧告诉他：“既彼居间，且俟其复音。刻下亦无事，俟彼回来再看。”20 日，宫岛“面见岩仓右府，详谈沈文荧之密话，且听其机密之政略。”②虽然“机密之政略”为何，我们不得而知，但岩仓一定在对宫岛继续获取公使馆机密问题上，提出了一些具体要求。后来，中日双方为琉球分岛方案移至北京展开激烈交涉，宫岛与何如璋、黄遵宪等人的笔谈之中又恢复了往日的友好气氛。

当然，宫岛的这种努力一直持续到何如璋的离任之时。1882 年 2 月 16 日，就在何如璋应召回国之前，宫岛提出了明治政府非常关注的问题。

宫岛：临别一言，如公与我则可谓千载之知己也。顷仆与一亲友深虑两国利害，说某大臣。大臣深嘉纳之，曰以琉球一事，决不至开祸端。于贵国也，此事不在世人所知，敢告之阁下。

---

①《养浩堂私记》卷二。

②《养浩堂私记》卷二。

子峨：两国绝不因此小事开大争端，我政府亦是此意。[①]

据《养浩堂私记》，此处所谓亲友乃指吉井友实，某大臣则指岩仓具视。宫岛在何如璋离任之际，渴望了解清政府对于日本吞并琉球后采取武力的可能性。何如璋则断然告诉宫岛，清廷不会为此大动干戈。对此，宫岛诚一郎在其《养浩堂私记》卷二末尾特地记道：

> 上述临别一言，实为关系两国之重大事件也。苟使何公使归国后注意此点，则两国苍生所得幸福岂鲜少哉！余五年之间，区区心曲，以结私交，所忧虑者，在此一点，此事关系外交机密，特戒泄漏。

虽说宫岛不愿中日两国兵戈相见，但在琉球归属交涉过程中，却利用与公使馆员频繁笔谈的机会，千方百计刺探中方机密，将其迅速报告明治政府。何如璋归国之后，宫岛在与第二任驻日公使黎庶昌诗文交往之际，继续就琉球交涉为明治政府提供情报，给中国外交带来不可估量的损失。[②]

在研究明治初期的笔谈资料时，我们对此不可不察。

2. 笔谈资料与朝鲜开国

1876年朝鲜被迫与日本签订《江华条约》，由此揭开了两国近代外交的序幕。自此直至1882年，李朝政府先后向日本派遣了四次修信使。尤其是于1880年派遣的以金宏集为首的第二次修信使，对近代朝鲜的开化运动产生了深远影响。

金宏集一行于1880年8月1日（六月二十六日）离开釜山，8月11日（七月六日）抵达东京。先后在日本滞留近一个月，于9月15日（八月十一日）返回釜山港。修信使的此行目的，主要是为解决如仁川开港、釜

---

① 刘雨珍编校：《首届驻日公使馆员笔谈资料汇编》下册，天津人民出版社，2010年版，第594—595页。

② 参见伊原泽周著：《从"笔谈外交"到"以史为鉴"——中日近代关系史研究》第一编第二章"论黎庶昌的对日外交——以琉球、朝鲜为中心"，中华书局，2003年版。

山关税赔偿、禁止谷物输出等两国间悬而未决的一些问题，并借机考察明治初期日本的开化情况。然而，由于金宏集并未携带"全权委任状"以及明治政府的交涉态度缺乏诚意，致使此行在外交上并未取得有效进展①，而金宏集在与中国驻日公使何如璋、副使张斯桂、参赞黄遵宪等人的交流中，就关税问题及国际形势等交换了意见，学习到西洋的《万国公法》及势力均衡等有关知识，并带回黄遵宪的《朝鲜策略》，对其后的开化运动产生深远影响。金宏集的《修信使日记》及《宫岛文书》中的笔谈数据，为我们了解《朝鲜策略》的诞生过程提供了便利。

修信使抵达东京后十天即8月20日（七月十五日），何如璋派参赞黄遵宪与翻译杨枢前往一行下榻的浅草本愿寺，拜会金宏集。见面伊始，黄遵宪便转达了何如璋急于会晤金宏集之意。金宏集答复翌日便去拜见何公使。接着，黄遵宪阐述了他对中朝关系及国际形势的看法："朝廷与贵国休戚相关，忧乐与共。近来时势，泰西诸国日见凌逼，我两国尤宜益加亲密。"②金宏集同意黄遵宪对国际时势的精辟分析，表示希望得到中国的庇护。

次日，金宏集前往公使馆拜会何如璋。寒暄完毕后，何如璋单刀直入地问金宏集来日的目的，金宏集仅作简单回答。8月23日（七月十八日），何如璋与张斯桂来到金宏集寓所回访，询问金宏集有关谒见明治天皇的日期以及与明治政府会谈、订约的情况。何如璋向金宏集介绍了日本与西洋修改不平等条约的情形，并表示将设法取得日本与西方列强议改的约稿，以供金宏集作参考。

8月26日（七月二十一日），金宏集再次来到公使馆，与何如璋会谈。此前，金宏集已经阅读了何如璋提供的日本与西方列强议改的条约稿，因此谈话围绕着"通商"进行。何如璋力劝朝鲜对外通商，说明只要关税

---

① 参见河宇凤著、森山茂德译：《开港时期修信使的日本认识》，宫岛博史、金容德编：《近代交流史与相互认识Ⅰ》，日韩共同研究丛书2，（日）庆应义塾大学出版会，2001年版。

② 刘雨珍编校：《首届驻日公使馆员笔谈资料汇编》下册，天津人民出版社，2010年版，第702页。

能够自主,此乃“有益无损之事”,并详细地介绍了西方的关税保护办法。此外,何如璋再次谈到俄国南下所带来的巨大威胁,并提出联合美国、实行对外通商的对策。对此,金宏集认为要改变推行多年的闭关锁国政策,实非容易之事,便回答道:“敝国事务,未可遽议交涉。”会谈之后,何如璋担心笔谈不能尽意,便命黄遵宪起草《朝鲜策略》一文。

9月6日(八月初二),黄遵宪携带刚刚完稿的《朝鲜策略》,来到金宏集寓所,金宏集对此表示感谢:“见示册子,万万感铭,胜似逢场笔话多矣。”黄遵宪还说,对于“禁输出米”和“定税则”二事,何公使尚有一二意见,但来不及在《朝鲜策略》中阐述,并就通商及关税自主等问题阐述了自己的看法。对于金宏集所言“我国读书人,皆以为通商为不可”,黄遵宪回答道:“今日尚欲闭关,可谓不达时务之甚!仆策中既详及之,请归而与当局有力者,力主持之,扶危正倾,是在君子!”

9月7日(八月初三),金宏集来公使馆辞行,临别之际,何如璋告知俄国海军大臣率领的十五艘军舰已停泊在珲春,形势紧张,建议朝鲜联合日本、美国,以抵御俄国。何如璋还告诉金宏集:“近日情形甚急,如阁下归国,众论稍通,请飞函告我,当相谋一善法也。”对此,金宏集爽然答应。

9月8日(八月初四),金宏集一行离开日本返国复命。通过与何如璋、黄遵宪等人的笔谈,金宏集对朝鲜在国际政治中的地位有了较为深刻的认识,并发现朝鲜面临着许多重大问题,回国后须大刀阔斧地推行改革。

《朝鲜策略》的主要内容是,外交方面为防止俄国南下,朝鲜应“亲中国,结日本,联美国,以图自强而已”。而在内政方面,则应通过“结约、通商、富国、练兵”以自强,这充分地体现了黄遵宪对明治初期日本社会的观察与思考。①

① 详见刘雨珍:《黄遵宪〈朝鲜策略〉中的日本因素》,载李卓主编:《近代化过程中东亚三国的相互认识》,天津人民出版社,2009年版,第426—446页。

1880年9月,金宏集将黄遵宪的《朝鲜策略》带回国后,立即上呈给高宗。11月3日(十月一日),金宏集被擢升为吏曹参议。1881年2月,朝鲜仿照中国制度,设立统理机务衙门,下设交邻、军事、边政、通商、机械、船舰、语学等司,迈出了内政改革的第一步。同月,金宏集被任命为统理机务衙门经理。其后,朝鲜于1882年分别与美、英、德等国缔结修好通商条约。

由此可见,金宏集在日本与何如璋、黄遵宪的笔谈及其带回的《朝鲜策略》,对十九世纪后期的朝鲜开国产生了深远影响。[①]

(三) 笔谈资料与文化交流

王宝平教授曾将甲午战争前的中日文化交流归纳为以下四种形式:1. 笔谈,2. 唱和,3. 序跋,4. 书信[②]。可以说,正是这种以汉字为纽带的跨越国界的风雅之交,构成了汉字文化圈内文化交流的一道道亮丽风景。

本书所收的笔谈资料,囊括了上述笔谈、唱和、序跋、书信全部四种形式,包含大量的汉诗酬唱、诗文切磋、序文跋语、采风问俗、学术探讨、日常琐事等。由于涉及面极为广泛,全面而系统的研究且待来日,今仅择其要而言之。

1. 汉诗酬唱

由于清廷派驻日本的外交官员大多是文人学者,能诗善文,因此公使馆员与日本汉学家之间的汉诗酬唱,就成为聚会时不可或缺的一道风景。

---

① 参见郑海麟:《黄遵宪与近代中国》第三章“从《朝鲜策略》看黄遵宪的外交思想”,生活·读书·新知三联书店,1988年版;杨天石:《黄遵宪的〈朝鲜策略〉及其风波》,载《近代史研究》1994年第3期。

② 王宝平:《日本典籍清人序跋集》代前言“清季中日文化交流的一个视角”,上海辞书出版社,2010年版。

如1878年4月16日，大河内辉声邀请何如璋、张斯桂、黄遵宪等公使馆员，与日本友人加藤樱老、内村绥所等人一道，来到东京著名的赏花胜地——墨江(即隅田川)的向岛赏花。席间，饮酒赏乐，酬唱不断，何如璋、张斯桂、黄遵宪、廖锡恩、王治本、王藩清、大河内皆有诗作，诚如何如璋和诗所言"飞觞不惜醉蒲桃，海外看花第一遭"，堪称中日交流史上的一大佳话。

另如1878年6月14日，宫岛诚一郎设家宴招待何如璋、张斯桂、黄遵宪、沈文荧等公使馆员，并邀请重野成斋、三浦安、青山延寿等汉学家同席。席间，宫岛即兴赋诗，沈文荧、黄遵宪、何如璋继而唱和，其中尤以黄遵宪的和诗最具代表：

舌难传语笔新通，笔舌澜翻意未穷。
不作佉卢蟹行字，一堂酬唱喜同风。①

这种用汉字笔谈，赋汉诗传情，正是汉字文化圈内文人雅会的独特风景。

1880年8月29日，日本驻朝公使花房义质邀请朝鲜修信使金宏集、李祖渊、姜玮，及何如璋、黄遵宪等人相聚于东京飞鸟山暖依村庄。据《宫岛文书》中的笔谈数据记载，此日"三国文士，欢饮挥毫，正午来会，到晚始散"，颇为热闹。在此三国文人欢聚、尽情交流的值得纪念时刻，黄遵宪趁着酒兴作诗曰：

满堂宾客，三国之产，更无一人，红髯碧眼，
纸笔云飞，笙歌雨沸，皆我亚洲，自为风气；
人生难得，对酒当歌，今我不乐，复当如何？
纵横战国，此乐难得，奚怪有人，闭关谢客。②

---

① 刘雨珍编校：《首届驻日公使馆员笔谈资料汇编》下册，天津人民出版社，2010年版，第453页。

② 刘雨珍编校：《首届驻日公使馆员笔谈资料汇编》下册，天津人民出版社，2010年版，第552页。

诗中充分表达了作者对东亚三国文人欢聚一堂的兴奋之情，并流露出对“红髯碧眼”的西方列强欺凌东亚的不满。席间，宫岛诚一郎还与姜玮连手创作《散步暧依村庄赋》诗一首：

素心兰馥郁，可以订交情。（宫岛）

一去沧溟滴，何由急远程？（姜玮）①

可见，汉诗酬唱已成为三国文士尽情交流、增进感情的重要推进剂。

2. 诗文切磋

无论是王治本与大河内辉声，还是黄遵宪与宫岛诚一郎，都是通过诗文切磋，互相帮助，结成了莫逆之交。可以说，大河内定稿的每一首诗，都是王治本精心删改的产物；而宫岛诗集的编辑，也凝聚着公使馆员的心血。

据笔谈资料可知，宫岛诚一郎常将自己的诗文稿送至公使馆成员传阅，恳请为其批改评点，何如璋、张斯桂、黄遵宪、沈文荧，以及应邀赴日作短暂游历的王韬，都曾参与过评点工作。在黄遵宪等人的协助下，宫岛于1882年将自己的诗集编成《养浩堂诗集》五卷刊行。在早稻田大学图书馆收藏的《宫岛诚一郎文书》中，收入两种尚未刊行的手稿本《养浩堂诗集》，一为“《养浩堂诗集》乾、坤，黄、沈二氏点削”②；一为“《养浩堂诗集》一、二，黄公度、沈梅史、王紫诠评阅”③。翻阅后可以发现，较之沈文荧、王韬等人的评阅，黄遵宪对宫岛诗文的修改远要认真仔细，其评语也多切中要害。下面就据笔谈资料，稍举数例说明。

1879年10月24日，黄遵宪致函宫岛诚一郎，对其诗作提出了非常严厉的意见，认为此二本诗作皆不宜编入诗集，可谓出自挚友的肺腑

① 刘雨珍编校：《首届驻日公使馆员笔谈资料汇编》下册，天津人民出版社，2010年版，第552页。

② 早稻田大学图书馆藏：《宫岛诚一郎文书》E—27。

③ 早稻田大学图书馆藏：《宫岛诚一郎文书》E—109。

之言：

大稿经一再读过，此二本殊少佳作，披沙拣金，偶一见宝耳。谬以鄙见，辄为删弃，其余未动笔者，仆皆以为可删，然未敢自信，冀吾子更请他人阅之耳。狂妄之罪，不敢求谅，惟恃至爱，乃敢出此言也。①

1880年1月31日，黄遵宪又致函宫岛，以中国古代著名诗人杜甫、陆游之例，告诫宫岛诗作必须去芜存精：

大著拜读一过，此卷尚少名篇，以工部诗圣，亦以中年以后为佳，可知少作未易存耳。《四库目》论陆放翁，讥其作诗太多，故伤冗滥，通人当知其意，无俟仆喋喋也。②

黄遵宪一方面对宫岛的诗文创作要求甚严，另一方面对于自己的作品，也虚心向宫岛诚一郎等日本友人求教。来日两年后，黄遵宪撰就《日本杂事诗》，请宫岛等日本汉学家代为修改。如1879年4月16日，宫岛拜访公使馆时，黄遵宪将《日本杂事诗》上卷50首抄录后，请求宫岛改正其中的错误，宫岛谦虚地回答道："仆才薄识卑，何以遽望改削君之诗，若有事实谬误者，则少改之耳。"对此，黄遵宪则说道：

是诗数日间我兄改定，亟以次卷呈上，仆俟兄阅毕后，以示青山、龟谷二子，仆是诗恐贻方家之笑，然意在纪事，故拙亦不辞。仆居此，多有知其不工者，若执此种为诗以律敝国人，以为大概如此，则敝国文士便当攘臂而起，诟骂仆不置也。

（中略）

望痛改之，极斥之，仆读君诗，尚谬评如此，况君施于仆乎。仆平生无他长，唯可闻近，能服善，区区所窃自许者。再俟一月，当比

① 刘雨珍编校：《首届驻日公使馆员笔谈资料汇编》下册，天津人民出版社，2010年版，第506—507页。

② 刘雨珍编校：《首届驻日公使馆员笔谈资料汇编》下册，天津人民出版社，2010年版，第532页。

别钞一册存尊处，有友来都可请正。①

据本书笔谈数据可知，黄遵宪的《日本杂事诗》在完成后，曾请宫岛诚一郎、青山延寿、龟谷省轩、冈千仞等日本友人为其修改。

《日本杂事诗》于1879年刊行后，受到中日两国文人学者的极大赞誉，石川鸿斋在《日本杂事诗跋》中惊叹道："上自神代，下及近世，其间时世沿革，政体殊异，山川风土，服饰技艺之微，悉网罗无遗。而词彩绚烂，咀英嚼华，字字征实，无一假借"，并对黄遵宪的才能佩服之至："公度来日未及二年，而三千年之史，八大洲之事详确如此，自非读书十行俱下，能如此乎？"我们在称赞黄遵宪博学多才、虚心好学的同时，也不应忘记宫岛诚一郎、青山延寿、龟谷省轩、冈千仞等日本汉学家们所给予的帮助。

3. 提供资料

众所周知，黄遵宪的《日本国志》乃近代中国人研究日本的名著，其初稿则编纂于驻日期间。然而黄遵宪任参赞官只有四年多时间，又不通日本语言，因此要编纂一部像《日本国志》（四十卷五十万言）这样包罗日本历史各个方面的史书，殊非易事。特别是在典章制度方面，因史料匮乏，甚至令日本史学家亦望而却步，知难而退。冈千仞就曾告诉黄遵宪说："此事水户史官所欲为而不能为，盖无足以供史料者也。蒲生君亦有此志，中途而止，亦坐无史料耳"②，黄遵宪亦在《日本杂事诗》中叹道："兵刑志外征文献，深恨人无褚少孙"。即使如此，黄遵宪还是决心效仿褚少孙续补《史记》，完成《日本国志》的编撰工作。

可以说，正因为黄遵宪周围聚集了一大批硕学鸿儒，可以随时为他提供各种帮助，才得以克服因语言不通而造成的巨大障碍。黄遵宪之所

① 刘雨珍编校：《首届驻日公使馆员笔谈资料汇编》下册，天津人民出版社，2010年版，第480页。

② 刘雨珍编校：《首届驻日公使馆员笔谈资料汇编》上，天津人民出版社，2010年版，第212—213页。

以能够完成《日本国志》这部巨著的撰写工作，是与这些汉学家的鼎力相助密不可分的。据本书的笔谈数据，我们可以发现，在黄遵宪编撰《日本国志》的过程中，曾得到宫岛诚一郎、青山延寿、石川鸿斋、龟谷省轩、重野安绎、冈千仞等汉学家的有力帮助。他们都曾在修史馆任职，具有很高的史学素养，熟悉相关史料，通过笔谈可以随时为黄遵宪解疑释难，提供帮助。对此笔者曾撰文论之，不再赘述。①

4. 其他

除了上述交流外，笔谈资料中尚有大量介绍中国文化的记录。如《大河内文书》中，何如璋、沈文荧、王治本等皆向日本友人详细介绍过清代的科举取士制度。另外，1881 年 12 月 12 日，何如璋还应宫岛诚一郎之请，介绍清朝的爵赏制度，为宫岛制定日本宫内勋爵制度提供了参考。

1878 年 9 月 6 日，黄遵宪还在与石川鸿斋、大河内辉声等日本友人的笔谈中，极力推荐《红楼梦》：

> 《红楼梦》乃开天辟地、从古到今第一部好小说，当与日月争光，万古不磨者。恨贵邦人不通中语，不能尽得其妙也。
>
> （中略）
>
> 论其文章，直与《左》、《国》、《史》、《汉》并妙。②

这是中国人首次向外国人公开推介《红楼梦》，将其定义为“开天辟地、从古到今第一部好小说”，堪与《左传》、《国语》、《史记》、《汉书》等古典名著并驾齐驱，给予高度评价。

本书所收各编笔谈资料，还有大量关于中日双方生活风俗的记载，涉及碑帖、围棋、饮食、服饰等方方面面，为我们研究中日民俗提供了宝

---

① 详见刘雨珍：《日本国志》“前言”，上海古籍出版社，2001 年版。参见本书第四编第十六章及第十七章。

② 刘雨珍编校：《首届驻日公使馆员笔谈资料汇编》上，天津人民出版社，2010 年版，第 212—213 页。

贵资料。

总之，笔谈数据是一座研究近代中日甚至东亚文化交流的丰富宝藏，需要我们从各个角度去探讨。

（本文除前言部分外，乃刘雨珍编校《首届驻日公使馆员笔谈资料汇编》撰写的“前言”，天津人民出版社，2010 年版。）

第十二章　黄遵宪《朝鲜策略》中的日本因素

一、前言

黄遵宪(1848—1905)的朝鲜观主要见于1880年所撰的《朝鲜策略》一文,《朝鲜策略》不仅对朝鲜的开化运动产生深远影响,而且宣告近代东亚社会进入了一个全所未有的新局面,对近代东亚的国际政治具有重要的推动作用。

《朝鲜策略》诞生于1880年(中国光绪六年,日本明治十三年,朝鲜高宗十七年)的清朝驻日公使馆,它是由中国驻日参赞黄遵宪奉公使何如璋(1838—1891)之命,为面临列强武力叩关、但依然闭关锁国的朝鲜而撰写的重要策略性文章,是中韩两国年轻外交官黄遵宪与金宏集①(1842—1896)聚首东京的结果,也可谓中日韩三国近代文化交流的直接产物,在东亚文化交流史上具有划时代的重要意义。

迄今中日韩三国有关《朝鲜策略》的研究多集中于朝鲜开化史、中日

① 金宏集:又作"金弘集",因其自身在与何如璋、黄遵宪等笔谈资料中皆作"金宏集",故本文统一作"金宏集"。

韩关系史、国际政治等几个方面①。本文则从近代中日韩三国文化交流的视角出发，利用新发现的何如璋、黄遵宪、金宏集、宫岛诚一郎等人的有关笔谈资料，对《朝鲜策略》中所体现的外交思想及自强策略展开论述。本文共分四章，第一章利用笔谈资料，梳理中日韩近代文化交流与《朝鲜策略》诞生的前后经过，第二章论述《朝鲜策略》中所展现的防俄联亚的外交思想，第三章探讨迄今为止尚未研究的《朝鲜策略》自强策与黄遵宪的日本研究名著《日本国志》的内在联系，第四章阐明《朝鲜策略》的影响与意义。

二、《朝鲜策略》的诞生背景

1876 年朝鲜被迫与日本签订《江华条约》，由此揭开了两国近代外交及文化交流的序幕。自此直至 1882 年，李朝政府先后向日本派遣了四次修信使。尤其是于 1880 年派遣的第二次修信使，对近代朝鲜的开化运动产生了深远影响。②

1880 年 8 月，李朝政府任命礼曹参议金宏集为修信使。一行共有 58 人，包括别遣汉学堂上李容肃、军官前中军尹雄烈、书记司宪府监察李祖渊、书记前郎厅姜玮等，其中有不少人为日后的朝鲜开化运动做出了重要贡献。③

---

① 中国方面的主要研究论著有郑海麟：《黄遵宪与近代中国》第三章“从《朝鲜策略》看黄遵宪的外交思想”，三联书店 1988 年版；杨天石：《黄遵宪的〈朝鲜策略〉及其风波》，载《近代史研究》1994 年第 3 期，后收入杨天石著：《海外访史录》，社会科学文献出版社 1998 年版；夏晓虹：《揭示一段沉埋多年的历史真相——黄遵宪撰写〈朝鲜策略〉的缘起》，载《中华读书报》2000 年 8 月 16 日版；魏明枢：《论黄遵宪的〈朝鲜策略〉》，载《江西师范大学学报（哲学社会科学版）》第 37 卷第 3 期，2004 年 5 月。日本方面的主要研究论著则有平野健一郎：《黄遵宪〈朝鲜策略〉异本校合——近代初期东亚国际政治中文化的交错》，载日本国际政治学会编《国际政治研究》第 129 号，2002 年 2 月。

② 有关此四次修信使的活动行程及意义，参见河宇凤著、森山茂德译：《开港时期修信使的日本认识》，宫岛博史、金容德编：《近代交流史与相互认识Ⅰ》，日韩共同研究丛书 2，日本庆应义塾大学出版会，2001 年版。

③ 参见前注河宇凤著、森山茂德译：《开港时期修信使的日本认识》。

修信使一行于1880年7月5日(旧历五月二十八日,下同)辞别高宗,8月1日(六月二十六日)乘坐日本汽船"千岁丸"离开釜山,8月11日(七月六日)抵达东京。先后在日本滞留近一个月,于9月8日(八月四日)离开东京,9月15日(八月十一日)返回釜山港。修信使的此行目的,主要是为解决如仁川开港、釜山关税赔偿、禁止谷物输出等两国间悬而未决的一些问题,并借机考察明治初期日本的开化情况。然而,由于金宏集并未携带"全权委任状"以及明治政府的交涉态度缺乏诚意,致使此行在外交上并未取得有效进展①,而金宏集在与中国驻日公使何如璋、副使张斯桂、参赞黄遵宪等人的交流中,就关税问题及国际形势等交换了意见,学习到西洋的万国公法及势力均衡等有关知识,并带回黄遵宪的《朝鲜策略》,对其后的开化运动产生深远影响。以下就据金宏集的《修信使日记》②及《宫岛诚一郎文书》③中有关何如璋、黄遵宪、金宏集与宫岛诚一郎等人之间的笔谈记录,对《朝鲜策略》诞生前后的具体情形稍作梳理。

修信使抵达东京后十天即8月20日(七月十五日),何如璋派参赞黄遵宪与翻译杨枢前往一行下榻的浅草本愿寺,拜会金宏集。见面伊始,黄遵宪便转达了何如璋急于会晤金宏集之意:"今日初见,春风蔼然,使人起敬,第不知滞留此间,为多少日?钦使何公,亟欲图晤,从容半日,畅彼此怀抱,不审何日乃得暇?使仆敬请命。"金宏集立即表示,翌日便去拜见何公使。接着,黄遵宪阐述了他对中朝关系及国际形势的看法:"朝廷与贵国,休戚相关,忧乐与共。近来时势,泰西诸国,日见凌逼,我两国尤宜益加亲密。"并指出:"方今大势,实为四千年来之所未有,尧舜禹汤之所未及料,执古人之方,以药今日之疾,未见其可。"金宏集同意黄

① 参见前注河宇凤著、森山茂德译:《开港时期修信使的日本认识》。

② 参见刘雨珍编校:《首届驻日公使馆员笔谈资料汇编》第六编"与朝鲜修信使金宏集笔谈资料",天津人民出版社,2010年版。

③ 参见刘雨珍编校:《首届驻日公使馆员笔谈资料汇编》第二编"与宫岛诚一郎等笔谈资料",天津人民出版社,2010年版。

遵宪对国际时势的精辟分析，表示希望得到中国的庇护："敝国僻在一隅，从古不与外国毗连。今则海舶迭来，应接戛戛，而国小力弱，未易使彼知畏而退，甚切忧闷。然所恃者，惟中朝庇护之力。"黄遵宪欣赏金宏集对中国的态度，但并不赞同其依赖中国庇护的意见，指出："今日之急务，在力图自强而已。"对此金宏集深表赞同："自强二字，至矣尽矣，敢不敬服？"①

次日，金宏集前往公使馆拜会何如璋。寒暄完毕后，何如璋表示："我朝与贵国，义同一家。今日海外相逢，尤为亲密，彼此均不拘形迹。"接着单刀直入地问金宏集来日的目的："使节之来，闻有大事三，不知既与日本外务言之否？"对此，金宏集仅作了简单的回答："使事，概为报聘，书契中有定税一事而已。"黄遵宪立即劝道："钦使何公，于商务能悉其利弊；于日本事能知其情伪。有所疑难，望一切与商。我两国如同一家，阁下必能鉴此。"金宏集则解释说："仆来此，大小事，专仰钦使指导，而形迹亦不能存嫌，所以稍迟迟，庶谅此意。"接着，黄遵宪开门见山地问及朝鲜与日本所签订的条约稿："贵国与日本所缔条约，仆未见。汉文稿能饬人抄惠一份，感谢不已。"②金宏集表示愿意照办，并表示非常仰慕黄遵宪的《日本杂事诗》，希望一见，且问及执笔中的《日本国志》将有多少卷。黄遵宪答应赠送《日本杂事诗》数部与金宏集，并告诉《日本国志》系与何如璋同著，卷帙浩博，预计将达三十卷，但未完稿。

8 月 23 日（七月十八日），何如璋与张斯桂来到金宏集寓所回访，询问金宏集有关谒见明治天皇的日期以及与明治政府会谈、订约的情况。何如璋向金宏集介绍了日本与西洋修改不平等条约的情形："近日此间方拟与泰西各国议改条约，其议改之意，在管理寓商及通商税则各事。其稿极详细，亦极公平，大略系西洋各国通行之章程，若各国通商均照此行，固无所损也。"③并表示将设法取得日本与西方列强议改的约稿，以供

① 刘雨珍编校：《首届驻日公使馆员笔谈资料汇编》下，天津人民出版社，2010 年版，第 702 页。

② 刘雨珍编校：《首届驻日公使馆员笔谈资料汇编》下，天津人民出版社，2010 年版，第 703 页。

③ 刘雨珍编校：《首届驻日公使馆员笔谈资料汇编》下，天津人民出版社，2010 年版，第 704 页

金宏集作参考。

笔谈中，何如璋问金宏集有关俄国人的最新动向："顷俄人在贵国图们江口一带，经营布置，究竟情形如何?"金宏集对此却毫无所知，便向何请教应付的办法。何如璋告诉金宏集可采取均势之法："近日西洋各国，有均势之法。若一国与强国邻，惧有后患，则联各国，以图牵制，此亦目前不得已应接之一法。"①

8月26日(七月二十一日)，金宏集再次来到公使馆，与何如璋会谈。此前，金宏集已经阅读了何如璋提供的日本与西方列强议改的条约稿，因此谈话围绕着"通商"进行。何如璋力劝朝鲜对外通商，说明只要关税能够自主，此乃"有益无损之事"，并详细地介绍了西方的关税保护办法。此外，何如璋再次谈到俄国南下所带来的巨大威胁："现西人竞言功利，而俄人横暴，如战国虎狼之秦。闻其近年于图们江口一带，极意经营，且本年又增设水师于东海。此事大为可虑，迟则生变。我朝与贵国，谊同手足一家，殊难漠然也。"并提出联合美国、实行对外通商的对策："愚见俄时颇急，现海内各国，惟美系民主之国，又国势富实，其与列国通好，尚讲信义，不甚图占便宜。此时彼来善求通商，若能仿此间议改之约稿，与之缔立条规，彼必欣愿。如此，则他国欲来通商者，亦必照美国之约，不能独卖，则一切通商之权利，均操在我，虽与万国交涉，亦有益无损之事，此万世一时之机会，不可失也。"对此，金宏集认为要改变推行多年的闭关锁国政策，实非容易之事，便回答道："敝国事务，未可遽议交涉。"②会谈之后，何如璋担心笔谈不能尽意，便命黄遵宪起草《朝鲜策略》一文。

8月29日(七月二十四日)，日本驻朝公使花房义质(1842—1917)邀请金宏集、李祖渊、姜玮，及何如璋、黄遵宪等人相聚于东京飞鸟山暖依

① 刘雨珍编校：《首届驻日公使馆员笔谈资料汇编》下，天津人民出版社，2010年版，第705页。

② 刘雨珍编校：《首届驻日公使馆员笔谈资料汇编》下，天津人民出版社，2010年版，第706—707页。

村庄[①]。据一同参加聚会的宫岛诚一郎的笔谈资料记载，此日“三国文士，欢饮挥毫，正午来会，到晚始散”，情形颇为热闹。金宏集对前日陪同一行参观浅草文库的宫岛表示感谢，何如璋则称赞宫岛“深重同洲之谊，所虑深且远”。宫岛回答道：“仆自何公使之东来，相交尤厚且久矣。其意专在联络三国而兴起亚洲。今先生之来，若同此志，则可谓快极！”[②]自从何如璋、黄遵宪等来日以后，宫岛经常来往使馆，或切磋诗文，或讨论时事，推心置腹，无所不谈。宫岛悉心保存的与何如璋、黄遵宪等公使馆员们的大量笔谈资料，为我们研究东亚近代文化交流提供了宝贵资料。[③]

在此三国文人欢聚、尽情交流的值得纪念时刻，黄遵宪趁着酒兴作诗道：

> 满堂宾客，三国之产，更无一人，红髯碧眼，
> 纸笔云飞，笙歌雨沸，皆我亚洲，自为风气；
> 人生难得，对酒当歌，今我不乐，复当如何？
> 纵横战国，此乐难得，奚怪有人，闭关谢客。[④]

落款曰“庚辰八月黄遵宪醉书应栗香先生属，时在暧依村庄。”诗中充分表达了作者对东亚三国文人欢聚一堂的兴奋之情，并流露出对“红髯碧眼”的西方列强欺凌东亚的不满。[⑤]

宫岛还拿出自己的汉诗稿《养浩堂诗集》，请金宏集在卷末题跋。金宏集难以推辞，回答说：“尊意难孤，谨当于卷尾书数字署名，以为他日替面之契矣。”9 月 1 日（七月二十七日），宫岛再次来访时，金宏集欣然为其

---

① 暧依村庄为日本近代著名实业家涩泽荣一（1840—1931）的别墅，故址在今东京都北区飞鸟山公园内，现建有涩泽史料馆。

② 刘雨珍编校：《首届驻日公使馆员笔谈资料汇编》下，天津人民出版社，2010 年版，第 552 页。

③ 关于宫岛诚一郎与黄遵宪等人的交友情况，详见本书第四编第十四章。

④ 刘雨珍编校：《首届驻日公使馆员笔谈资料汇编》下，天津人民出版社，2010 年版，第 552 页。

⑤ 1882 年 2 月 4 日，宫岛诚一郎为任期届满、即将离日的何如璋、黄遵宪设宴饯别时，黄遵宪亦作诗道：“天下英雄君操耳，高谈雄辩四筵惊。红髯碧眼正横甚，要与诸君为弟兄。”此处亦表达了作者对红髯碧眼横行一世局面的不满，以及希望亚洲联合起来的美好愿望。参见刘雨珍编校：《首届驻日公使馆员笔谈资料汇编》下，天津人民出版社，2010 年版，第 591 页。

撰写了跋文。①

席间，宫岛还与姜玮联手创作《散步暖依村庄赋》诗一首：

素心兰馥郁，可以订交情。　（诚一启承）
一去沧溟滴，何由急远程？　（姜玮转结）

兴犹未尽的姜玮又"续题求正"、作诗一首曰：

燕去无遗影，人归有远情。
此心朝暮遇，不必恨修程。②

可见当日三国文士欢聚一堂的气氛极为融洽。

此外，《大河内文书》中的"韩人笔话"一卷，还保留着大河内辉声及龟谷省轩等与金宏集、李容肃、李祖渊、姜玮等人的笔谈记录，笔谈日期分别为 8 月 17 日、18 日、19 日、31 日以及 9 月 5 日、6 日等。③

9 月 6 日(八月初二)，黄遵宪携带刚刚完稿的《朝鲜策略》，来到金宏集寓所，说道："仆平素与何公使商略贵国急务，非一朝一夕，今辄以其意见，书之于策，凡数千言。知阁下行期逼促，恐一二见面，不达其意，故迩来费数日之力草，虽谨冒渎尊严上呈，其中过激之言，千万乞恕，鉴其愚而怜其诚，是祷。"金宏集对此表示感谢："见示册子，万万感铭，胜似逢场笔话多矣。"黄遵宪还说，对于"禁输出米"和"定税则"二事，何公使尚有一二意见，但来不及在《朝鲜策略》中阐述，并就通商及关税自主等问题阐述了自己的看法。对于金宏集所言"我国读书人，皆以为通商为不可"，黄遵宪回答道："今日尚欲闭关，可谓不达时务之甚！仆策中既详及

① 跋文曰："余得晤栗香先生数次，襟度渊雅，英华袭人，今读其《养浩堂集》，可谓诗若其人，不觉心折。临行书此，以志景仰。'何时一樽酒，重与细论文。'为君一诵，黯然而已。鸡林归客金宏集拜识。"参见刘雨珍编校：《首届驻日公使馆员笔谈资料汇编》下，天津人民出版社，2010 年版，第 555 页。

② 刘雨珍编校：《首届驻日公使馆员笔谈资料汇编》下，天津人民出版社，2010 年版，第 552 页。

③ 参见王宝平主编：《日本藏晚清中日朝笔谈资料：大河内文书》第八册所收"韩人笔话"，浙江古籍出版社，2016 年版。

之，请归而与当局有力者，力主持之，扶危正倾，是在君子！”①

9月7日（八月初三），金宏集来公使馆辞行，临别之际，何如璋告知俄国海军大臣率领的十五艘军舰已停泊在珲春，形势紧张，建议朝鲜联合日本、美国，以抵御俄国。何如璋还告诉金宏集：“近日情形甚急，如阁下归国，众论稍通，请飞函告我，当相谋一善法也。”②对此，金宏集爽然答应。

9月8日（八月初四），金宏集一行离开日本返国复命。通过与何如璋、黄遵宪等人的笔谈，金宏集对朝鲜在国际政治中的地位有了较为深刻的认识，并发现朝鲜面临着许多重大问题。此后，金宏集及其带回的《朝鲜策略》对19世纪后期的朝鲜社会产生了深刻的影响。③

三、《朝鲜策略》与黄遵宪的东亚联合思想

（一）《朝鲜策略》的外交思想

《朝鲜策略》的中心思想，简而言之，即为防止俄国南下入侵，建议朝鲜采取“亲中国，结日本，联美国，以图自强”的外交政策。文章开篇即分析来自俄国的威胁：

> 地球之上有莫大之国焉，曰俄罗斯。其幅员之广，跨有三洲，陆军精兵百余万，海军巨舰二百余艘。顾以立国在北，天寒地瘠，故狡然思启其封疆，以利社稷。自先世彼得王以来，新拓疆土既逾十倍。至于今王，更有囊括四海，并吞八荒之心，其在中亚细亚，回鹘诸部蚕食殆尽。天下皆知其志之不小，往往合纵以相拒。土耳其一国，

① 刘雨珍编校：《首届驻日公使馆员笔谈资料汇编》下，天津人民出版社，2010年版，第706—707页。

② 刘雨珍编校：《首届驻日公使馆员笔谈资料汇编》下，天津人民出版社，2010年版，第712页。

③ 参见郑海麟：《黄遵宪与近代中国》第三章“从《朝鲜策略》看黄遵宪的外交思想”（三联书店1988年版），及杨天石：《黄遵宪的〈朝鲜策略〉及其风波》（《近代史研究》1994年第3期）等。

俄久欲并之，以英法合力维持，俄卒不得逞其志。①

文中指出俄国“有囊括四海、并吞八荒之心”，系借用贾谊《过秦论》中的名句②，将当时不断对外扩张的俄国比作战国时期终灭六国的强秦，阐述其对亚洲各国所构成的巨大威胁：

俄既不能西略，乃幡然变计，欲肆其东封。十余年来，得桦太洲于日本，得黑龙江之东于中国，又屯戍图们江口，据高屋建瓴之势。其经之营之，不遗余力者，欲得志于亚细亚耳。朝鲜一土，实居亚细亚要冲，为形胜之所必争。朝鲜危，则中东之势日亟。俄欲掠地，必自朝鲜始矣。（中略）然则策朝鲜今日之急务，莫急于防俄。防俄之策如之何？曰亲中国，结日本，联美国，以图自强而已。

文中分析道，仅仅十余年间，就从日本手中获得桦太、从中国手中攫取黑龙江以东大片土地的俄国，下一步的侵略对象必然是朝鲜，因此朝鲜所面临的最大课题就是防俄。而防俄的基本策略，就是“亲中国，结日本，联美国，以图自强而已”。

接着，黄遵宪分别阐述了“亲中国，结日本，联美国”这一外交思想的具体内容：

1）亲中国

《朝鲜策略》首先指出，中国东西北三面与俄国接壤，地大物博，占据亚洲形胜，“天下以为能制俄者莫中国若”。并从地理位置、文化政教相

---

①《朝鲜策略》常见主要版本有：1. 韩国国史编纂委员会编：《修信使记录》，《韩国史料丛书》第九卷，1958年版；2. 高丽大学中央图书馆编：《金弘集遗稿》，高丽大学出版部1976年版；3. 赵一文译注《朝鲜策略》，建国大学校出版部；3. 外务省编纂：《日本外交文书》第十三卷第389—394页。关于《朝鲜策略》的各种版本，参见平野健一郎：《黄遵宪〈朝鲜策略〉异本校合——近代初期东亚国际政治中文化的交错》，日本国际政治学会编《国际政治研究》第129号，2002年2月。以下本文所引《朝鲜策略》据陈铮编：《黄遵宪全集》上，中华书局，2005年版，第251—258页。以下引文除特别注明外，均引自《朝鲜策略》。

②“秦孝公据殽函之固，拥雍州之地，君臣固守，以窥周室。有席卷天下，包举宇内，囊括四海之意，并吞八荒之心。当是时也，商君佐之，内立法度，务耕织，修守战之备。外连衡而斗诸侯。于是秦人拱手而取西河之外。”贾谊《过秦论》见《史记》陈涉世家，《汉书》陈胜传，《文选》卷51。

近等角度，论述了中朝之间的友好情谊及历史上形成的宗藩关系，指出朝鲜“非独文字同、政教同、情谊亲睦”，且“形势毗连，拱卫神京，有如左臂，休戚相关而患难与共。”朝鲜危，则会直接威胁到中国的安全，因此朝鲜一旦有事，中国必会竭力保护。黄遵宪认为，朝鲜亲中国，是防止俄日入侵的最根本的有效措施，“务使天下之人晓然于朝鲜与我谊同一家，大义已明，声援自壮。俄人知其势之不孤而稍存顾忌，日人量其力之不足敌而可与连和”。从后来的自强策中我们亦可看出，黄遵宪所说的“亲中国”，其目的还是欲加强中朝之间的宗藩关系。

2）结日本

《朝鲜策略》指出，从地理角度来看，除中国之外，日本与朝鲜最近，“日本苟或失地，八道不足自保；朝鲜一有变故，九州、四国亦恐非日本能有。故日本与朝鲜实有辅车相依之势”。日本、朝鲜同时面临来自俄国的巨大威胁，因此黄遵宪力劝朝鲜应从维护亚洲大局的角度，与日本结盟，捐弃前嫌，化敌为友，共御强俄。

在《朝鲜策略》中，黄遵宪还以问答论难的方式，与反对者展开辩论，反复强调指出：明治维新后日本虽有倡导征韩论者，但目前力量不足，加之中国示意力在必争，故日本必有所顾忌。再则，朝鲜的保国之道，不在闭关拒盟，而在于发展自身的实力。

3）联美国

《朝鲜策略》对美国抱有一种幻想，认为美国刚刚独立，没有领土野心，“其与中国立约十余年来，无纤芥之隙。而与日本往来，诱之以通商，劝之以练兵，助之以改约，尤天下万国之所共知者。”在黄遵宪看来，美国处处表现出作为民主国家的雍容大度。又因其“商务独盛”，故特别希望东亚保持和平局面，有利其开展贸易。《朝鲜策略》劝朝鲜主动与其订约，并“引之为友邦之国”。

当然，上述防俄联亚的思想，并非黄遵宪所独有，更应视作首届驻日公使馆员们的共同认识。

(二) 何如璋“防俄联亚思想”的形成及其影响

1880 年 11 月 18 日(十月十六日),何如璋在致总署函中曾指出:

> 先是,朝鲜金使之将来,如璋欲劝令外交,荷蒙总署指示,又素知北洋李爵相屡经致书劝谕,而近来南洋岘庄知府亦主此议。因于其来也,危词巽语,面为开导,渠颇觉悟。复虑言语未通,不能尽意,中亦有如璋碍难尽言者,因命参赞黄遵宪作一《朝鲜策略》,设为问答论难之辞,先告以防俄,而防俄在亲中国,结日本,联美国,以图自强。即今所谓册子是也。①

由此可知,《朝鲜策略》是在公使何如璋的授意下由黄遵宪执笔而成的,其中所提出的“亲中国,结日本,联美国”的防俄思想,自然也就反映出何如璋的外交思想。只是何如璋作为公使身份,不便公开抛头露面,因此《朝鲜策略》最终才以“广东黄遵宪私拟”的私人撰写名义转呈朝鲜国王。何如璋本人则在致总署函的附件中,提交《主持朝鲜外交议》,强调要加强与朝鲜的宗藩关系。②

那么,何如璋的上述防俄联亚思想又是如何形成的呢?

早在该年 5 月 21 日(四月十三日),何如璋在致总署函中,便“合一切传闻之词”而作出“窃以为高丽之患,不在日本,而在俄罗斯”的论断③。而从当时何如璋附记的《与日外务卿寺岛问答节略》中可以看出,其防俄思想相当程度上受到英国驻日公使巴夏礼(Harry Smith Parkes,1828—1885)以及日本外务卿寺岛正则(1832—1893)等人的影响。④

另据《宫岛诚一郎文书》中的有关笔谈资料,早在明治 11 年(1878 年)12 月 1 日,何如璋就在与宫岛诚一郎的笔谈时,大谈东亚形势,指出

① 台湾“中央研究院”近代史研究所编:《清季中日韩关系史料》第二卷,第 438 页。
②《清季中日韩关系史料》第二卷,第 439 页。
③《清季中日韩关系史料》第二卷,第 403—405 页。
④《清季中日韩关系史料》第二卷,第 403—405 页。

将来亚细亚的最大威胁来自俄国。由于当时中国正就伊犁问题与俄国展开交涉，笔谈中何如璋告诉宫岛："今朝廷派钦差大臣于俄国，以当其事，其人姓崇名厚"。清政府派遣崇厚作为钦差大臣前往俄国谈判归还伊犁问题，是在 1878 年 6 月 22 日。

当时围绕俄国对亚洲所形成的威胁，何如璋坦陈了自己的看法：

诚曰：将来亚细亚之大势如何？

何曰：熟察亚洲大局，将来为我大害者，非英、非德、非澳，唯一俄国也。俄真虎狼之国。其作祸先发端于朝鲜，朝鲜一跌，中土则危；中土危，则贵国亦危，不可不思也。

诚曰：朝鲜近状如何？

何曰：固守旧法，不好通商。视我中土，颇极谨恪，奈何力不足敌俄。

诚曰：今朝鲜不好通商，其势不免固陋。然我之防俄，籍以为干城，却似为得策，如何？

何曰：不然。防俄之策，却在劝彼使为通商。劝其通商，宜以英法人为之。何也？英法通商而入朝鲜，俄必与之拮抗。若使英法牵制俄国，则中东之祸庶得少迟。故曰亚洲安危在朝鲜，朝鲜一跌，则亚洲之势忽变，诚可寒心。近俄国新胜土鲁古（土耳其——引者），非唯英惧之，德亦实惧之。可知伯（柏）林之一会，英德通策以平均俄之力也。俄所得既不足偿其所失，不得不发愤于外，此般亚汗（阿富汗——引者）之战，无乃非其兆乎？今英国开亚汗之战，其力固难保不败，如英败则欧洲大局立失平均，于是乎俄纵强暴之势，骎骎然转方以迫我亚洲，我亚洲陷危地也必矣。此事决不出十年。及今之时，精练军舰、甲兵，以待他日之变，犹可及也。①

① 刘雨珍编校：《首届驻日公使馆员笔谈资料汇编》下，天津人民出版社，2010 年版，第 468 页。

由此可知,早在1878年底,何如璋就将俄国视为最大的威胁,并言及朝鲜一国不足以抵抗俄国,需要引进英法势力以达到抗衡俄国的目的,这可谓《朝鲜策略》外交思想的最早体现。

四个月后的1879年3月2日,就在中日两国为琉球归属问题展开激烈交涉时,黄遵宪与宫岛诚一郎也曾谈到联亚抗俄的问题:

> 公度:我政府隐忍台役,即为维持亚洲大局起见。近日李爵相且驰书朝鲜,告以日本之可亲,俄人之可畏,且欲合纵两大,驱逐诸小,勿辱欧人之辱也。今贵国必欲绝好,吾亦无可奈何,不得已而应之。言及此,岂惟慨叹,实痛哭流涕之事也。李伯相之贻朝鲜书,即何公使以告伯相者。伯相之书:何公使到日本,知日本于朝鲜非能利土地人民,实欲联络亚洲大局云。
>
> 宫岛:过日窃与何公使论亚洲之大局,颇有益于敝国,想当有益于贵邦。今俄国之势隐然并吞亚洲(黄遵宪旁注:朝鲜亦在其中)。贵邦危则敝国亦危,敝国危则贵邦亦或危。今日之势,唇齿相持,维持亚洲也。可不深畏乎!(下略)①

由上述笔谈资料可知,无论公使何如璋、还是参赞黄遵宪,都抱着"联络亚洲大局"的思想,而这种思想又影响到李鸿章对朝鲜政策的最终决策。

(三)黄遵宪的东亚联合思想

那么,除了上述何如璋影响的因素之外,黄遵宪自身的东亚联合思想又是如何形成和发展的呢?

早在1879年刊行的《日本杂事诗》初版本中,有感于日本在1875年签订的《桦太·千岛交换条约》中以牺牲桦太而换取千岛群岛一事,黄遵宪就曾表达过对日本北方领土安全的担忧:

---

① 刘雨珍编校:《首届驻日公使馆员笔谈资料汇编》下,天津人民出版社,2010年版,第475页。

一洲桦太半狉榛，瓯脱中居两国邻。
罗刹黑风忽吹去，北门管钥付何人？①

黄遵宪认为，日本把桦太(库页岛)交给俄国，就等于将北方大门的钥匙交由俄国人控制。而俄国得到桦太后，就可进一步巩固其在远东的侵略基地，为其日后南下入侵打下基础。因此，黄遵宪提醒日本要警惕沙俄的侵略野心。

另外，黄遵宪在应邀参加日本陆军士官学校开学典礼时，曾作诗献给有栖川炽仁亲王，表达了自己对于亚洲各国辅车相依、共同富强的美好愿望：

同在亚细亚，自昔邻封辑。譬若辅车依，譬若犄角立。
所恃各富强，乃能相辅弼。同类争奋兴，外侮自潜匿。
解甲歌太平，传之千万亿。②

诗中，黄遵宪将中日两国比作唇亡齿寒、辅车相依的关系，希望两国共同富强，维护亚洲的和平。

黄遵宪的这种希望东亚联合的美好愿望，即使在甲午战争失败、日本要求中国签定屈辱的《马关条约》之时，也没有完全破灭。在题为《马关纪事》的诗中，黄遵宪写道：

既遣和戎使，翻贻骄倨书。改书追玉玺，绝使复轴车。
唇齿相关谊，干戈百战余。所期捐细故，盟好复如初。(其一)

蕞尔句骊国，群知国必亡。本图防北狄，迁怒及西皇。
患转深蝉雀，威终让虎狼。弟兄同御侮，莫更祸萧墙。(其五)③

---

①《日本杂事诗》其二十二(《人境庐诗草笺注》附录一，第1104页)。

②《陆军官学校开校礼成赋呈有栖川炽仁亲王》(黄遵宪著，钱仲联笺注：《人境庐诗草笺注》卷三，上海古籍出版社，1981年版，第241页。以下引用《人境庐诗草》时均据此版本，不特一一注明)。

③《马关纪事》(《人境庐诗草笺注》卷八，第676—681页)。

第一首虽然前半部分讽刺日本拒绝中国使者的高傲态度，但后半部分还是期待着两国兵戎相见后，作为唇齿相依的近邻，“所期捐细故，盟好复如初”，能够捐弃前嫌，和平共处。

第五首吟诵甲午战争后的朝鲜半岛局势，本来希望共同联合起来，防止北部沙俄的入侵，不意日本迁怒于中国，挑起战端。黄遵宪担心这种“螳螂捕蝉、不知黄雀在后”的做法，最终会使拥有虎狼之心的俄国坐收渔翁之利。因此他希望“弟兄同御侮，莫更祸萧墙”，东亚应该像弟兄一样，不要自我残杀，而应团结起来。

虽然黄遵宪留下了《悲平壤》、《东沟行》、《哀旅顺》、《哭威海》、《台湾行》（均见《人境庐诗草》卷八）等大量有关甲午战败的悲愤之作，但由上述《马关纪事》组诗可以看出，黄遵宪自始至终都抱有东亚联合起来防俄抗俄的这一思想。

可惜，此后的历史证明，明治维新后的日本所推行的大陆政策走的却是吞并琉球，侵占朝鲜，进而侵略中国的道路，与黄遵宪的美好愿望完全背道而驰。作为明治初期的年轻外交官，黄遵宪对此缺乏足够的警惕和认识，不可不谓是一大遗憾。

四、《朝鲜策略》的自强策及其与《日本国志》的关联

如果说黄遵宪的上述外交策略，还在很大程度上代表着公使何如璋的外交思想的话，那么，关于朝鲜国内的自强策略，则可以说更多地体现出黄遵宪自身对近代中日韩三国进行仔细观察与努力思考的结果。由前述黄遵宪与金宏集的笔谈可知，《朝鲜策略》的撰写时期，正值黄遵宪编纂《日本国志》的初稿时期，因此《朝鲜策略》中所提出的“结约、通商、富国、练兵”等自强策略，也就充分反映了黄遵宪本人对明治初期日本社会的观察与思考。这种对明治日本观察与思考的成果，一方面直接反映在《朝鲜策略》的自强策略之中，另一方面又在1887年完稿的《日本国志》中得到进一步的深入和发展。以往有关《朝鲜策略》的研究，几乎都

集中在探讨其外交思想，本章则对《朝鲜策略》中所展现的自强思想与《日本国志》的内在联系进行探讨。

黄遵宪来日后的第二年即1878年，目睹了明治维新后所日本社会发生的巨大变化，在与日本友人广泛开展交流，以及对日本社会进行深入调查的基础上，萌生出撰写《日本国志》的念头。但由于此项工作规模宏大，需要耗费大量时日，于是作为前期准备工作，黄遵宪首先于1879年夏完成了《日本杂事诗》初版本154首的撰写工作。金宏集一行来日之际，黄遵宪正全力以赴投入《日本国志》的资料搜集及初稿编辑工作。至1882年3月黄遵宪驻日任期届满，调任美国旧金山总领事时，黄遵宪曾在赠别日本友人的诗中咏道："海外偏留文字缘，新诗脱口每争传。草完明治维新史，吟到中华以外天。"①前者所谓"新诗"乃指《日本杂事诗》，后者"明治维新史"则指《日本国志》。但驻美3年半时间，由于各种事务繁忙，无暇对原稿进行修改。直到1885年秋，黄遵宪乞假回乡，决心完成《日本国志》的编纂事业，经过两年呕心沥血的艰苦努力，终于在1887年夏完成了近代中国的日本研究名著《日本国志》，并于1895年底正式刊行②。

《日本国志》共40卷50余万言，除卷首中东年表外，全书共分12志，计国统志3卷，邻交志5卷，天文志1卷，地理志3卷，职官志2卷，食货志6卷，兵志6卷，刑法志5卷，学术志2卷，礼俗志4卷，物产志2卷，工艺志1卷。作者采用中国传统史书中的典志体裁，从各个角度对日本的历史和现状进行系统而深入的介绍和研究，堪称一部研究日本的百科全书。特别是在介绍明治维新的制度改革方面，其内容涉及政治、经济、军事、法律、官制、文化等各个层面，故黄遵宪亦称其为一部"明治维新史"。在介绍总结明治维新经验的同时，黄遵宪还史论结合，以"外史氏"名义

① 《奉命为美国三富兰西士果总领事留别日本诸君子》其三(《人境庐诗草笺注》卷四，第337—342页)。

② 关于《日本国志》的编纂过程及影响等，请参见刘雨珍：《日本国志》前言，上海古籍出版社，2001年版。以下引用《日本国志》原文时皆据此版本，不特一一注明。

共撰写评论31篇，在与中国的现状进行多角度对照比较的基础上，提出一系列先进的改革主张。

如前所述，黄遵宪为朝鲜所筹划的“亲中国、结日本、联美国”外交思想，其最终目的也就在于促使朝鲜对外开放，以图自强。而在黄遵宪提出的国内自强策中，最先提出的就是要立朝鲜自强之根本：

> 群疑既释，国事一定，于亲中国则稍变旧章，于结日本则亟守条规，于联美国则急缔善约，而即奏请陪臣常驻北京，又遣使居东京，或遣使往华盛顿，以通信息；而即奏请推广凤凰厅贸易，令华商乘船来釜山、元山津、仁川港各口通商，以防日本商人之垄断，又令国民来长崎、横滨，以习懋迁；而即奏请海陆诸军袭用中国龙旗为全国旗帜，又遣学生往京师同文馆习西语，往直隶淮军习兵，往上海制造局学造器，往福州船政局学造船，凡日本之船厂、炮局、军营，皆可往学；凡西人之天文、算法、化学、矿学、地学，皆可往学。或以釜山等处开学校，延西人教习，以广武备。诚如是，而朝鲜自强之基基此矣。①

以上所建议采取的措施，归根结底，就是要将朝鲜置于中国的保护之下，积极地学习西方的科学技术，实现工业现代化，以立自强根基。黄遵宪认为，实行这种对外开放方针后，在“结约、通商、富国、练兵”等方面都是大有益处的。以下就分别考察一下《朝鲜策略》中所提出的“结约、通商、富国、练兵”等自强策略与《日本国志》的关联。

1. 结约

首先，黄遵宪在《朝鲜策略》中，以中日两国皆是在西方列强坚船利炮的威逼下被迫开国，签订一系列不平等条约的惨痛教训来警告朝鲜，力劝其在和平时期主动与西方立约通商：

> 盖于无事时结公平条约，一利也。中东两国与泰西所缔条约，

① 《黄遵宪全集》上，第255—256页。

> 皆非万国公例，其侵我自主之权，夺我自然之利，亏损过多，此固由未谙外情，抑亦威逼势劫使之然也。今朝鲜趁无事之时，与外人结约，彼不能多所要挟。即曰欧亚两土风俗不同、法律不同，难遽令外来商人归地方管辖，然第与之声明归领事官暂管，随时由我酌改，又为之定立领事权限，彼无所护符，即不敢多事；而其他决毒药输入之源，杜教士蔓延之祸，皆可妥与商量，明示限制。此自强之基一也。①

虽然黄遵宪对于当时西方列强的侵略野心认识尚有不足，以为朝鲜在无事时期与外国缔结条约，可以少受一些外人的要挟。但文中，黄遵宪也深刻认识到"领事裁判权"对中日两国社会的深刻影响。在《日本国志》"邻交志"下，黄遵宪首先介绍了日本与西方的交流史，然后对西方的治外法权进行了猛烈抨击：

> 泰西诸国，互相往来，凡此国商民，寓彼国者，悉归彼国地方官管辖，其领事官不过约束之，照料之而已。唯在亚细亚，理事得己国法审断己民，西人谓之治外法权，谓所治之地之外，而有行法之权也。（中略）而今日治外法权之毒，乃遍及于亚细亚。余考南京旧约，犹不过曰设领事官管理商贾事宜、与地方官公文往来而已，未尝曰有犯事者归彼惩办也。盖欧西之人，皆知治外法权为天下不均不平之政，故立约之始，犹不敢施之于我。迨戊午岁与日本定约，遂因而及我，载在盟府，至于今而横恣之状，有不忍言者。当日本立约时，幕府官吏未谙外情，任其鼓弄，而美国公使为定约稿，犹谆谆告之曰：此治外法权，两国皆有所不便，而今日不得不尔，愿贵国数年后急改之。其后岩仓、大久保出使，深知其弊，亟亟议改，而他国皆谓日本法律不可治外人，迁延以至于今。夫天下万国，无论强弱，无论大小，苟为自主，则践我之土即应守我之令。今乃举十数国之法律，并行于开港市场一隅之地，明明为我管辖之土，有化外之民干犯

---

①《黄遵宪全集》上，第256页。

禁令，掉臂游行，是岂徒卧榻之侧，容人酣睡乎？①

文中，黄遵宪首先阐释了治外法权的定义，在简单介绍了西方治外法权的历史之后，指出“今日治外法权之毒，乃遍及于亚细亚”，并痛斥治外法权为“天下不均不平之政”，阐述其对中日两国之危害，并介绍明治维新后日本派遣岩仓使节团为修改条约而周游列国、但均遭拒绝的例子。由此可见，黄遵宪对朝鲜提出限制领事裁判权的对策，是为了防止朝鲜步中国和日本的后尘，免遭同样困境。

2. 通商

其次，黄遵宪在《朝鲜策略》中强调指出通商有利于国家自强：

于通商亦有利焉。我亚细亚居天地正带，物产甚富。中国自唐宋以来，设市舶司，与人通商，所用金钱，皆从外国输入，数百年来，不可胜数。至于近日，金钱稍有流出，则以食鸦片烟之故也。日本受通商之害，则以易洋服、用洋货之故也。苟使不食洋药，不用洋货，则通商皆有利无害。朝鲜一国虽曰贫瘠，然其地产金银、产稻麦、产牛皮，物产固未尝不饶。吾稽去岁与日本通商之数，输入之货值六十二万，输出之货值六十八万，是岁得七八万矣。苟使善为经营，稍稍拓充，于百姓似可得利，而关税所入，又可稍补国用。此又自强之基也。②

黄遵宪指出，造成中国近来金银外流，是由于吸食鸦片之故。而日本受通商之害，则由于易洋服用洋货之故，因此，朝鲜若能戒鸦片，不用洋货，则通商有利而无害。他劝朝鲜发展本民族的商品生产来抵抗外国商品的输入。

在《日本国志》“食货志”六“商务”条中，黄遵宪着重阐明西方国家的

---

①《日本国志》卷七“邻交志”下一，第 88—89 页。

②《黄遵宪全集》上，第 256 页。

商品输出导致金钱流出海外的严重危害：

> 逮夫今日，乃有祸患百倍于聚敛，至于民穷材尽，虽有圣贤，实莫如何者，是则尧、舜、禹、汤、文、武、周、孔之所不及料、所不及言者也。是何也？曰：金钱流出海外也。晚近之世，弱肉强食，以力服人者，乃不取其土地，不贪其人民，威迫势劫，与之立约，但求取他人之材，以供我用，如狐媚蛊人，日吸精血；如短蜮射影，日中其荼毒。以有尽之材，填无穷之欲，日朘月削，祸深于割地数杯、于输币百倍，于聚敛又不待言也。既明效大验者，印度则亡矣，埃及则弱矣，土耳其则危矣。欧洲大国，皆知其然，比惶惶然，合君臣上下，聚族而谋之。①

黄遵宪认为，抵御外国资本主义商品输入的最好办法，就是鼓励本国人民发展商品生产，并提出以下三种办法：

1）生财之道——加强本国产品的竞争力，争取扩大本国商品的出口额。“欲我国之产，广输于人国；则日讨国人，以训农，以惠工，于是有生财之道。”

2）抵御之术——尽量使本国产品能够满足本国市场的需要，以抵御外国商品的输入。“欲我国所需者，悉出于我国；不必需者，禁之绝之。必需者移种以植之，效法以制之。于是乎有抵御之术。”

3）保护之法——通过加重对进口税来限制外国商品的输入。“欲他国之产，勿入于我国，则重征进口货税，使物价翔贵，人无所利；于是乎有保护之法。”

黄遵宪进一步指出，如果不即使采取以上措施以抵抗外国商品输入，堵塞金银外流，则“十数年后，元气剥削，必将胥一国而为人奴矣。”通过对明治五年至十三年金银输出输入的比较，指出“日本与诸大国驰骋，而十年之间，流出金钱，乃逾亿万之多，其何以支？痛念兄弟之国，窘急

①《日本国志》卷二十“食货志”六，第231页。

若此，不禁为之太息而流涕也。”

3. 富国

接着，黄遵宪在《朝鲜策略》中阐述通商可以富国的道理：

> 于富国亦有利焉。英国三岛止产煤炭，法国止产葡萄，秘鲁止产金银，皆以富闻于天下。他若印度之丝茶，古巴之糖，日本之棉，皆古无而今有，以人力创兴之，竟得大利。朝鲜土尚膏腴，物亦饶有，其人亦多聪明、善工作。（中略）苟使从事于西学，尽力以务材，尽力于训农，尽力于惠工，所有者广植之，所无者移种之，将来亦可为富国。又况地产金银，人所共知，若得西人开矿之法，随地寻觅，随时采掘，地不爱宝，民无游手，利益更无穷也。此又自强之基也。①

文中以英国、法国、秘鲁、印度、古巴、日本为例，来说明通商可以富国。黄遵宪指出：朝鲜土地肥沃，物产丰富，气候适宜，人民聪明勤勉，且矿藏丰富。力劝朝鲜采用西方先进的科学技术以开矿兴利，大力发展生产，实行“务材”、“训农”、“惠工”和鼓励种植的新政策，繁荣经济。

这种思想，在《日本国志》“物产志”中有了进一步的发展。黄遵宪深刻认识到物产的兴衰关系到国家的强弱：

> 今海外各国，汲汲求富，君臣上下，并力一心，期所以繁殖物产者，若伊尹吕尚之谋，若孙吴之用兵，若商鞅之行法，其竭志尽力，与邻国争竞，则有甲弛乙张，此起彼仆者。其微析于秋毫，其末甚于锥刀，其相倾相轧之甚，其间不能以容发。
>
> 故其在国中也，则日讨国人，朝夕申儆，教以务材、力农、蓄工，于己所有者，设法以护之，加意以精之；于己所无者，移种以植之，加法以效之。广开农尚工诸学校，以教人有异种奇植，新器妙术，则摸

① 《黄遵宪全集》上，第256页。

其形绘其图，译其法而广传之。①

黄遵宪所提倡的"殖物产"，并非仅仅是发展农业生产，它既是蓄工之本，又是商业之源。他认为必须积极吸收外国先进技术和经验，还必须广开农商工学校，向国人传授各方面的科学技术知识。

4. 练兵

最后，黄遵宪在《朝鲜策略》中强调指出，当今世界，日新月异，必须讲修武备，考求新法，实行军队现代化：

> 于练兵亦有利焉。（中略）今强邻交迫，日要挟我，日侮慢我。同一乘舟，昔以风帆，今以火轮；同一行车，昔以骡马，今以铁道；同一邮递，昔以驿传，今以电线；同一兵器，昔以弓矢，今以枪炮。使两军有事，彼有而我无，彼精而我粗，不及交绥，而胜负利钝之势既判焉矣！朝鲜既喜外交，风气日开，见闻日广，既知甲胄戈矛之不可恃，帆樯桨橹之无可用，则知讲修武备，考求新法，可以固疆圉、壮屏藩。此又自强之基也。②

在《日本国志》"兵志一"中，黄遵宪指出处于弱肉强食的激烈竞争环境下，必须使军队尽快实现近代化，以抵御西方列强的武力侵略：

> 况于今日之列国弱肉强食，耽耽虎视者乎。欧洲各国，数十年来，竞强角力，迭争雄霸，虽使车四出，敦雍容，而今日玉帛，明日兵戎，包藏祸心，均不可测。各国深识之士，处长治久安之局，不可终恃，皆谓非练兵无以弭兵，非备战无以止战。于是筑坚垒，造巨舰，铸大炮，日讨国人，朝夕训练，务使外人莫敢侮。东戎巴邛，则西城白帝，务使犬牙交错之国，度权量力，相视而莫敢发。
>
> 嗟夫！今日之事，苟欲禁暴兵，保大定功，安民和众，非讲武不

①《日本国志》卷三十八"物产志"一，第395页。

②《黄遵宪全集》上，第256—257页。

可矣，非讲武不可矣。①

黄遵宪认为，在西方资本主义商品大量输入，帝国主义列强到处扩张侵略，占领殖民地，掠夺资源，奴役弱小国家人民的当今世界，要想求得生存和发展，就必须发展军事，建立强大的国防力量来抵御外来侵略。据此，黄遵宪提出向日本学习，改革兵制，采用西法练兵，建立一支有战斗力的近代化常备军。在《日本国志》“兵志”中，黄遵宪指出“日本维新以来，颇汲汲于武事”，并详细地介绍了明治政府改革兵制的过程。

以上所述黄遵宪为朝鲜提出的自强策略，概括起来，就是希望朝鲜对外实行开放，主动与西方各国订约通商，尽量减少条约中的不平等因素，争取获得较大的主动权。对内则厉行改革，学习西方先进科学技术，发展民族经济，加强国防，最终实现自立自强。如此则不但可以避免如波兰、越南、印度、土耳其受瓜分之危，而且欧亚诸大国，必欲与之合纵拒俄，此时朝鲜将会自立于世界民族之林。

这些自强思想虽然在《朝鲜策略》中还只是雏形，未能形成一种体系，但在1887年完稿的《日本国志》中，却得到极大的充实和完善。然而，黄遵宪撰成《日本国志》后，虽然将稿本抄写四份，一送总理各国事务衙门，一送李鸿章，一送张之洞，自存一份②，却并未得到清廷的应有重视。直到1895年底左右，《日本国志》才终于得以正式刊行。此时清廷已在甲午战争败于日本，被迫签订《马关条约》，割地赔款，屈辱求和，出于对日本的了解以及改革自强的需要，人们开始认识到《日本国志》的巨大价值。据黄遵宪回忆，当时任总理衙门章京的袁昶曾喟叹道：若是《日本国志》能够早流布的话，就可省去对日赔款的二亿两银子！③

① 《日本国志》卷二十一兵志一，第233页。

② 钱仲联“黄公度先生年谱”光绪十三年条，《人境庐诗草笺注》第1195页。

③ 黄遵宪：《三哀诗·袁爽秋京卿》：“马关定约后，公来谒大吏。（中略）公言行箧中，携有《日本志》，此书早流布，直可省岁币。我已外史达，人实高阁置。我笑不任咎，公更发深喟。”（《人境庐诗草》卷十）

五、《朝鲜策略》的影响及其意义

1880 年 9 月，金宏集将黄遵宪的《朝鲜策略》带回国后，立即上呈给高宗。10 月 2 日，二人之间进行了如下对话：

> 金：清使亦以自强相勉矣。
>
> 国王：自强是富强之谓乎？
>
> 金：非但富强为自强，修我政教，保我民国，使外衅无从以生，此实富强之第一先务也。
>
> 国王：清使亦以俄罗斯为忧，而于我国事多有相助之意否？
>
> 金：臣见清使，几次所言，皆此事，为我国恳恳不已也。①

以上对话表明，黄遵宪在《朝鲜策略》中所提出的防俄联亚及自强思想等中心思想，已经引起高宗的高度重视。其后，高宗将其交给大臣们传阅讨论，得到了群臣的积极评价。李朝政府的最终结论是：

> 俄罗斯国处在北，虎视眈眈，天下畏之如虎，厥惟久矣。近年以来，每因中国及外各国文字，常以是为国忧。朝鲜壤界相接，安不知受其弊乎！今前修信使还，赍来中国人黄君册子，其言所谓《朝鲜策略》，自问自答，设疑设难，忧深虑远者，比前日所见各国文字，益加详密。虽未知其言皆当，亦安知非大加讲究于安不忘危之义乎！②

10 月 19 日（九月十六日），金宏集自朝鲜致函何如璋，中言："又黄公所赠《策略》一通，代为筹画，靡不用极，谨已一一归禀。敝廷莫不感诵大德，异声同叹。现众论虽未可曰通悟，殊不比往时矣。"③不久，黄遵宪在公使馆会见朝鲜国王特派密使李东仁时，李汇报说："朝鲜朝议，现今

---

①《李朝实录》高宗卷十七，第 128 页。

②《清季中日韩关系史料》第二卷，第 445—446 页。

③《清季中日韩关系史料》第二卷，第 452 页。

一变。”①

1880年11月3日（十月一日），金宏集被擢升为吏曹参议。1881年2月，朝鲜仿照中国制度，设立统理机务衙门，下设交邻、军事、边政、通商、机械、船舰、语学等司，迈出了内政改革的第一步。同月，金宏集被任命为统理机务衙门经理。其后，朝鲜于1882年分别与美、英、德等国缔结修好通商条约。所有这些，都说明《朝鲜策略》对近代朝鲜的开化运动产生了巨大影响。

然而，《朝鲜策略》在获得李朝君臣积极评价的同时，也受到了守旧派的猛烈攻击。就在金宏集升任吏曹参议之日，兵曹正郎刘元植上疏曰：

> 朱夫子上接孔、孟，亲炙周、程，道炳千载，师表百世，虽蛮貊之邦，莫不遵奉为大贤。夫黄遵宪中国人，必无不知朱子之为斯文尊师。今于遣词之际，何患无证！乃以如彼耶稣、天主之秽，肆然凭据乎？②

朱子学在朝鲜被定为国教，而《朝鲜策略》在解释美国宗教问题时言：“至于美国所行乃耶稣教，与天主教根源虽同，党派各异，犹吾教之有朱、陆也。”刘元植认为，面对如此“凶惨之句”，金宏集本应当面斥责，不应该欣然接受。他要求国王采取断然措施，但国王只是批示了“省疏具悉”四个字。次日，李朝政府宣布刘元植“阳托卫正之说，阴怀逞邪之计，摘出他国人文字，先诽讪朝廷，污蔑士林”，决定将其发配到边远地区。

1881年3月25日（二月二十六日），李晚孙等一万多名儒生聚集京城，向高宗伏阙请愿。他们联名上书道：

> 伏见修信使金宏集所赍来黄遵宪私拟一册之流传者，不觉发竖胆掉，继之以痛哭流涕也。③

① 《清季中日韩关系史料》第二卷，第437页。

② 《李朝实录》高宗卷十七，第177页。

③ 《李朝实录》高宗卷十七，第183页。

这封名为《岭南儒生李晚孙等万人联疏》的请愿书攻击金宏集将《朝鲜策略》带回国内，同时攻击黄遵宪从事西学，尽力于“致材”、“劝农”、“通工”等主张。请愿书称：“材用农工，自有先王之良法美规。（中略）何尝舍先王之道，而从事于别样妙术耶！”请愿书痛斥黄遵宪曰：

彼遵宪者，自称中国之产，而为日本说客，为耶稣善神，甘坐乱贼之嚆矢，自归禽兽之同科。古今天下，宁有是理！①

要求国王发配一切传播西学的人士，销毁一切有关西学的书籍，“益明孔、孟、程、朱之教。”但是，高宗并未采纳李晚孙等人的意见，认为他们是断章取义，而误解了黄遵宪的意思，并在批语中驳斥了儒生们的迂腐无聊之见：“辟邪卫正，若借此而又烦疏举，是谤讪朝廷，岂何待之以士子而不之严处乎！”

4 月 7 日（三月十九日），又有黄载显、洪时中二人上疏攻击《朝鲜策略》，要求将搜出后付之一炬。高宗将二人的奏章交付廷议。领议政李最应等一批大臣要求严惩，结果二人被发配到远恶岛屿。其后，李晚孙也被捕，被减死发配远恶岛屿，未篱安置。

上述有关是否应该接受《朝鲜策略》的争论，实际上是朝鲜是要对外开放还是继续闭关锁国的争论。然而，历史的车轮滚滚向前，传统的闭关锁国已不可能，朝鲜的开化运动势不可挡。1881 年 5 月，李朝政府派遣鱼允中、洪英殖等人作为绅士游览团来日考察。7 月 15 日，黄遵宪访问宫岛诚一郎时，二人曾作如下笔谈：

宫岛：韩人数姓来都下，[鱼允中、洪英殖]，君相见否？曾闻李万孙为激昂之论，顷捕缚之，不知果真乎？

公度：频见韩人。仆尝读李万孙论，既赏其文章，复叹其人殊有忠爱之气，以为可惜在不达时变耳。前见韩人议论及此，仆劝韩廷拔用此人。自来倡锁港之论者，一变即为用夷之人。今日贵国显官

① 《李朝实录》高宗卷十七，第 183—184 页。

即有前日放火焚英使馆脱走之人，因知李万孙辈将来大可用也。[①]

在此，黄遵宪一方面对李晚（万）孙的文章表示欣赏，认为有“忠爱之气”，另一方面又对他“不达时变”感到可惜。尽管如此，黄遵宪还是劝说朝鲜政府提拔他，认为它“将来大可用”，表现出其不记私仇的博大胸襟和超人气度。

六、结语

1891年，黄遵宪在英国伦敦任驻英参赞时，曾撰《续怀人诗》十六首（《人境庐诗草》卷七），用以怀念出使日本、美国期间所结识的各国人士，其十三曰：

绕朝赠策送君归，魏绛和戎众共疑。
骂我倭奴兼汉贼，函关难闭一丸泥。[②]

此诗虽《人境庐诗草笺注》本及《黄遵宪全集》本中的自注皆只有简单的五个字：“朝鲜金宏集”，然据高崇信、尤炳圻校点本《人境庐诗草》，其后还附有如下一段文字：“光绪六年，曾上书译署，请将朝鲜废为郡县，以绝后患，不从。又请遣专使主持其外交，廷议又以朝鲜政事向系自主，尼之。及金宏集使日本，余为作《朝鲜策》（原文如此），令携之归，劝其亲中国，结日本，联美国。彼国君臣集众密议，而闻者哗噪，或上书诋金为秦桧，并弹射及余，谓习圣教而变夷言，盖受倭奴之指使，而为袄教说法云”。[③] 可知黄遵宪对《朝鲜策略》所引起的巨大反响十分熟知。诗中用典颇多，不易理解，现分别稍作说明。

首句“绕朝赠策”语出《左传》文公十三年，春秋时期晋国大夫士会逃亡秦国，为秦所用。晋人患秦之用士会，乃使魏邑的寿馀假装叛魏而入

① 刘雨珍编校：《首届驻日公使馆员笔谈资料汇编》下，天津人民出版社，2010年版，第574页。
② 《人境庐诗草笺注》，第586页。
③ 《黄遵宪全集》上，第130页。

秦，以诱士会返晋。计谋得逞，士会欲行，秦国大夫绕朝赠之以策，曰："子无谓秦无人，吾谋适不用也。"①此处用来比喻金宏集临行回国之际，黄遵宪赠之以《朝鲜策略》一事。

第二句"魏绛和戎"则语出《左传》襄公四年。魏绛为春秋时期晋国大夫，山戎前来媾和，晋悼公初不同意。于是魏绛陈述媾和有五利，提出与山戎媾和，致力中原，最终得到晋悼公的采纳②。显然，此处用以指《朝鲜策略》中所提出的"结日本，联美国"等外交主张。

第三句"倭奴"与"汉贼"，钱仲联在《人境庐诗草笺注》中分别引《新唐书》东夷传"日本，古倭奴也。"及《三国志》吴书周瑜传"操虽托名汉相，其实汉贼也。"③误。此处应指黄遵宪被骂为日本的走狗及中国的卖国贼之意。

末句"函关"指函谷关，难闭一丸泥，语出《后汉书》隗嚣传，王元说服隗嚣用兵坚守函谷关，以拒刘秀④。此处则谓朝鲜深处当时的国际环境，要想做到闭关锁国，实在是难上加难。

应该说，本诗及自注的内容将当时黄遵宪对朝鲜的态度展现得一览无余。虽然送给金宏集的《朝鲜策略》招致了朝鲜国内不少守旧派的强烈反对，但在早先一步放眼看世界的黄遵宪看来，闭关锁国绝不可行，朝鲜应打开国门，对外开展多方外交，对内则锐意改革，以图自强。由此意

---

①《左传》文公十三年：晋人患秦之用士会也，（中略）乃使魏寿馀伪以魏叛者、以诱士会，执其帑于晋，使夜逸。请自归于秦，秦伯许之。履士会之足于朝。秦伯师于河西，魏人在东。寿余曰："请东人之能与夫二三有司言者，吾与之先。"使士会。士会辞曰："晋人，虎狼也，若背其言，臣死，妻子为戮，无益于君，不可悔也。"秦伯曰："若背其言，所不归尔帑者，有如河。"乃行。绕朝赠之以策，曰："子无谓秦无人，吾谋适不用也。"关于策之解释，分为"马鞭"与"策书"两种，杜预注："策，马楇。临别授之马楇，并示己所策以展情。"孔颖达疏："服虔云：绕朝以策书赠士会。"

②《左传》襄公四年：（晋悼）公曰："然则莫如和戎乎？"（魏绛）对曰："和戎有五利焉：戎狄荐居，贵货易土，土可贾焉，一也。边鄙不耸，民狎其野，穑人成功，二也。戎狄事晋，四邻振动，诸侯威怀，三也。以德绥戎，师徒不勤，甲兵不顿，四也。鉴于后羿，而用德度，远至迩安，五也。君其图之！"公说，使魏绛盟诸戎，修民事，田以时。

③ 钱仲联《人境庐诗草笺注》卷七，第586页。

④《后汉书》隗嚣传：元遂说嚣曰："今天水完富，士马最强，北收西河、上郡，东收三辅之地，案秦旧迹，表里河山。元请以一丸泥为大王东封函谷关，此万世一时也。"

义而言,《朝鲜策略》无论是对于朝鲜的对外开放还是内政改革来说,都是一部具有深远意义的策略性文章,在东亚文化交流史上占据着极为重要的位置。

然而与此同时,我们也应看到,由于何如璋、黄遵宪的“东亚联合思想”受其所处环境的日本因素所制约,尚带有较强的文人外交官的时代烙印,未能深入洞察明治日本所具有的侵略本质,给历史留下了巨大遗憾。

(本文为2007年9月9—10日由南开大学和大东文化大学主办的“近代化过程中东亚三国的相互认识”国际学术研讨会提交的大会论文,后收入李卓主编,刘岳兵、张玉来副主编:《近代化过程中东亚三国的相互认识》,天津人民出版社,2009年版,第426—446页,收入本书时有增补。)

第十三章 《大河内文书》刊行的文化史意义

2014年底，"东亚笔谈文献整理与研究"入选国家社会科学基金重大招标项目（课题负责人：现浙江大学王勇教授，项目号：14ZDB070）。以此为契机，笔谈研究在中国开始崭露头角，诸多成果应运而生。[①] 而在文献整理方面最受瞩目的成果，当属王宝平教授主编的《日本藏晚清中日朝笔谈资料：大河内文书》全八册。[②]

如书名所示，本书为收录大河内辉声与明治前期赴日的中国人、朝鲜修信使之间笔谈资料《大河内文书》的全纪录。该资料从前就在研究者之间广为流传，而这一次编者将大东文化大学图书馆、早稻田大学图书馆、高崎市赖政神社所藏的笔谈原本（部分为抄本）委托日本的专业公司制成彩色图片。本书全八册共计3785页，不仅仅是笔谈项目的中间成果，更是受惠于中国国家出版基金的重大工作，对学界大有益处。

大河内辉声（1848—1882）为原高崎藩主，姓源，亦称松平，号桂阁、墨水逸人。万延元（1860）年，由于其父大河内辉听去世，13岁的辉声继承了家督之位，于庆应三（1867）年被任命为陆军奉行助理，向法国军官

① 王勇主编，谢咏副主编：《东亚的笔谈研究》，浙江工商大学出版社，2015年版。

② 王宝平主编：《日本藏晚清中日朝笔谈资料：大河内文书》全八册，浙江古籍出版社，2016年版。

夏诺安(Charles Sulpice Jules Chanoine,1835—1915)学习战术。废藩置县后成为华族,居住在浅草今户町的宅邸桂林荘中,沉迷于风雅之趣。明治十一(1878)年2月25日,始与位于芝增上寺月界院的清国公使馆中的公使何如璋、副使张斯桂笔谈交往,频繁拜访公使馆,开展与中国人的笔谈。正如改年2月28日创作的七言律诗之颈联"不假辩官三寸舌,只挥名士一枝毫"(《大河内文书》第三册,第1362页)所述,与翻译(辩官)相比,大河内更喜欢用笔谈进行交流。包括孩子和杂役在内,只要见到陌生面孔,就请求用笔谈进行交流。而且,为了便于理解当时笔谈的情况,大河内在回到家以后,会用红笔对笔谈者的姓名、地点、场景等进行细致地说明,编号之后精心保存起来。他也在笔谈中反复强调,这一目的是为了将笔谈记录作为传家宝留给后代。

发现这一规模庞大的笔谈资料,并将其首先介绍给学界的,是已故早稻田大学教授实藤惠秀。1964年,实藤惠秀教授将其中部分笔谈编译为《大河内文书——明治日中文化人的交游》(平凡社东洋文库),使得笔谈资料广为人知。其后,又与郑子瑜共同编著,刊行了《黄遵宪与日本友人笔谈遗稿》(早稻田大学东洋文学研究会1968年版),2005年中华书局出版《黄遵宪全集》时,将郑先生的最新改订版以《与日本友人大河内辉声等笔谈》为题收录其中。

正如大河内本人对朝鲜修信使所说,"仆藏清人笔话帖,已百有余卷"(《大河内文书》,第八册,第3647页),笔谈资料原有100卷以上,现存仅78卷76册。具体为,大东文化大学图书馆51卷50册,早稻田大学图书馆16卷16册,赖政神社6卷6册,实藤抄本5卷4册。以下对此笔谈资料进行简要梳理。

一、《罗源帖》:1875(明治八、乙亥)年9月3日至翌年8月22日,大河内辉声与来日画家罗雪谷之间的笔谈记录,现存十六卷。罗雪谷为清末画家,广东人,名清,字壶水,号罗浮山樵、雪谷道人。1871年赴日,1876年回国。

二、《丁丑笔话》:1877(明治十、丁丑)年7月7日至12月31日间的笔谈记录，现存七卷。笔谈者为大河内辉声与王治本、王藩清、王仁乾等赴日的民间文人。

三、《戊寅笔话》：1878（明治十一、戊寅）年1月2日至12月15日间的笔谈记录。现存25卷，缺第24卷。第6卷与第15卷的笔谈原本佚失，仅存实藤抄本。其笔谈者，日方除大河内辉声外，主要有石川鸿斋、龟谷省轩、增田岳阳、青山延寿、加藤樱老、森春涛等汉学家。中方除何如璋、张斯桂、黄遵宪、沈文荧等公使馆员外，上文提到的王治本、王藩清、王仁乾等民间文人也参与其中。

四、《己卯笔话》：1879（明治十二、己卯）年12月12日至12月31日间的笔谈记录。原有16卷，现仅存第15卷原本及第16卷实藤抄本两卷。笔谈者为大河内辉声、石川鸿斋、龟谷省轩等人与黄遵宪、沈文荧等公使馆员，以及上文提到的王治本、王藩清、王仁乾等民间文人。

五、《庚辰笔话》：1880（明治十三、庚辰）年1月日至5月26日间的笔谈记录。现存第一卷为实藤抄本，第二卷至第九卷为笔谈原本。笔谈者为大河内辉声、石川鸿斋、龟谷省轩等人与黄遵宪、沈文荧等公使馆员，以及上文提到的王治本、王藩清、王仁乾等民间文人。

六、《桼园笔话》：1880（明治十三、庚辰）年5月10日至翌年10月13日间的笔谈记录。17卷17册。笔谈者主要为大河内辉声与王治本（号桼园）。

七、《韩人笔话》：1卷1册。1880（明治十三、庚辰）年8月27日至9月6日间的笔谈记录。笔谈者为大河内辉声、龟谷省轩、石川鸿斋、王治本与赴日朝鲜修信使金宏集、随员李容肃、李祖渊、姜玮等。

八、《书画笔话》：1卷1册。以王治本为大河内辉声修改后的诗作为主。

在本书的开头，王宝平教授撰写长文“近代中日笔谈文献之瑰宝——《大河内文书》前言”，详细介绍了《大河内文书》一名的由来及本书的结构、发现者实藤惠秀教授、《大河内文书》的主人大河内辉声、笔谈的主要场所，以及《大河内文书》的特色、研究史概要、本书的出版经过等。另外，在第八册卷末，附有附录一“《大河内文书》佚存一览表”、附录二“《大河内文书》细目”、附录三“笔谈者小传及索引”，记载了诸多利于使用本笔谈录的指南信息。正如编者在序言中指出，虽说笔谈中一部分已然佚失，但在现存的笔谈中，论资料的庞大、整理的细致、内容的丰富、参加人数众多等方面，未有出《大河内文书》其右者。相信本书的刊行，定会对东亚文化交流的研究推进产生极大贡献。

翻阅本书后，便觉上述《黄遵宪与日本友人笔谈遗稿》这一题目尚有美中不足之感。实际上，根据附录三的统计，在《大河内文书》中登场的中国笔谈者包含公使馆员及民间人士在内共 58 名，朝鲜修信使 5 名，日本参加人数总计共 68 名。其中不仅有石川鸿斋、冈千仞、增田贡、重野安绎、龟谷省轩、青山延寿、森春涛、依田学海、鹫津毅堂等有名的汉学家，还有与大河内辉声同为旧藩主的松平春岳、本多正讷，以及榎本武扬、胜海舟等幕臣，可见交流范围之广。在抛开政治纯粹进行文人交流这一点上，与《宫岛诚一郎文书》性质截然不同，在考察近代东亚文化交流上，显然是极为珍贵的资料。

例如，1878 年 4 月 16 日，大河内招待来日不久的何如璋、张斯桂、黄遵宪等公使馆员在向岛赏花，日方陪同是加藤樱老和内郁绥所，众人享受日本料理与雅乐演奏，进行汉诗唱和等，气氛十分热烈。《戊寅笔话》第九卷第 58 话中，当日的笔谈占有相当的篇幅，正如何如璋公使吟咏的“海外看花第一遭”(《大河内文书》第四册，第 1618 页)，本次赏花大会在中日文化交流史上具有重要的意义。其后黄遵宪《日本杂事诗》关于赏花的诗二首，关于梅若之墓的诗一首，都被认为是基于当日的体验写作的。

此外，在 1878 年 9 月 6 日的笔谈中，黄遵宪向石川鸿斋和大河内辉声盛赞了《红楼梦》，称“红楼梦乃开天辟地，从古到今第一部好小说，当与日月争光，万古不磨者。(中略)论其文章，直与左、国、史、汉并妙”(《大河内文书》第五册，第 1179 页)，将其置于与《左传》、《国语》、《史记》、《汉书》比肩的至高地位上。这一轶事作为最早向外国人介绍《红楼梦》的事例而闻名，黄遵宪在140年前，已然对《红楼梦》的文学价值进行高度评价，这一慧眼不得不让人叹服。

另外，在《韩人笔话》中，大河内辉声写道，“仆秘藏贵邦学士权菊轩氏与邦儒石川丈山笔话之帖，及邦儒林春斋与贵邦信使笔话之牒。仆欲历阁下之清鉴，赐跋文之撰”（《大河内文书》第八册，第3621—3622页）。秘藏权菊轩与石川丈山之笔谈，以及林春斋与朝鲜修信使之笔谈，请新修信使金宏集提跋文这一笔谈内容，显然是日韩文化交流史的珍贵记录。

实藤惠秀在《大河内文书》（平凡社东洋文库）的扉页上写道，“此乃明治时代，日本人与中国人开展笔谈的珍贵记录。谈文，论诗，询问民俗，尽述风流。是中国崇拜的最后写照，包含日中友好的诸多问题”，本书不仅仅是对近代中日，对于整个东亚的文化交流研究来说，亦是不可或缺的重要资料。

笔者于2010年底，曾由天津人民出版社刊行《清代首届驻日公使馆员笔谈资料汇编》上下两册①，收录了《与大河内辉声等笔谈》等六种笔谈资料。其中第一编《与大河内辉声等笔谈》不仅以压倒性的分量占有整体的五分之三，即便如此，翻刻完毕的也不足《大河内文书》的四分之一。期待通过笔谈课题的深入，全书的翻刻完成以及相关研究的下一步进展。

（原文为日文，题为「近代東アジアの筆談資料に不可欠な貴重資料——『大河内文書』刊行の文化史的意義」，载2018年10月发行的《东方》第452期，第28—31页，蒋静瑶译。）

---

① 刘雨珍编校：《清代首届驻日公使馆员笔谈资料汇编》（上下），天津人民出版社，2010年版。

第四编　黄遵宪与日本

第十四章　黄遵宪与宫岛诚一郎交友考——以《宫岛诚一郎文书》中的笔谈资料为中心

一、前言:一龛灯火最相亲

1877年11月,黄遵宪作为中国首任驻日公使何如璋的参赞官赴日,至1882年3月调任驻美国旧金山总领事,先后在日本度过了四年多的外交官生活,与日本友人开展广泛交流,结下了深厚友谊。当时,一些日本友人将与何如璋、黄遵宪等公使馆成员的笔谈资料详加整理,妥善保存,成为今日我们研究近代中日文化交流史的宝贵资料。如原高崎藩藩主大河内辉声(1848—1882)所保存的大量笔谈资料《大河内文书》,其中有关黄遵宪部分,经郑子瑜、实藤惠秀两先生悉心整理,曾以《黄遵宪与日本友人笔谈遗稿》名义刊行,嘉惠后人研究者甚多。然而,囿于当时的客观条件,此书并未能收录黄遵宪与日本友人笔谈资料的全部。笔者多年来潜心搜集黄遵宪与日本友人的有关笔谈资料,随着近年来调查研究的不断深入,一份内容更为丰富、史料价值更高的笔谈资料被发掘,这就是宫岛诚一郎与何如璋、黄遵宪等公使馆员的笔谈资料——《宫岛诚一郎文书》。本论文即以此为主要线索,并在广泛吸收前人有关研究的基础上，系统考察黄遵宪与宫岛诚一郎的交友关系。①

宫岛诚一郎(1838—1911)，号栗香、养浩堂等，出生于江户时代末期米泽藩的一个藩士家庭。自幼接受严格的汉学训练，被誉为神童。戊辰战争时期，宫岛虽任藩校“兴让馆”助教，然寄心于王事，洞察天下大势，为谋求东北诸藩的团结一致以及东北问题的和平解决，奔波于东北、江户、大阪、京都等地。

1870 年(明治三年)，宫岛诚一郎经胜海舟引见，结识新政府实力派人物大久保利通，由大久保推荐得以任职于明治政府的待诏院。由于宫岛具有深厚的汉学修养，主要负责诏敕及公文书的起草工作，然因身处战败一方，一直官途多舛。1872 年经左院少议官，任左院仪制课课长，1875 年左院被废，改任权少内史，次年内史被废转任修史局御用挂，1877 年(明治十年)修史局被废任修史馆御用挂，1879 年兼任宫内省御用挂，1881 年 7 月专任宫内省御用挂。1884 年(明治十七年)任参事院议官补，1886 年任华族局主事补，1888 年 5 月任爵位局主事补，同年 12 月任爵位局户籍课课长，1896 年被敕选为贵族院议员。②

宫岛诚一郎还是明治时期倡导立宪政治的先驱者。1872 年 4 月，宫岛出任左院仪制课课长时，与大议官伊地知正治协议后，向议长后藤象二郎提交《立国宪议》，实为明治新政府中最早建议制定宪法者。后来宫

---

① 有关宫岛诚一郎与何如璋、黄遵宪等的笔谈资料主要散见于早稻田大学图书馆、日本国会图书馆以及善邻书院、神户大学国际文化学部等处，其中绝大部分收藏于早稻田大学图书馆，并编有目录(收藏于早稻田大学图书馆编《宫岛诚一郎文书目录》，1997 年 3 月)。

另，国内外有关黄遵宪与宫岛诚一郎的交友主要有以下一些研究，佐藤保：《黄遵宪与宫岛诚一郎——〈养浩堂诗集〉札记》(《御茶水女子大学中国文学会报》第 10 号，1991 年 4 月)；笕久美子：《黄遵宪与宫岛诚一郎——日清政府官僚文人交游的一个轨迹》(京都大学《中国文学报》第五十期，1995 年 3 月)；杨天石：《黄遵宪与宫岛诚一郎——东京宫岛吉亮先生家藏资料研究之一》(收入杨天石著：《海外访史录》，社会科学文献出版社，1998 年 9 月)；张伟雄著：《文人外交官的明治日本——中国首届驻日公使团的异文化体验》，日本柏书房，1999 年 3 月)；刘雨珍：《关于黄遵宪与宫岛诚一郎交友的综合考察——以〈宫岛诚一郎文书〉为线索》(日本山梨学院大学社会科学研究所编：《社会科学研究》第二十六期，2001 年 1 月)；伊原泽周著：《从“笔谈外交”到“以史为鉴”——中日近代关系史研究》(中华书局，2003 年 1 月)。

② 参见鱼住和晃：《宫岛咏士——人与艺术》第一章“明治的先觉者宫岛诚一郎”，(日)二玄社，1990 年版。

岛诚一郎将此建白的内容及提交过程，编辑整理为《国宪编纂起原》一书。

宫岛诚一郎研究东亚局势，深感与中国友好亲善之必要。1878 年初，何如璋等抵达日本后不久，宫岛就与公使馆成员建立了深厚友谊。1880 年，宫岛与海军大尉曾根俊虎等人发起成立“兴亚会”，并在 3 月 9 日的成立大会上发表演说，认为日中两国唇齿相依，互派使臣，结交欢之情，乃是亚洲的幸福。1882 年，黎庶昌继任驻日公使，宫岛诚一郎与黎庶昌、杨守敬等人亦结下了深厚交情。1887 年，宫岛诚一郎的长子宫岛大八（1876—1943，字咏士）经黎庶昌介绍，入保定莲池书院，先后受教于张裕钊长达七年之久，归国后成为日本著名的汉语教育家和书法家。①

从现存的笔谈资料可知，宫岛诚一郎初次访问位于芝山月界院中的公使馆，是 1878 年 2 月 15 日，这天宫岛与公使何如璋、副使张斯桂进行了长时间笔谈。而宫岛与黄遵宪的初次会晤，则为该年的 4 月 19 日，两人一见倾心，相见恨晚。其后，两人切磋诗文，过从甚密，尤其是该年 11 月，公使馆迁至永田町的新址后，由于离宫岛家只有一街之隔，彼此交往更加密切，诚如宫岛在其《养浩堂诗集》序中所述：“黄参赞公度，与余交莫逆”，两人已成莫逆之交。后来，黄遵宪在《续怀人诗》中怀念宫岛时亦曾咏道：

一龛灯火最相亲，日日车声碾麴尘。
绝胜海风三日夜，挈舟空访沈南苹。②

并自注曰：“宫岛诚一郎。君住麴町，与使馆隔一街耳，每见辄论诗。昔画师沈南蘋客长崎，赖山阳闻其名走访之，阻风三日夜，及至而南蘋已归，以为平生恨事。”（《人境庐诗草》卷七）诗中将宫岛视为一龛灯火下最

① 详见鱼住和晃：《宫岛咏士——人与艺术》，（日）二玄社，1990 年版。

② 黄遵宪著，钱仲联笺注：《人境庐诗草笺注》（中），上海古籍出版社，1981 年版，第 445 页。陈铮编：《黄遵宪全集》上（中华书局，2005 年版，第 129 页）将末句“挈舟空访沈南苹”误作“拿舟空访沈南频”。

为相亲的朋友，互相来往，从未间断。

从笔谈资料中还可看出，宫岛诚一郎经常将自己的诗稿，送至公使馆成员传阅，恳请为其批改评点，何如璋、张斯桂、黄遵宪、沈文荧，以及应邀赴日作短暂游历的王韬，都曾参与过评点工作。在黄遵宪等人的协助下，宫岛于1882年将自己的诗集编成《养浩堂诗集》五卷刊行（明治壬午新镌文库藏版），卷首依次有三条实美、何如璋、黄遵宪、沈文荧四篇序及作者自撰《例言六则》，卷末有胜安芳（海舟）、黎庶昌二人的序文。

黄遵宪与宫岛诚一郎的笔谈资料内容丰富，感情真挚，是我们研究黄遵宪的文学、史学、外交、思想等方面的珍贵资料，同时也为近代中日文化交流史的研究提供了极大的参考。本文拟从以下几个方面来论述黄遵宪与宫岛诚一郎的交友关系：一、宫岛不断为明治政府高官提供有关秘密情报。二、两人互相切磋诗文。黄遵宪为宫岛悉心修订其《养浩堂诗集》，并请求宫岛为其修改《日本杂事诗》。三、宫岛为编纂《日本国志》提供有关资料。下面就分别加以论述。

二、宫岛为明治政府高官秘密提供有关情报

我们在考察黄遵宪与宫岛诚一郎的交友关系时，首先不可忽视的一点，就是宫岛充分利用与何如璋、黄遵宪等公使馆员的私交身份，将所获取的清廷有关琉球交涉的最新情报，迅速传达给大久保利通、岩仓具视等明治高官，成为明治政府掌握清廷动态的主要线索之一。由于宫岛具有深厚的汉文修养，利用笔谈等方式可与何如璋、黄遵宪等人自由交流，日本外务省曾考虑让他负责对华接待工作，但宫岛认为："今日与清国公使谈话，乃两国交欢之始，仅皮肤之谈而已。其心术如何，却在闲谈交际之中，今若公开供职于外务省，他日有事之时，却不免嫌忌。"与大久保利通商量后，谢绝了外务省的工作。大久保告诉宫岛："闲谈之交际，反而可为政府谋求利益"，并要求宫岛"今后只管注意两国之协和，致力于两国和平。"（《养浩堂私记》卷二）就这样，此后宫岛利用其与公使馆成员个人私交甚厚的特殊身

份，主动充当起为明治政府提供清政府动态的情报员的角色。宫岛自撰的《养浩堂私记》就详细记录了琉球归属交涉时的情形。

宫岛于1878年2月15日首次拜访公使馆，2月28日何如璋回访宫岛，两人皆进行了长时间笔谈。而据《养浩堂私记》卷二记载："三月二日，与寺岛外务卿，会集于吉井议官宅，同阅清公使笔谈。同十四日，向大久保参议呈阅笔谈一条。"由此可知，宫岛将与何如璋公使的笔谈向明治政府的高官寺岛宗则、吉井友实、大久保利通等人作了详细汇报。1878年5月14日，大久保利通遭暗杀后，宫岛又继续与右大臣岩仓具视保持联络，不断地向其提供公使馆的最新情报。

对于宫岛的这种身份，何如璋、黄遵宪等人似乎也有所察觉，甚至可以说公使馆也在利用宫岛的这种特殊身份，作为与明治政府交涉的一个窗口。这在当时中日两国政府非常敏感的琉球归属交涉问题上表现得最为显著。

宫岛在《养浩堂私记》中最早记述公使馆员对琉球问题的态度始于1878年12月1日："十二月一日，访清公使何如璋笔谈，颇有关系于东洋，不啻琉球一事，以记之。"(《养浩堂私记》卷二)此次笔谈中，何如璋主要谈到俄国南下所带来的危胁，主张中、日、朝应携手防俄。最后，何如璋才附加指出："顷照外务，告琉球之事，外务未有答。"此处所谓照会，乃指10月7日(光绪四年九月十二日)，为抗议明治政府阻止琉球向中国进贡，何如璋向日本外务卿寺岛宗则提出的照会，其中使用了较为强烈的措辞："今忽闻贵国禁止琉球进贡我国，我政府闻之，以为日本堂堂大国，谅不肯背邻交欺弱国，为此不信不义、无情无理之事。"①日本政府却故意回避阻止琉球向中国进贡、企图吞并琉球的事实，而指责何如璋上述措辞为"假想之暴言"，要求向日方作出道歉，一时中日交涉陷入僵局。②

①《日本外交文书》第11卷，第271页。

② 详见米庆余：《琉球历史研究》第七章"中日交涉琉球归属问题"，天津人民出版社，1998年6月。

1879年2月26日，何如璋再次照会日本外务省，要求重新开始交涉琉球问题，但外务省不予理睬，反而进一步加快吞并琉球的步伐。

对于明治政府的强行措施，何如璋一方面向李鸿章及总理衙门报告，另一方面也向日方暗示，为抗议日方吞并琉球的暴行，公使馆员准备撤回中国。为此，派遣黄遵宪与沈文荧特去拜访久病初愈的宫岛诚一郎，据《养浩堂私记》卷二记载："三月一日，清使馆黄参赞遵宪、沈知州文荧来访，笔话颇剧谈球事，余答辩太苦。"由此可见当时的紧张气氛。

笔谈中，首先沈文荧提出因日本将要实行"废琉置县"，因此公使馆员皆准备撤出日本，返回本国。进而黄遵宪指出："贵政府若有事于球，非蔑球也，是轻我也。我两国《修好条规》第一条即言：两国所属邦土，务各以礼相让，不可互有侵越。条规可废，何必修好，故必绝聘问，罢互市，吾辈不得不归。"引用《中日修好条规》第一条，驳斥日本吞并琉球是对中国邦土的侵犯。沈文荧还威胁道："今贵邦政府贪其地而不顾理之是非，将来用兵而致祸患，仆不解其惑也。"暗示中方对此可能付诸武力。①

3月10日，宫岛将此笔谈呈递给右大臣岩仓具视，岩仓告之曰："庙堂之议已定"，态度未有改变。3月11日，日本政府派遣松田道之率领警察和军队奔赴琉球，27日松田抵达琉球，宣布废除琉球藩而设置冲绳县（"废琉置县"），要求31日前接管琉球王宫"首里城"。4月4日，明治政府通告全国实行"废琉置县"，5日任命锅岛直彬为冲绳县首任县令。5月27日，将琉球国王尚泰移居东京，琉球王国终于灭亡。黄遵宪曾作《琉求歌》以记之。（《人境庐诗草》卷三）

正当琉球交涉陷入僵局之时，1879年6月，美国前总统格兰特（U. S. Grant）周游世界途经中国前往日本，李鸿章便委托其居中调停。格兰特6月2日从北京出发，21日到达长崎，7月3日抵达横滨。而宫岛诚一郎则通过与沈文荧的频繁笔谈，最早获取了格兰特受清廷委托居中调停

① 见早稻田大学图书馆藏"宫岛诚一郎文书"C—7，"栗香大人与支那人问答录"（以下简称《问答录》）明治十二年三月二日，两者相差一日，应《问答录》乃宫岛1893年宫岛重新整理而成，当以《养浩堂私记》为准。

的情报。

6月20日，宫岛拜访何如璋，感到何对于日方的废琉置县“不能心平气和”。7月18日，宫岛再次来到公使馆，沈文荧笔谈中不小心透露出格兰特来日的目的：“彼驻北京一月，我政府与彼议论琉球事，彼来贵邦，为我排解，仆辈俟之。”对此宫岛内心大喜，他在《养浩堂私记》中写道：“以上笔谈事件，颇为紧要，就中美国格兰特受清国之托，为其周旋球事，实属紧要中之紧要，若非沈氏之雅量，绝不置对外泄漏。若黄遵宪为其机要枢纽之人，从未透露过有关格兰特调停之片言只语。”

得知这一秘密情报后，宫岛诚一郎迫不及待地报告右大臣岩仓具视，“岩仓右府大喜，曰：今格兰特将琉球之事奏陈圣上，又忠告政府，然不知其乃受清廷之请愿而为其周旋。今得此言，实需仔细考虑，则我须先采取措施。”（《养浩堂私记》卷二）7月12日，明治政府指派伊藤博文、西乡从道、吉田清成为接待使，陪同格兰特参观日光。其间，伊藤等人劝说格兰特放弃支持中国的立场。8月19日返京后，岩仓具视、大隈重信、吉田清成又多次拜访格兰特下榻的延辽馆，反复陈述日方对琉球问题的态度，经过日方的多次外交努力，终于使得格兰特改变了当初对李鸿章作出的为中国主持公道的承诺。

8月18日，宫岛再次访问公使馆，与沈文荧笔谈。其目的是“此时格兰特自日光归，想必有事告清公使者，”而欲试探“其间形状。”但沈文荧告诉他：“既彼居间，且俟其复音。刻下亦无事，俟彼回来再看。”①20日，宫岛“面见岩仓右府，详谈沈文荧之密话，且听其机密之政略。”（《养浩堂私记》卷二）虽然“机密之政略”为何，我们不得而知，但岩仓一定对宫岛继续获取公使馆机密问题上提出了一些具体要求。

宫岛的这种努力在《养浩堂私记》中随处可见，甚至一直持续到何如璋的离任之时。1882年2月26日，就在何如璋应召回国之前，宫岛提出了明治政府非常关注的问题。

---

①《问答录》1979年8月18日。

诚曰：临别一言，如公与我则可谓千载知己矣。顷者，仆与一友人深虑两国利害，说某大臣。大臣深纳之，曰固以球一事，开两国祸端，余不喜也。此事唯我知之，请阁下一言。

何曰：两国绝不因此小事而开大争端，我政府亦是此意。

此处所谓友人指吉井友实，某大臣则指岩仓具视，宫岛在何如璋离任之际，渴望了解清政府对于日本吞并琉球后采取武力的可能性。何如璋则断然告诉宫岛，清廷不会为此大动干戈。对此，宫岛诚一郎特在其《养浩堂私记》卷二最后部分记述道："上述临别一言，实为关系两国之处重大事件。苟使何公使归国，注意此点，则两国苍生所得幸福岂鲜少哉！余五年之间，区区心曲，以结私交，所忧虑者，在此一点，此事关系外交机密，特戒泄漏。"虽说宫岛不愿中日两国兵戈相见，但在琉球交涉过程中，却千方百计地刺探中方机密，并迅速报告日本政府，给当时的中国外交带来不可估量的损失。

由上述资料可知，宫岛诚一郎与何如璋、黄遵宪等公使馆成员的交往，与纯粹追求风雅之交的大河内辉声相比，具有明显的不同性质。一方面，宫岛通过诗文交流，与公使馆成员结成了深厚友谊；另一方面他又充分利用其私交的特殊身份，不断向明治政府提供有关公使馆及清朝政府的最新消息，这也反映出明治初期在两国复杂关系的背景下，真正的友好交流是何等之难！

三、相互间的诗文切磋

然而抛开上述琉球交涉中各为其主的立场外，黄遵宪还是与宫岛诚一郎通过切磋诗文，互相帮助，结成了莫逆之交。宫岛经常将自己的诗文稿，送至公使馆成员传阅，恳请为其批改评点，何如璋、张斯桂、黄遵宪、沈文荧，以及应邀赴日作短暂游历的王韬，都曾参与过评点工作，据佐藤保教授研究，比起其他诸人，黄遵宪的评语可谓最为具体、最为严厉。[①] 而宫岛对于黄遵宪的批评，也表示心悦诚服，可见两人友情非同一般。如前所述，在黄遵宪等人的协助下，宫岛于1882年将自己的诗集编成《养浩堂诗集》五卷刊行。在早稻田大学收藏的《宫岛诚一郎文书》中，收入两种尚未刊行的手稿本《养浩堂诗集》，一为"《养浩堂诗集》乾、坤，黄、沈二氏点削"[②]，一为"《养浩堂诗集》一、二，黄公度、沈梅史、王紫诠评阅"[③]翻阅后可以发现，较之沈文荧、王韬等人的评阅，黄遵宪对宫岛诗文的修改远要认真仔细，其评语也多切中要害。下面就稍加举例说明。

1879年10月10日（光绪五年九月十日），黄遵宪致函宫岛诚一郎，对其诗作提出了非常严厉的意见，认为此二本诗作皆不宜编入诗集，可谓出自挚友的肺腑之言：

> 大稿经一再读过，此二本殊少佳作，披沙拣金，偶一见宝耳。谬以鄙见，辄为删弃，其余未动笔者，仆皆以为可删，然未敢自信，冀吾子更请他人阅之耳。狂妄之罪，不敢求谅，惟恃至爱，乃敢出此言也。[④]

另外，1880年1月31日（光绪五年十二月二十日），黄遵宪又致函宫岛，以中国古代著名诗人杜甫、陆游之例，告诫宫岛诗作必须去芜存精：

> 大著拜读一过，此卷尚少名篇，以工部诗圣，亦以中年以后为佳，可知少作未易存耳。四库目论陆放翁，讥其作诗太多，故伤冗滥，通人当知其意，无俟仆喋喋也。[⑤]

黄遵宪一方面对宫岛的诗文创作要求甚严，另一方面对于自己的作

---

① 佐藤保：《黄遵宪与宫岛诚一郎——〈养浩堂诗集〉札记》，《御茶水女子大学中国文学会报》第10号，1991年4月。

② 早稻田大学图书馆藏"宫岛诚一郎文书"E—27。

③ 早稻田大学图书馆藏"宫岛诚一郎文书"E—109。

④ 见刘雨珍：《黄遵宪致宫岛诚一郎书柬辑略》，南开大学日本研究中心编：《日本研究论集》第五辑，2001年3月。

⑤ 同上注。

品，也虚心向宫岛诚一郎等日本友人求教。来日二年后，黄遵宪完成了《日本杂事诗》，曾请宫岛等日本汉学家代为修改。如1879年4月16日，宫岛拜访公使馆时，黄遵宪将《日本杂事诗》上卷50首抄录后，请求宫岛改正其中的错误，宫岛谦虚地回答道："仆才薄识卑，何以遽望改削君之诗，若有事实谬误者，则少改之耳。"对此，黄遵宪则说道：

> 是诗数日间我兄改定，亟以次卷呈上，仆俟兄阅毕后，以示青山、龟谷二子，仆是诗恐贻方家之笑，然意在纪事，故拙亦不辞。仆居此，多有知其不工者，若执此种为诗以律敝国人，以为大概如此，则敝国文士便当攘臂而起，诟骂仆不置也。（中略）望痛改之，极斥之，仆读君诗，尚谬评如此，况君施于仆乎。仆平生无他长，唯可闻近，能服善，区区所窃自许者。再俟一月，当比别钞一册存尊处，有友来都可请正。①

由此可见，黄遵宪的《日本杂事诗》在完成后，曾请宫岛诚一郎、青山延寿、龟谷省轩等日本友人为其修改。为了尽量减少其中的错误，黄遵宪还希望来宫岛诚一郎处的友人都能提出修改意见。

《日本杂事诗》于1879年刊行后，受到中日两国文人学者的极大赞誉，日本汉学家石川英在《日本杂事诗跋》中惊叹道："上自神代，下及近世，其间时世沿革，政体殊异，山川风土，服饰技艺之微，悉网罗无遗。而词彩绚烂，咀英嚼华，字字征实，无一假借"，并对黄遵宪的才能佩服之至："公度来日未及二年，而三千年之史，八大洲之事详确如此，自非读书十行俱下，能如此乎？"我们在称赞黄遵宪博学多才、虚心好学的同时，也不应忘记宫岛诚一郎等日本汉学家们所给予的帮助。

四、宫岛为《日本国志》提供资料

据薛福成序，黄遵宪撰《日本国志》"采书至二百余种"，这些书籍包

---

① 见刘雨珍：《黄遵宪致宫岛诚一郎书柬辑略》，南开大学日本研究中心编：《日本研究论集》第五辑，2001年3月。

括中日两国的正史、野史、笔记、杂录等。而有关明治维新时期的资料，则主要采自明治政府的太政官布告以及各省官年报。黄遵宪驻日前后只有四年有余，又不通日本语言，因此要编纂一部包罗日本历史各个方面的史书，确实不是一件容易的事情。特别是典章制度方面，因史料匮乏，甚至令日本史学家亦望而却步，知难而退。日本友人冈千仞就曾告诉黄遵宪说："此事水户史官所欲为而不能为，盖无足以供史料者也。蒲生君亦有此志，中途而止，亦坐无史料耳。"①黄遵宪亦在《日本杂事诗》中叹道："兵刑志外征文献，深恨人无褚少孙。"然而，黄遵宪还是决心效仿褚少孙续补《史记》，完成《日本国志》的编撰工作。

幸好黄遵宪周围聚集了一大批硕学鸿儒，可以随时为他提供各种帮助。据黄遵宪自称，"遵宪来东，士大夫通汉学者十知其八九"②，可见当时与日本汉学家交流之广泛。黄遵宪在任驻日参赞的四年多时间，由于能与这些汉学家们通过作诗唱和或笔谈来进行交流，得以克服因语言不通而造成的巨大障碍。可以说，黄遵宪之所以能够完成《日本国志》这部巨著的撰写工作，是与这些汉学家的鼎力相助密不可分的，宫岛诚一郎就是其中之一。③

由于黄遵宪与宫岛交情深厚，黄驻日期间，宫岛又先后任职于修史馆与宫内省，因此有条件为黄遵宪《日本国志》的写作提供资料协助。

如1879年（明治十二年）3月31日，黄遵宪致函宫岛说："德行自藤惺窝、文章自物徂徕以下诸公，乞条其名字、籍贯、所著之书，一一以告，汉学、宋学又当分别，文与诗又分举为妙也"④。藤惺窝即藤原惺窝，江户朱子学的开创者；物徂徕即荻生徂徕，江户古文辞学派的代表。毋庸置疑，黄遵宪是在为撰写《日本国志·学术志》中的汉学部分而请求宫岛提

---

① 郑子瑜、实藤惠秀编：《黄遵宪与日本友人笔谈遗稿》早稻田大学东洋文学研究会，1968年版，第321页，收入沈云龙主编《近代中国史料丛刊续编》第十辑。

② 黄遵宪：《中学习字本序》，收入陈铮编：《黄遵宪全集》上，中华书局，2005年版，第241页。

③ 刘雨珍编校：《清代首届驻日公使馆员笔谈资料汇编》（上下），天津人民出版社，2010年版，第478页。

④《问答录》明治十二年三月三十一日。

供有养资料。

又如,1880年(明治十三年)5月,黄遵宪在与宫岛笔谈中,介绍正在编撰的《日本国志》情况:

仆近日编《日本史志》,必至今年年尾乃能脱稿,分十三目,书约三十卷,一卷三十叶左右。其目曰:国势,邻交(上下篇),天文,地舆(有图),食货(为目者六),刑法,兵制(为目二),文学(为目三),礼俗(为目十二),物产,职官,政治,工艺(十一)。有礼俗志一篇,中分十二目,有曰朝会,有曰祭祀者,此二事缺焉不详,阁下方官宫内省,必能缕悉之,幸于暇时,别纸条示,感戴不尽。①

据此可知,黄遵宪计划于年内完成《日本国志》的编撰工作。将当时构想与后来成稿相比,可以发现略有不同,如十三目后减为十二志(无政治),三十卷后增至四十卷,另外如国势、地舆、兵制、文学,后亦改名为国统、地理、兵、学术诸志。但我们也可从笔谈中发现,此时黄遵宪已经初步设计好各志的细目。

由于当时宫岛正任职于宫内省,因此黄遽宪特地就《礼俗志》中有关朝会和祭祀问题请求帮助。随后,黄遵宪便开列了有关朝会和祭祀的十一项疑问,请求宫岛根据现行制度予以回答②,并特别指出:"以上所问,据现今所行而答,其古时制度,且略而弗道。阁下若有不及尽知者,祈转询之友人,是所至祷。"

对此,宫岛回答道:"朝会、祭祀件,东迁后因假定皇居,未有确制,不可以直告之。如古制则详于邦典,现行规程则现于式部寮编纂之。阁下若求之,则应徐请之,比尊著告成,仆为编成一部以奉赠也。此事豫申宫内卿而着手,未可望急效也。"表示愿意为黄遵宪提供帮助。

① 《问答录》明治十三年五月,以下同。

② 十一项问题如下:一问,朝会日期(如天长节之类)。一问,常朝仪式。一问,朝会时尚有卤簿否?一问,朝会时仪式。一问,宫中女官参朝仪式。一问,天子亲祭之神。一问,遣使祭告之神。一问,祭祀仓式。一问,祭祀时供设品物。一问,祭祀时祝辞。一问,臣庶家祭祀仪式。

不久，宫岛将有关朝会、祭祀的暂行规定《现行假例》交给黄遵宪。8月14日，黄遵宪致函宫岛："收到见惠朝会、祭祀《现行假例》一本，俟暇趋谢。"并言："前承赐朝会典礼，详密整赡，拜谢无已。"[①]

今阅《日本国志·礼俗志》有关朝会、祭祀记载，其中朝会包括新年朝贺、新年宴会、纪元节宴会、天长节宴会、每月赐宴等，祭祀包括新年祭、元始祭、祈年祭、春秋季皇灵祭、新尝祭、祭祢庙、祭陵等条目，分门别类，条理分明。而在最后的小注部分，黄遵宪写道："以上今礼，从宫内书记询问得之，名曰《现行例假》，谓暂时所行，非典制也。"(《礼俗志》一)显然，此处所谓宫内书记是指宫岛诚一郎，所言《现行例假》即前述宫岛所提供者。

然而，宫岛并非能为黄遵宪提供所需的一切资料，尤其是有关军事机密的内容，更是无法满足黄的要求。如1881年(明治十四年)，黄遵宪提出《兵志》中的海军一节，因需要海军船舰表、海军兵学校、海军新设规程局以及海军每年经费等有关资料，请当时任职于海军省的宫岛诚一郎胞弟小森泽长政(小森泽家养子)帮忙提供。但是，不久宫岛转来小森泽婉言回绝的口信，"秘史之职，事无大小，非受省卿之命，则不能私告"，要求黄遵宪直接照会海军省书记。今《兵志》海军部分，较之陆军，内容要简略得多，其原因大概在此。

五、结语

1882年3月，公使何如璋任期届满，应召回国，参赞黄遵宪则调任驻旧金山总领事。宫岛诚一郎等日本友人忙于筹备送别宴会，并亲赴横滨分别为二人送行。在离开日本之际，黄遵宪作《奉命为美国三副兰西士果总领事留别日本诸君子》五首，对驻日四年多的生活进行了回顾，其中既有对明治政府强行吞并琉球的强烈不满："如何瓯脱区区地，竟有违言

① 《问答录》明治十三年八月十四日。

为小球”（其一），又有对离开日本依依不舍的惜别之情：“一日得闲便山水，十分难别是樱花”（巢四）。宫岛诚一郎也一一次韵，诗中称赞黄遵宪道：“渤海初浮星使舟，知君参赞果名流”（其一），“佳篇上梓人争诵，新史盈箱手自编”（其三），并表达了对黄遵宪的美好祝愿：“期君早遂经时志，海陆兼营两火轮”（其五）。①

1891年1月19日（光绪十六年十二月二十日），黄遵宪由伦敦公使馆致书宫岛，对于日本四年多的外交官生活进行了回顾，信中充满了对日本友人及山水的怀念之情：②

> 仆居麴町者四载，梦魂来往，时复恋恋。虽其后游美利驾，客英吉利、法兰西，此皆四部洲中所推为表海雄风、泱泱大国者。然以论朋友游宴之乐，山川风物之美，盖不逮日本远甚，仆竟认并州作故乡矣。春秋佳日，举头东望，墨江之樱，木下川之松，龟井户之藤，小西湖之柳，蒲田之梅，泷川之枫，一若裙屐杂沓，随诸君子觞咏于其间，风流可味，以是知我两国文字同，风俗同，其友好敬爱，出于天然，岂碧眼紫髯人所能比并乎？
>
> 维新以来，庙堂诸公，洞究时变，步武西法，二十年来，遂臻美善，仆于《日本志》中，极称道之。至于今年，遂开国会，一洗从前东方诸国封建政体。仆于三万余里海外闻之，亟举觞遥贺，况其国人乎？喜可知也。
>
> 足下年来何所为，颇有造述否？诗稿日积，当如牛腰。（中略）江户诗人如小野湖山、森槐南，想俱无恙，仆于日本文士，相知者多，不能偻指一一数，特举一老辈一后生，以况其余，见俱为我致意。

信中，黄遵宪回顾自己作为外交官辗转日本、美国、欧洲，然而最令其怀念的还是具有“朋友游宴之乐，山川风物之美”的日本，并对日本通

① 见刘雨珍：《黄遵宪致宫岛诚一郎书柬辑略》，南开大学日本研究中心编：《日本研究论集》第五辑，2001年3月。

② 陈铮编：《黄遵宪全集》上，中华书局，2005年版，第344页。

过明治维新取得飞速进步表示庆贺。黄遵宪信中引用著名唐诗“客舍并州已十霜，归心日夜忆咸阳，无端更渡桑乾水，却望并州是故乡”（刘皂《旅次朔方》），将日本比作自己的第二故乡，由此可见其对驻日生活的眷恋之情。而其中与宫岛诚一郎等日本友人的友好交流，则无疑是黄遵宪一生美好回忆的最重要的组成部分。

然而，我们也必须注意到，由于中日两国当时面临着非常复杂的外交问题，宫岛诚一郎在与何如璋、黄遵宪及其后出使的黎庶昌等人开展友好交流的同时，亦曾极力利用与公使馆成员的私人交情，在琉球交涉及朝鲜问题上，千方百计地为明治政府搜集有关情报。虽然黄遵宪本人能够较好地处理这种公私有别的交友关系，但部分使臣如首届公使官随员沈文荧、第二届公使黎庶昌等人，往往在闲谈中不经意间泄露了重大的外交机密，给中国外交带来了损失①。由此可见，与当今世界外交官们的职业外交相比，虽然近代初期他们这种具有儒者风范的文人交友堪称风雅，但要在不损害国家利益的基础上做到真正意义上的知心知己该是何等之难！

（附记：本研究为 2001 年度住友财团资助项目“关于黄遵宪与明治初期日本人笔谈记录的调查研究”的部分成果，曾口头发表于 2001 年 8 月 6 日—8 日由北京市中日文化交流史研究会主办、中国日本史学会、北京大学日本研究中心等协办的“黄遵宪与近代中日文化交流”国际学术研讨会，后以《论黄遵宪与宫岛诚一郎的交友》为题，收入王晓秋、陈应年主编：《黄遵宪与近代中日文化交流》，辽宁师范大学出版社，2007 年版，第 59—72 页。）

---

① 关于第二届公使黎庶昌与宫岛诚一郎的交友，请参照伊原泽周著：《从“笔谈外交”到“以史为鉴”——中日近代关系史研究》第一编第二章“论黎庶昌的对日外交——以琉球、朝鲜为中心”，中华书局，2003 年版。

第十五章　黄遵宪《日本杂事诗》源流述论

一、前言

《日本杂事诗》是近代中国著名诗人、外交家、改良思想家黄遵宪研究日本的代表作之一，与他的另一部巨著《日本国志》并称为近代中国人研究日本的双璧。黄遵宪(1848—1905)，字公度，号人境庐主人、观日道人、东海公等，广东嘉应州(今梅州市)人。1876 年中举，1877 年 11 月随首届驻日公使何如璋赴日，作为公使馆的参赞官，除了协助何如璋处理当时中日间存在的各种外交问题如琉球问题、朝鲜问题外，还广交日本友人，积极开展文化交流活动，并在公务之余，对日本社会进行深入调查，仔细观察，于 1879 年冬撰成《日本杂事诗》，由总理衙门交同文馆以聚珍板刊印。

《日本杂事诗》初版本上下二卷共收诗 154 首，分别从国势、天文、地理、政治、文学、风俗、服饰、技艺、物产等各个方面，以诗夹注的形式对日本进行了系统而形象的描述。就内容而言，它堪称呼黄遵宪完成于 1887 年、40 卷 50 余万言的煌煌巨著《日本国志》的姐妹篇。所不同的是，《日本杂事诗》是采用七言绝句形式的文学作品，而《日本国志》则是采用中国传统史书中“志”这一形式的历史书籍，从这方面来看，二者相辅相成而又相映成趣。

《日本杂事诗》刊行后，受到中日两国诗人们的极大赞誉，日本汉学家石川英在《日本杂事诗》跋中惊叹道：“公度来日未及二年，而三千年之史，八大洲之事详确如此，自非读书十行俱下，能如此乎？”①另外当时应日本报社之邀，作为民间文人首次赴日的清末著名改良思想家王韬，看到《日本杂事诗》稿本后，也对此大加赞赏，“读未终篇，击节者再”②，恳请将稿本带回香港，在其主持的《循环日报》社用活字板排印。此后它曾在中日两国被多次翻刻刊印，1890 年黄遵宪任驻英公使馆参赞期间，于闲暇之余，对初版本（以下简称“原本”）进行大规模的修订补充，将原诗的 154 首增至 200 首，于 1897 年 4 月在长沙刊印，是为“定本”。戊戌变法期间，梁启超在《西学书目表》中将《日本杂事诗》与《日本国志》一道，推荐为了解外国的必读书籍之一，由此可见，它对于近代中国人认识和理解日本，曾起过积极的启蒙和推动作用。

笔者在进行《日本杂事诗》日文版译注的连载工作中③，感到《日本杂事诗》虽然内容丰富，记事翔实，含英咀华，不乏佳作，但也有不少诗歌平仄不甚协调，且多用日语固有词汇，虽具异国情调，却不易理解，与一般的七言绝句大异其趣。对于这些问题，我们该从何种角度来进行说明呢？笔者以为，只有正本溯源，深入探讨有关《日本杂事诗》的源流问题，才能找到较为满意的答案。由于以前论述《日本杂事诗》的有关文章，鲜有关于这方面的探讨，偶有提及，也总是蜻蜓点水，语焉不详，未能展开深入论述。笔者不揣浅陋，拟对此问题作一初步考察，不妥之处，望请方家批评指正。

---

① 钟叔河：《日本杂事诗[广注]》，《走向世界丛书》第五辑，岳麓书社，1985 年版，第 794 页。

② 王韬：《日本杂事诗序》，钟叔河编：《走向世界丛书》第五辑，岳麓书社，1985 年版，第 575 页。

③ 译注参见《黄遵宪〈日本杂事诗〉译注稿》1—4（筧久美子、林香奈、刘雨珍等译注），连载于神户大学中文研究会编：《未名》第 13—16 期，1995 年 3 月—1998 年 3 月。截至 2018 年 3 月，连载已持续 23 期。

二、《日本杂事诗》名称的由来

关于《日本杂事诗》的成书经过，黄遵宪在“定本”自序中写道：

> 余于丁丑之冬，奉使随槎。既居东二年，稍与其士大夫游，读其书，习其事，拟草《日本国志》一书，网罗旧闻，参考新政，辄取其杂事，衍为小注，弗之以诗，即今所行《杂事诗》也。①

1877年（清光绪三年、日本明治十年）11月，首届驻日公使何如璋、副使张斯桂一行三十余人，奉命出使日本，前一年刚刚中举、年近而立的黄遵宪也作为参赞官一同赴任。来日后的两年间，黄遵宪与日本友人广泛交往，对日本社会进行仔细观察，目睹了日本在明治维新后的巨大变化，于是萌生出撰写《日本国志》的念头，由于此项工作规模宏大，需要耗费大量时日，于是作为前期准备工作，黄遵宪首先撰写了这部《日本杂事诗》。

《日本杂事诗》以诗夹注，以注释诗，诗和注相辅相成，互不可缺。当然，撰写这种形式的作品，在首届驻日公使馆中不只黄遵宪一人，如公使何如璋就曾作《使东杂咏》67首，记述了受命以来直至东京上任之间的情形，字里行间充满着作为首届驻日公使的强烈使命感，而副使张斯桂所作的《使东诗录》40首，则记述了作者对日本的一些散漫印象。前者采用的是七言绝句，而后者既有绝句，又有律诗，前者皆附诗注，后者诗注绝少。② 较之这两部作品，黄遵宪的《日本杂事诗》吟诵的范围更加广泛，对日本的研究更加系统深入，具有更高的史料和文学价值，因而倍受时人喜爱。

那么，黄遵宪的《日本杂事诗》书名究竟源于何处呢？对此，我们可从原本第72首（定本第77首）诗注中找到一丝线索，虽然黄遵宪在定本

① 钟叔河：《日本杂事诗[广注]》，《走向世界丛书》第五辑，岳麓书社，1985年版，第571页。
② 《使东杂咏》及《使东诗录》均收入《走向世界丛书》第五辑，岳麓书社，1985年版。

中将这个原注删除掉，但作为《日本杂事诗》书名由来的主要证据，还是应该引起我们重视，现引用如下：

> 余素不能为绝句。此卷意在隶事，乃仿《南宋杂事诗》、《滦阳杂咏》之例，排比为之，东人见之，不转笑为东施效颦者幾希。①

据此，我们可以得知，在撰写“意在隶事”的《日本杂事诗》时，黄遵宪主要效仿的是《南宋杂事诗》和《滦阳杂咏》，且就书名本身而言，很明显它沿用的是前者《南宋杂事诗》的命名方式。在位于广东梅州市梅江区的黄遵宪故居人境庐纪念馆里，至今收藏着黄遵宪遗留下来的书籍共计八千余册，《南宋杂事诗》便是其中之一，②由此可见，黄遵宪对《南宋杂事诗》应该是非常熟知的。

《南宋杂事诗》共七卷，为清朝沈嘉辙、吴焯、陈芝光、符曾、赵昱、厉鹗、赵信等同撰，对于该书的撰写动机及其特征，《四库全书总目提要》说道：

> 是书以其乡为南宋故都，故捃摭轶闻，每人各为诗百首，而以所引典故注于每首之下，意主纪事，不在修词，故警句颇多，而牵缀填砌之处亦复不少。然采据浩博，所引书几及千种，一字一句，悉有根柢，萃说部之菁华，采词家之腴润，一代故实，巨细兼该，颇为有资于考证，盖不徒以文章论矣。③（着重号为笔者所加，下同）

由于沈嘉辙、吴焯等人同属南宋故都杭州一带的出身，因此他们搜集各种轶闻，每人撰诗一卷各一百首，并将所引的典故附注于下，撰成《南宋杂事诗》七卷。如开卷第一首：“茏葱佳气俪山川，南渡开基大宝传，为有文章京样好，中兴留得几遗篇。”便从南渡开始吟咏，作者沈嘉辙在诗注中引用了《宋会要》《方舆胜览》《玉海》等大量古籍，旁征博引，对

---

① 钟叔河：《日本杂事诗[广注]》，《走向世界丛书》第五辑，岳麓书社，1985 年版，第 674 页。

② 笔者造访人境庐时，承蒙该管理所所长饶金才先生惠赠由其编撰的《黄遵宪藏书陈列目录》，在此谨表感谢。《南宋杂事诗》一书见于该目录的第 217 号。

③《四库全书总目提要》卷 191，集部总集类存目 1。

南渡当时的情形作了详细说明。① 虽然《南宋杂事诗》中的诗大都如此，"意主纪事，不在修词"，若无诗注，很难理解原诗的全部内涵，作为文学作品似乎难说是上乘之作，但由于引书繁多，"采据浩博"，为后人对南宋的认识提供了有力的史料基础，这就形成了《南宋杂事诗》的体制特征。而正是这种以诗夹注的形式，直接影响到黄遵宪《日本杂事诗》的创作，如王韬便在《日本杂事诗》序中说道：

> 又以政事之暇，问俗采风，著《日本杂事诗》二卷，都一百五十四首。叙述风土，纪载方言，错综事迹，感慨古今；或一诗但纪一事，或数诗合为一诗，皆足以资考证。大抵意主纪事，不在修词，其间寓劝惩，明美刺，存微旨，而采据浩博，搜辑详明，方诸古人，实未多让。②

其中，"意主纪事，不在修词"，"采据浩博"，与前述的《四库全书总目提要》中的说法如出一辙。可以推断，王韬的上述评语是完全套用《四库全书总目提要》中对《南宋杂事诗》的评价的。

至于前引诗注中黄遵宪所述的另一部书籍《滦阳杂咏》，今据《四库全书》集部 158 别集类以及鲍廷博《知不足斋丛书》第 10 辑所收本，书名均作《滦京杂咏》，《滦阳杂咏》之名或许出于黄遵宪误记。《滦京杂咏》为元人杨允孚所撰，允孚字和吉，吉水人，生平不详，据罗大已为《滦京杂咏》所作的跋文称："杨君以布衣袱被，岁走万里，穷西北之胜，凡山川物产典章风俗，无不以咏歌纪之。"可见杨允孚虽未曾做过高官，但喜爱周游祖国名山胜水，并将所见所闻，吟咏于诗。关于《滦京杂咏》，《四库全书总目提要》评价道：

> 其诗凡一百八首，题曰百咏，盖举成数，其曰滦京者，以滦河经上都城南，故元时亦有此称。诗中所记元一代避暑行幸之典，多史所未详，其诗下自注，亦皆赅悉。③

---

①《南宋杂事诗》七卷，收入《四库全书》集部 415 总集类。

② 钟叔河：《日本杂事诗[广注]》，《走向世界丛书》第五辑，岳麓书社，1985 年版，第 574 页。

③《四库全书总目提要》卷 168，集部别集类 2。

由此可知,《滦京杂咏》收录了七言绝句一百零八首,并附有注释,主要描绘了元代上都滦京的避暑、行幸等情形。虽然提要评价其诗注"亦皆赅悉",但翻阅《滦京杂咏》后便可发现,较之前述的《南宋杂事诗》,它的诗注要简略得多。

通过以上分析,我们可以看出,黄遵宪《日本杂事诗》的体例主要来自于《南宋杂事诗》和《滦京杂咏》,而《日本杂事诗》一书的命名,更是直接来源于前者《南宋杂事诗》。

三、《日本杂事诗》与海外竹枝词

然而,如果我们把视野进一步扩展开来,从更加广泛的范围来看,《日本杂事诗》的源流当然不止于此,应该说,它具有更深的文学渊源,那就是与海外竹枝词的关系。

关于这一点,黄遵宪在《日本杂事诗》的最后一首诗及诗注(原本第154首、定本第200首)中作了详细说明,原诗如下:

> 纪事只闻筹海篇,徵文空诵送僧诗;
> 未曾遍读《吾妻镜》,惭付和歌唱竹枝。①

诗的前二句对中国的日本研究进行了回顾,而最后一句"惭付和歌唱竹枝",则表明由于作者不谙日本和歌,便用中国传统的竹枝词形式创作《日本杂事诗》,用以描绘日本的历史地理、风土人情。

竹枝词本是巴渝地区的民歌,唱时以笛、鼓伴奏,同时起舞,声音婉转动人。崔令钦《教坊记・曲名篇》中载有《竹枝子》之名,可见唐玄宗时就曾被谱成乐曲。中唐诗人顾况曾有《竹枝词》之作,但真正独具慧眼地将竹枝词发扬光大的应数同为中唐诗人的刘禹锡(772—842)。

刘禹锡在任夔州刺史时,依调填词,根据民歌创作《竹枝词》十一首,诗的内容基本上是歌唱巴蜀的风土人情、男女爱情等。如著名的"杨柳

---

① 钟叔河:《日本杂事诗[广注]》,《走向世界丛书》第五辑,岳麓书社,1985年版,第789页。

青青江水平，闻郎江上唱歌声。东边日出西边雨，道是无晴却有晴”，就是模拟民歌，借景抒情的千古杰作。诗人巧用“晴”与“情”的谐音，一语双关，成功地刻划出一位初恋少女含蓄而又微妙的恋情。这些新诗受民歌影响，大都采用七言绝句形式，且不拘泥于平仄，因此刘禹锡称之为“变风”之始(《竹枝词》引)。刘禹锡的好友、著名诗人白居易也曾创作竹枝词，但正如《词谱》所述，“刘白竹枝词，俱拗体七言绝句”(《词谱·竹枝词注》)，他们所创作的竹枝词中多有平仄不调者。后世诗人便多借竹枝词形式，用以描绘各地的风土人情。[①] 由于竹枝多用七言绝句形式，通俗易懂，音调轻快，不但记录了大量中国域内的风俗事物，而且还记载了不少域外的风土人情，具有很高的文学和历史价值。前述的《南宋杂事诗》及《滦京杂咏》便属于此列。

对于中国历代吟诵日本风俗的竹枝词，黄遵宪在该诗的原注中作了详明的阐述，虽然诗注较长，但它是我们了解《日本杂事诗》和《日本国志》创作动机及性质的重大线索，兹摘录于下：

> 《山海经》已述倭国事，而历代史志，于舆地风土，十不一真。专书惟有《筹海图编》，然所述萨摩事，亦影响耳。(《明史·艺文志》有李言恭《日本考》五卷，侯继高《日本风土记》四卷，书皆不行于世。余从友人处假有《风土记》钞本，不著撰人，未审是侯本否？书极陋，不足观。)唐人以下，送日本僧诗至多，曾不及风俗。日本旧已有史，因海禁严，中土不得著于录。惟朱竹坨收《吾妻镜》一部，故不能详。士大夫足迹不至其地，至者又不读其书，谬悠无足怪也。宋濂有《日东曲》十首，《昭代丛书》有沙起云《日本杂咏》十六首。宋诗自言问之海东僧，僧不能答，亦可知矣。起云诗仅言长崎风民风，文又甚陋。至尤西堂《外国竹枝词》，日本仅止二首。然述丰太阁事，已谬不可言。日本与我仅隔衣带水，彼述我事，积屋充栋，而我所记载彼，第以供一噱，余甚惜之。今从大使后，择其大要，草《日本国志》

① 参见《中国大百科全书·中国文学卷》“竹枝词”条。

成四十卷，复举杂事，以国势、天文、地理、政治、文学、风俗、服饰、技艺、物产为次，衍为小注，弗之以诗。余虽不文，然考于书，徵于士大夫，误则又改，故非向壁揣摩之谭也。第不通方言，终虑多谬，愿后来者订正之耳。①

由于这是《日本杂事诗》的最后部分，因此在诗注中，黄遵宪对中国的日本研究作了总体回顾，并对自己创作《日本杂事诗》和《日本国志》的动机作了详细说明。

《山海经・海内北经》言："盖国在钜燕南，倭北，倭属燕"，是为中国史书对日本的最早记载。以后，历代中国正史都有关于日本的记述。但真正意义上研究日本专著的诞生，还要到明朝。明万历、嘉靖年间，由于倭寇的大量入侵，明人感觉有必要对日本进行深入而系统的研究，在这种背景下，涌现出不少研究日本的专门著作，诗注中所述郑若曾的《筹海图编》和李言恭、郝杰的《日本考》就是其中颇有影响的代表之作。另外，诗注中所指出的李言恭《日本考》与侯继高《日本风土记》虽然作者有异，实则内容相同，属于一书二刻，据研究，当是京官李言恭根据前线指挥官侯继高著作易名重刊的结果。②

虽然唐宋时期有不少日本僧人来华，中国诗人也与他们多有酬赠唱和之作。然而明代以前，有关日本的诗歌并未见采用竹枝词的形式，如著名的欧阳修《日本刀歌》便是以长篇歌行体的形式而创作的。最早利用竹枝词形式吟诵有关日本风土人情的，正如黄遵宪所述，始于明初的著名文学家宋濂。

宋濂(1310—1381)，字景濂，号潜溪，累官至翰林学士承旨知制诰，明初朝廷祭祀、朝会、诏谕、封赐等文章，大都出自他的手笔，被誉为"开国文臣"之首。同时，我们在他的文集中，也可发现不少他为日本人所作

---

① 钟叔河：《日本杂事诗[广注]》，《走向世界丛书》第五辑，岳麓书社，1985 年版，第 789—790 页。

② 参见汪向荣：《关于〈日本考〉》，《中日关系史文献论考》所收，岳麓书社，1985 年。

的文章，有的是为日本高僧作的碑铭，有的是为日人诗集作的序跋。在这种交流过程中，宋濂从当时的日本人处了解到不少有关日本的知识，创作了《赋日东曲》10 首。按严绍璗先生分类，这十首诗歌内容包括王都形胜、富士景色、古老传说、佛教盛事、中华文物等五个方面。① 如其中第六首咏日本的杨贵妃传说道：

玉环妖血污寰中，岂有灵祠祝鬼雄。
莫是仙山真飘渺，雪膏花貌主珠宫。
（自注：国有杨贵妃祠）②

由于《长恨歌》在日本的广泛影响，日本各地都流传着马嵬兵变中杨贵妃未死，最终逃亡日本的故事，由此衍生出许多有关杨贵妃的传说。如名古屋的热田神社便流传道，杨贵妃本为热田明神的化身，由于唐玄宗妄图征服日本，热田明神便化作杨贵妃，去迷惑唐玄宗，挫败了玄宗的侵日之志，从前社殿后面有一座五轮塔，即为杨贵妃墓。

有关日本杨贵妃传说产生的具体原因及其演变过程，笔者曾作过详细论述，在此不再赘述。③ 总之，宋濂由日本友人处听到日本有关祭祀杨贵妃灵祠的传说，从而创作了这首诗。

关于沙起云《日本杂咏》16 首的创作背景，作者在自序中说道：

日本为海外诸国之胜，舟楫辐辏，其中山水奇绝，景况佳好，不可尽悉，偶占绝句十六首，聊记岁序、民风之盛。④

由上述记叙看来，与宋濂根据道听途说创作《赋日东曲》不同，沙起云可能亲自去过日本，《日本杂咏》是建立在作者在日本的实际生活体验基础上而创作的作品。如其中描写中元时的日本风俗时写道：

---

① 严绍璗：《中日古代文学关系史稿》，湖南文艺出版社，1987 年版，第 300—301 页。

② 宋濂著、黄灵庚编辑校点：《宋濂全集》（四）卷一百二《萝山诗集》四《赋日东曲十首问海上僧僧多不能答时辛丑冬十月也》，人民文学出版社，2014 年版，第 2408 页。

③ 刘雨珍：《杨贵妃渡日传说》，收入王勇・中西进主编：《中日文化史交流大系 10・人物卷》，浙江人民出版社，1996 年版。参见本书第二编第二章。

④《日本杂咏》一卷，见《昭代丛书》甲集第四帙。

一年佳节是中元，老幼挑灯立墓墩。
火炬灿空星斗动，家家坐队不关门。

中元佳节，男女老少一同挑灯出门，祭祀祖先，灯火灿烂辉煌，与闪烁的星星交相辉映，诗中表达了日本纯朴的民风和浓厚的节日气氛。当然，如黄遵宪所述，此处的民风大概是指长崎一带，沙起云足迹也未能遍及日本。

下面我们再来看看尤侗的《外国竹枝词》。尤侗(1618—1704)，字展成，号西堂道人。康熙十八年举博学宏儒，授翰林院检讨，并任侍讲。他在撰修《明史・外国传》时，虽然对郑和船队下西洋有所记载，但对于所经各地的风土人情却叙述较少，有感于此，他特撰竹枝词，以补正史之不足，并由其子尤珍为之作注。

《外国竹枝词》100 首，另有土谣 10 首，共 110 首。始自朝鲜、日本、流球等东亚地区，沿海路到缅甸、真腊、爪哇、暹罗等东南亚地区，远至天竺、欧罗巴，再沿陆路经哈密、吐鲁番、于阗等西域各地，范围之广，几乎遍及当时所知的整个世界。有关日本的诗歌共有两首，一首咏丰臣秀吉，一首咏圣德太子。下面我们来看一下被黄遵宪讥为“谬不可言”的第一首：

日出天皇号至尊，五畿七道附庸臣。
空传历代吾妻镜，太阁遂归木下人。

隋时，致书自称日出处天子。国中称天皇，以尊为号。有五畿七道三岛，附庸国百余。吾妻镜记本国君臣事略，吾妻、岛名也。木下入为平秀吉，万历中，篡夺倭国，自号为太阁王。①

诗注的前半部分，引用《隋书・倭国传》中圣德太子致隋炀帝书“日出处天子致书日没处天子，无恙云云”部分，并无不妥。但后半部分如将泛指关东地区的吾妻说成是岛名，将丰臣秀吉说成是篡夺倭国王位，皆

① 《外国竹枝词》一卷，见《丛书集成新编》97“史地类”。

与事实不符，难怪黄遵宪要批评道“谬不可言”。

尤侗为补正史记载之不足，撰写《外国竹枝词》，但由于他本人足未出国，所以他的外国知识只能借助于有关资料记载，有些地方缺乏真实，也是在所难免的，对此我们当然不能求全责备。

当然，上述有关日本的竹枝词，根本谈不上对日本的系统研究，来日以后，黄遵宪发现日本人研究中国的著作汗牛充栋，而中国人对日本的认识却停留在传说中的海外三神山基础上，两者相差过于悬殊，不由得感慨万端，他在《日本国志》自叙中说道：

> 以余观日本士夫，类能读中国之书，考中国之事，而中国士夫，好谈古义，足己自封，于外事向不措意，无论泰西，即日本与我仅隔一衣带水，击柝相闻，朝发可以夕至，亦视之若海外三神山，可望而不可即。若邹衍之谈九州，一似六合之外，荒诞不足论议也者，可不谓狭隘欤。①

由于长时间的闭关锁国，使得中国的士大夫们沉浸在夜郎自大、固步自封的自满情绪中，对于外来的世界漠不关心。远隔重洋的欧美且不用说，就连相隔一衣带水的日本，也把它看作是传说中的海外三神山，可望而不可即。正是这种狭隘的心理，导致近代中国的落后，而黄遵宪则很早意识到这一点，这也是他立志研究日本的原因之一。

《日本杂事诗》虽然在形式上，与这些上述这些作品一样，都是采用海外竹枝词的方式，然而在内容上，《日本杂事诗》上至天文，下至地理，文学艺术、风土人情、甚至技艺物产，无不成诵，远远超过了所有的同类作品。

幸好，到了清朝末期，随着中国海禁的渐开，中国与海外各国的交往也不断增加，如同黄遵宪一样，许多文人奉使出访，或到外国讲学游历时，每到一处，都仔细观察，采风问俗，用竹枝词的形式记下了世界各地

① 黄遵宪：《日本国志》，上海古籍出版社，2001年版，第10页。

的风土人情，开阔了国人的眼界，丰富了中国文学的内涵。据王慎之、王子今辑《清代海外竹枝词》①，收录康熙20年(1681年)尤侗至清末郁华等人的海外见闻竹枝词18种1370首，其中记述日本者约占一半，达9种900多首，除前述的何如璋《使东杂咏》、黄遵宪《日本杂事诗》外，还有四明浮槎客《东洋神户日本竹枝词》100首、濯足扶桑客《增注东洋诗史》150首(原名《日本竹枝词》)、姚鹏图《扶桑百八吟》108首、郭则云《江户竹枝词》100首、陈道华《日京竹枝词》100首、单士里《日本竹枝词》16首、郁华《东京杂事诗》73首等。②

最后必须指出的是，中国现代著名文学家郁达夫，在1916年留学日本时，也曾创作过《日本竹枝词》12首，其诗序云：

> 明治初，黄公度有《日本杂事诗》之作，数千年历史风教网括无遗，义至博也。然近年世变重繁，民风移易，迥非昔比，古有其传，今无其继，非法也。于是乎《日本谣》作矣。③

由此可知，郁达夫的《日本竹枝词》乃是仿照黄遵宪《日本杂事诗》而作，虽然《日本杂事诗》博大精深，但由于明治维新后的日本在短短的几十年间，发生了天翻地覆的巨大变化，为了继承黄遵宪《日本杂事诗》的优良传统，郁达夫创作了《日本竹枝词》(《日本谣》)12首。

郁达夫的这些《日本竹枝词》，就其内容而言，分别吟咏灯笼、百人一首、菖蒲汤、净琉璃、《源氏物语》、活动写真(电影)、《复活》、女子高师、买花女、爱克斯光线、荒川夜樱、吉原初见世等，虽然描绘了一些当时的风俗近事，但无论在广度还是在深度上，都远远无法与黄遵宪的《日本杂事诗》相比。而且在诗注方面，郁达夫只是片言只语地作简单说明，远不如黄遵宪的《日本杂事诗》诗注那样翔实渊博。

---

① 王慎之、王子今辑：《清代海外竹枝词》，北京大学出版社，1994年版。

② 参见胡双宝：《〈清代海外竹枝词〉里的近代日本》，北京大学日本研究中心编《日本学》第5辑，1995年6月。

③ 浙江文艺出版社编：《郁达夫诗全编》，1989年12月，第24—25页。

除了郁达夫的《日本竹枝词》外，台湾的乐恕人也曾作《新日本杂事诗》（台北大华晚报社，1965年版），这就表明近代以来许多赴日的中国人，在各个不同的历史时期，都曾不同程度地模仿过黄遵宪的《日本杂事诗》，创作出有关日本的竹枝词。由此我们可以看出《日本杂事诗》在同类作品中的显著地位，以及给后来作品所产生的巨大影响。

四、《日本杂事诗》与明治汉诗人的竹枝词

以上我们主要从中国海外竹枝词的角度探讨了《日本杂事诗》的渊源关系。除此之外，我们还必须考虑的另一个问题是，《日本杂事诗》既然是黄遵宪驻日期间的作品，那么同时期的日本汉诗人又是如何描写维新后日异变化的明治社会的呢？黄遵宪的《日本杂事诗》与它们有着何种联系呢？下面再就这个问题谈谈笔者的一些看法。

据木下彪《明治诗话》言，明治初期日本汉诗创作盛况空前，达到一个新的高峰，超过了日本历史上的其他任何时期。[①] 赋诗言志，不仅是少数汉学家们的专利，就连许多下级武士出身的政治家也多有抒情言志之作，如大久保利通、副岛种臣等人都擅长汉诗，并与黄遵宪等驻日公使馆的文人有过唱和之作。当然，这种汉诗的繁荣主要是由于德川幕府将朱子学列为官学，各地藩校注重汉学教育的结果。然而，由于幕府推行闭关锁国的政策，只是允许中国人和荷兰人来长崎进行贸易，限制了中日文人之间的相互交往，这对江户时代的日本汉学家们来说，不可不谓是巨大的遗憾。

直到1871年（清同治十年，日本明治四年），中日签订《修好条约》，规定互派使节后，中日文人正式恢复交流，上述局面才得以打开。对于首届中华使节的到来，日本文人表现出空前的热情，据石川英《日本杂事诗》跋："入境以来，执经者，问字者，乞诗者，户外屦满，肩趾相接，果人人

① 木下彪：《明治诗话》，（日）文中堂，1948年版，第355页。

得其意而去”,登门造访者络绎不绝。尤其是风华正茂的黄遵宪在公使馆里最富文才,更成了日本人的崇拜对象,每天都忙得不亦乐乎。其中情形,正如王韬在《日本杂事诗》序中所描写的那样:

> 既副皇华之选,日本人士耳其名,仰之如泰山北斗,执贽求见者户外屦满。而君为之提唱风雅,于所呈诗文,率悉心指其疵谬所在。每一篇出,群奉为金科玉律,此日本开国以来所未有也。①

对于日本友人携来的诗文,黄遵宪或为其修改,或为其作序,悉心指点,不厌其烦。如对于宫岛诚一郎的《养浩堂诗集》,黄遵宪费力最多,批改也最为严厉。②

另一方面,黄遵宪也拿出自己的《日本杂事诗》原稿,恳请日本友人批评改正。这些日本诗人学者,或提供资料,或改正错误,对黄遵宪的日本研究工作帮助极大。可以说,黄遵宪之所以能够完成《日本杂事诗》和《日本国志》这两部巨著的撰写工作,是与他们的鼎力相助密不可分的。

总之,黄遵宪在任驻日参赞的4年多时间,由于能与精通汉文的汉学家们,通过作诗唱和或笔谈来进行交流,由此克服了因语言不通而造成的巨大障碍,因而这段时光,成了黄遵宪14余年外交生涯中最愉快而难忘的回忆。

直到1890年,黄遵宪任驻英公使馆参赞时,还念念不忘这些日本友人,相继作了《续怀人诗》10首,以表达对他们的思念之情。其中怀念大沼厚等友人的诗写道:

> 袖中各有赠行诗,向岛花红水碧时。
> 只恨书空作唐字,独无炼石补天词。
>
> 大沼厚、南摩纲纪、龟谷行、岩谷修、蒲生重章、青山延寿、小野长愿、森鲁直、冈千仞、鲈元邦,皆诗人也。壬午春,余往美洲,设饯

---

① 王韬《日本杂事诗》序,见钟叔河:《日本杂事诗[广注]》,《走向世界丛书》第五辑,岳麓书社,1985年版,第574页。

② 参见夏晓虹:《黄遵宪王韬遗留日本文字辑述》,载《清华汉学研究》第一辑,1995年。

于墨江酒楼，各赋诗送行，多有和余流别韵者。……别后时时念之。①

这里所列的都是黄遵宪的好友，也是当时知名的汉学家。1881 年 1 月，黄遵宪调任旧金山总领事时，他们在隅田川畔的中江酒楼，设宴饯别，席上，黄遵宪作《奉命为三富兰西士果总领事，留别日本诸君子》5 首（《人境庐诗草》卷四），宫岛诚一郎等日本友人皆有次韵唱和之作。

关于以竹枝词方式描绘明治初期东京状况的作品，我们先看看前面黄遵宪所列举的著名汉诗人大沼枕山所创作的《东京词》。

大沼枕山（1818—1891），名厚，字子寿，号枕山，是活跃于江户末期至明治初期之间的日本著名汉诗人。幼从学于叔父鹫津松隐，后学诗于菊池五山，并参加著名诗人梁川星岩的玉池诗社，渐有诗名。后于下谷仲御徒町设下谷诗社，教育弟子。学诗者无论上下贵贱之别，云集门下，称雄诗坛达三十余年。枕山诗主宋诗，崇尚陆放翁，最擅咏物。著有《历代咏史百律》、《日本咏史百律》、《咏史绝句》、《江户名胜诗》、《东京词》等。②

《东京词》刊行于明治二年（1869）十月，共计七言绝句 30 首，乃津田信全仿照市川宽斋的《北里歌》，请当时著名的书法家 10 人各写 3 首，画家 10 人各画 3 幅，以书画集的形式刊印而成。津田信全在该书的跋文中写道：

枕山先生顷者作东京词三十绝，其旨柔婉，其辞清丽，实有刘宾客、温方山之妙趣矣。大都家家传诵，洛阳之纸殆将贵矣。③

信全高度评价了枕山的《东京词》，说它柔婉清丽，实得唐代诗人刘禹锡、温庭筠妙趣，由于它生动地描绘了明治初期东京的情景，致使人人争相传诵，洛阳为之纸贵，可见《东京词》受到时人的高度喜爱。

① 钱仲联：《人境庐诗草笺注》卷七，上海古籍出版社，1981 年版。
② 近藤春雄：《日本汉文学大事典》，明治书院，，1989 年版。
③ 转引自木下彪：《明治诗话》，（日）文中堂，1948 年版，第 38 页。

关于《东京词》的内容，正如日野龙夫所说："作者的用意多在于揶揄讽刺浅薄的文明开化的风俗，但并非全部作品都是如此，从中也可发现积极肯定新文明的一些诗歌。"①下面我们先来看看第一首，这是当时吟诵明治维新以后东京风情的最初汉诗作品：

天子迁都布宠华，东京儿女美如花。
须知鸭水输欧渡，多少簪绅不顾家。

明治元年(1868)7月17日，天皇下诏将江户改为东京，9月20日车驾由京都出发，10月13日抵达东京，以江户城为皇居，改称东京城。随着天子迁都的实施，许多公绅贵族也都云集东京，由于失去了幕府时期严禁狎妓的束缚，新政府的高官贵族包括以前的公家缙绅们，公然出入柳桥及新桥等花柳街巷，沉湎于富贵温柔之乡，将旧都抛至九霄云外。

诗中第三句中的"鸭水"，指的流经京都的鸭川，"欧渡"则指出东京隅田川畔群鸥竞飞的渡口，此处实则化用了《伊氏物语》中的有名故事。平安时代的多情才子在原业平风流倜傥，放荡不羁，最终被赶出京城，奔赴东国。当他路过角田河(今东京隅田川)边时，看见白色的小鸟在天空飞舞，便问船夫小鸟的名字，船夫答道"都鸟"(中文名"赤味鸥")，听到这带有"都"字的鸟名，日暮途远的在原业平感慨万千，禁不住思念远在京城的妻子，咏道："都鸟都鸟诚如言，借问伊人可平安?"，舟中人闻之泪流不断。② 大沼枕山则在诗中借用上述典故，用来讽刺那些沉湎于东京的玩乐，而忘记了从前旧都的高官贵族们。

下面再来看看描写维新后东京街头日趋变化的第十首：

城隅邸址半为空，广狭分区课众功。
尘海何能变桑土，旋看平地起蚕丛。

---

① 日野龙夫注：江户诗人选集《成岛柳北·大沼枕山》，岩波书店，1990年版。

② 原歌如下："名にしおはばいざこと問はむ都鳥我が思ふ人は在りやなしやと。"详见渡边实校注：《伊氏物语》第九段，新潮社，1976年版，第23页。

幕府灭亡以后，树倒猢狲散，各藩诸侯及幕臣纷纷撤离东京，回到各地家乡，那些幕府时期喧嚣热闹的各个藩邸也都人去楼空，衰败不堪。明治二年(1869)8 月，太政官发出布告，奖励人们利用藩邸旧宅的土地种茶养蚕，并将土地划成小块，免费出租。虽然这项政策在两年后的明治四年八月被废除，但这两年期间，东京街头上处处可见茶田和桑田，“沧海桑田”变成了地地道道的现实。“蚕丛”本为传说中蜀国的开国之君，李白《送友人入蜀》诗云：“且说蚕丛路，崎岖不易行”，则指入蜀的崎岖山路，而此诗以“蚕丛”对“桑土”，形象地刻划出明治维新后东京沧海桑田般的异常变化。

与此诗所咏内容一样，黄遵宪的《日本杂事诗》第 49 首也发出过同样的感慨：

> 新绿在树残红稀，荒园菜花春既归；
> 堂前燕子亦飞去，金屋主人多半非。
>
> 德川氏时，旧藩邸宅，皆在东京，广厦杰阁，今皆没入官。或改官舍，或为民居。其荒凉者，鞠为茂草矣。因记杜工部诗曰：“王侯邸宅皆新主，文武衣冠异昔时。”甚切近事也。①

明治十年(1877)赴日的黄遵宪，当然没能看到处处宅第变桑田的景象，但触目所见，也是荒草萋萋，一片萧条。诗的三、四句，显然是化用了著名的杜牧《乌衣巷》诗中的后半部分“旧时王谢堂前燕，飞入寻常百姓家”，用以表达明治维新以后旧藩邸宅的日渐衰微，而且黄遵宪还在诗注中，引用了杜甫《秋兴》其四中的诗句“王侯邸宅皆新主，文武衣冠异昔时”，表现物是人非的人生感慨，题材风格皆与前述的枕山诗极为相近。

下面我们再来看看山内容堂的《墨水竹枝》，容堂被木下彪评为“各藩诸侯中最富诗才者”。②

山内容堂(1827—1872)，名丰信，号容堂，江户末期至明治初期高知

---

① 钟叔河：《日本杂事诗[广注]》，《走向世界丛书》第五辑，岳麓书社，1985 年版，第 638 页。
② 木下彪：《明治诗话》，(日)文中堂，1948 年版，第 61 页。

藩藩主。明治维新前夕因主张公武联合著称，后于庆应3年听从后藤象二郎意见而建议幕府将军德川庆喜奉还大政，此后致力于保全德川权力，但终未能遂愿。明治维新后在新政府中历任议定、内国事务局总督、刑法官知事、学校知事、制度寮总裁、上局议长等。明治2年7月受到麝香之间祇候的优待，隐居浅草桥场别邸，过着悠悠自适的生活，明治5年6月病逝。①

山内容堂《墨水竹枝》十二首，吟诵的是文明开化后的东京风情，前面已经说过，墨水即现在的隅田川。其中描写柳桥风情的诗如此写道：

水楼宴罢烛光微，一队红妆带醉归。
纤手烦张蛇眼伞，二州桥畔雨霏霏。②

红妆指柳桥的艺妓们，二州桥即如今的两国桥。蛇眼伞，日语读作"じゃのめがさ"，为日本江户时期开始使用的伞，伞面为红色或蓝色，中间有一个白环，撑开后呈蛇眼状，故名。此处蛇眼伞乃是日语固有词汇，容堂不加改动，作为汉语词汇用于诗中。木下彪赞叹它甚为雅驯，不露痕迹，同时又举出，黄遵宪的《日本杂事诗》也曾用相同手法，这就是原本的第91首诗：

末知散布趁农闲，买捌来寻屋小间；
铭酒御茶闲话后，相邀一饱鸭南蛮。

街市曰"末知"，读若"买基"。铺店悬幌子居卖曰"大问屋"，贩卖曰"买捌所"，贱买曰"大安卖"，零卖曰"小间物屋"，易钱曰"两替屋"，制衣曰"仕立屋"，酒曰"铭酒"(铭同名)，茶曰"御茶"(御为日本通用之字，义若尊字，又日本书函、函外题名，必曰某某殿、某某样，亦尊之之词，皆不知何所仿也，附注于此。)饭店曰"御茶渍"，鸡子曰"玉子"，草器曰"荒物类"，以油煎鱼虾曰"天夫罗"，和面以肉曰"鸭

① 吉川弘文馆版:《日本史大辞典》，1993年版。
② 木下彪:《明治诗话》，(日)文中堂，1948年版，第61页。

南蛮”，菜蔬曰“八百屋”……凡右所录，彼皆笔之书者。①

此诗每句皆镶嵌着日语的固有词汇，虽然这些词汇，对于现今通晓日语的人们来说，也许不难理解，但在当时，如果没有作者的诗注，人们是很难读懂的。至于最后一句中的“鸭南蛮”，即用野鸭肉做的“葱花鸭肉汤面”，木下彪称其可与容堂的“蛇眼伞”相媲美，堪称绝妙一对。②

虽然我们难以断定两者之间的直接承袭关系，但至少可以指出，明治初期日本汉诗中所洋溢的这种风格，对黄遵宪的创作曾经产生过直接或间接的影响。如黄遵宪在《日本杂事诗》自序中就曾如此说道：

余所交多旧学家，微言刺讥，咨嗟太息，充溢于吾耳。虽自守居国不非大夫之义，而新旧同异之见，时露于诗中。及阅历日深，闻见日拓，颇悉穷变通久之理，乃信其改从西法，革故取新，卓然能自树立，故所作《日本国志》序论，往往与诗意相乖背。③

最后，我们再来看看黄遵宪的另一位日本友人大河内辉声（1848—1882）对《日本杂事诗》的评价。今埼玉县新座市野火止的平林寺内，树有一座圆柱形石碑，碑面刻着黄遵宪亲笔书写的“日本杂事诗最初稿冢”九个大字，碑后是大河内辉声撰写的《葬诗冢碑阴志》，对黄遵宪的《日本杂事诗》予以极其高度的评价：

公度姓黄氏，名遵宪，清国粤东嘉应州举人，明治丁丑随使来东京，署参赞官，惟隽敏旷达，有智略，能文章。退食之暇，披览我载籍，咨询我故老，采风闻俗，搜求逸事，著《日本杂事诗》百余首。一日过访，携稿出示，余披诵之，每七绝一首，括记一事，后系以注，考记详该，上自国俗遗风，下至民情琐事，无不编入咏歌。盖较《江户

① 钟叔河：《日本杂事诗[广注]》，《走向世界丛书》第五辑，岳麓书社，1985年版，第742页。
② 木下彪：《明治诗话》，（日）文中堂，1948年版，第61页。
③ 钟叔河：《日本杂事诗[广注]》，《走向世界丛书》第五辑，岳麓书社，1985年版，第571页。

> 繁昌志》《扶桑见闻记》尤加详焉。而出自异国人之载笔，不更有难哉。①

大河内辉声指出，黄遵宪为撰写《日本杂事诗》，披览日本载籍，咨询日本故老，采风闻俗，搜求逸事，《日本杂事诗》中所描绘的日本风俗，甚至超过了寺门静轩的《江户繁昌记》。我们在赞叹其刻苦努力的同时，也可以推测黄遵宪在创作《日本杂事诗》的过程中，一定会积极地吸收一些日本友人的成果。应该说，不但在内容方面，而且在形式和手法方面，与当时的日本人的汉诗及汉文作品，必定存在某种程度上的内在联系。

五、结语

以上本文从分别从三个不同的角度对黄遵宪《日本杂事诗》的源流作了初步考察，从中我们可以看出，《日本杂事诗》的书名和体制实际上来源于《南宋杂事诗》，而它更深的渊源便是以外国尤其是以日本为题材的竹枝词，竹枝词本为民歌，后世诗人推而广之，用它来吟诵外国的山川草木、风土人情。黄遵宪有感于中国研究日本的匮乏落后，便借用竹枝词这种形式，在赴日后不到两年的短暂时间内，创作出内容丰富的《日本杂事诗》，为日后的《日本国志》创作积累了大量的史料素材。在创作《日本杂事诗》的过程中，黄遵宪与日本友人互相学习、互相帮助，增进了对于明治初期的日本汉诗的理解，将其成果吸收到《日本杂事诗》的创作之中。由于篇幅关系，对于《日本杂事诗》与明治初期汉诗之间关系的论证未能充分展开，笔者今后还拟对这一问题进行深入探讨。

（原载南开大学日本研究中心编：《日本研究论集》第三期，南开大学出版社，1999 年 3 月，第 350—369 页。）

---

① 碑文拓本见黄遵宪著，实藤惠秀、丰田穰译：《日本杂事诗》，东洋文库 111，（日）平凡社，1968 年版，第 16 页。

第十六章　黄遵宪《日本国志》述论

一、前言

1871 年(清同治十年,日本明治四年),中日签订《修好条规》,规定互派使节,由此揭开了近代中日外交及文化交流的序幕。此后,国人纷纷东渡,或出使,或观光,或视察,或留学,在对日本进行实地考察的基础上,撰写出大量的日本研究书籍,其中影响最为深远、最为人们所熟知的著作,当属黄遵宪的《日本国志》。

《日本国志》共 40 卷 50 余万言,是中国近代第一部系统而深入地研究日本的百科全书式著作,曾被誉为"数百年来鲜有之作"(薛福成《日本国志序》①),甲午战争后又被"海内奉为瑰宝"(狄葆贤《平等阁诗话》②)。它不仅在戊戌维新运动中产生广泛而深远的影响,而且在近代中日文化交流史上也占有非常重要的地位。

---

① 黄遵宪:《日本国志》,上海古籍出版社,2001 年版,第 1 页。

② 钱仲联:《人境庐诗草笺注》(下),上海古籍出版社,1981 年版,第 1274 页。

国内外学界有关《日本国志》研究颇多，已取得丰硕成果。[①] 以下在吸收前人研究成果的基础上，结合本人的一些调查研究成果，分别就《日本国志》的编纂过程、编纂动机、体例特征、主要协助者及其影响、版本等问题展开论述。

二、《日本国志》的编纂过程

黄遵宪（1848—1905），字公度，号人境庐主人、观日道人、东海公等，广东嘉应州（今梅州市）人，曾任驻日参赞、驻旧金山总领事、驻英参赞、驻新加坡总领事、湖南长宝盐法道兼署按察使等职，是近代中国著名诗人、外交家、史学家和维新思想家。除《日本国志》外，还著有《人境庐诗草》11 卷、《日本杂事诗》2 卷。

早在青少年时代，黄遵宪就怀有远大抱负，立志“要抟扶摇羊角直上九万里”。[②] 他不愿意过着那种埋头破屋，皓首穷经式的世儒生活，主张经世致用，认为“儒生不出门，勿论当世事，识时贵知今，通情贵阅世”[③]，欲走出书斋，放眼认识外面的新世界，曾作诗曰：“噫嘻乎儒生读书不识羞，动詡虎头燕颔径取万户侯。万户侯耳岂足道，乌知今日禆瀛大海还有大九州”。[④] 所有这一切，都成为他日后中举后即放弃举业，长年出使海外的思想基础。

1870 年天津教案发生，黄遵宪开始究心时务，“取《万国公报》及製造

① 主要研究论文及著作有王晓秋：《黄遵宪〈日本国志〉初探》，《近代史研究》1980 年第 3 期，后收入王晓秋：《近代中日关系史研究》，中国社会科学出版社，1997 年 7 月；盛邦和：《黄遵宪史学研究》，江苏古籍出版社，1987 年 10 月；郑海麟：《黄遵宪与近代中国》，生活・读书・新知三联书店，1988 年 6 月；张伟雄：《文人外交官的明治日本》，日本柏书房，1999 年 3 月。

② 黄遵宪：《人境庐诗草》卷一《庚午中秋夜始识罗少珊（文仲）于矮屋中，遂偕诗五共登明远楼看月，少珊有诗，作此追和，时癸酉孟秋也》，钱仲联：《人境庐诗草笺注》（上），上海古籍出版社，1981 年版，第 103 页。

③ 黄遵宪：《人境庐诗草》卷一《感怀》，钱仲联：《人境庐诗草笺注》（上），上海古籍出版社，1981 年版，第 1 页。

④ 黄遵宪：《人境庐诗草》卷一《和周朗山（琨）见赠之作》，钱仲联：《人境庐诗草笺注》（上），上海古籍出版社，1981 年版，第 83—84 页。

局所出之书尽读之”。[①] 他还游历广州、香港、烟台、天津等沿海城市，开阔了眼界，扩大了视野。生于列强入侵、外患频仍之秋，黄遵宪逐渐认识到“非留心外交，恐难安内”，与张荫桓等时务派人士“抵掌论当世之务”，被李鸿章誉为“霸才”。[②]

1876 年 8 月，经历了科场“三战三北”之痛的黄遵宪参加顺天乡试，终于考中了举人。是年 12 月，清廷任命翰林院侍讲、广东大埔人何如璋为出使日本钦差大臣，由于何如璋赏识黄遵宪的才华，加之与黄的父亲是世交，便邀黄一同出使日本。从此，黄遵宪开始了长达 10 余年的外交官生涯。

1877 年(光绪三年，明治十年)11 月，黄遵宪随首届驻日公使何如璋抵达日本。作为参赞官，黄遵宪在协助何如璋处理当时中日间存在的各种外交问题，如琉球归属问题及朝鲜问题上，都发挥了重要的作用。如针对明治政府出兵台湾、吞并琉球的扩张政策，黄遵宪充分认识到琉球所尥有的战略地位，代何如璋上书总署，主张力保琉球社稷，为中国营造一个安全的环境。对于朝鲜当时所面临的美日叩关的危机局面，黄遵宪特撰《朝鲜策略》一文，建议其“亲中国，结日本，联美国，以图自强”，对朝鲜的开国产生了深远的影响。[③]

另一方面，黄遵宪也极力主张中日两国应友好相处，共御外侮，为亚洲的稳定和繁荣共同努力。在《陆军官学校开校礼成赋呈有栖川炽仁亲王》一诗中，黄遵宪阐述了中日唇齿相依的近邻关係，表达了两国应世代友好的良好愿望：“同在亚细亚，自昔邻封辑。譬若辅车依，譬若犄角立。所恃各富强，乃能相辅弼。同类争奋兴，外侮自潜匿。解甲歌太平，传之千万亿”(《人境庐诗草》卷三)。

---

① 见钱仲联：“黄公度先生年谱”同治九年条，《人境庐诗草笺注》(下)，上海古籍出版社，1981 年版，第 1174 页。

② 见钱仲联：“黄公度先生年谱”光绪二年条，《人境庐诗草笺注》(下)，上海古籍出版社，1981 年版，同上书第 1180 页。

③ 参见郑海麟：《黄遵宪与近代中国》第二章“黄遵宪与明治前期的中日关系”、第三章“从《朝鲜策略》看黄遵宪的外交思想”，生活・读书・新知三联书店，1988 年版。

与此同时，黄遵宪还广交日本友人，积极开展文化交流活动。由于德川幕府长期推行锁国政策，江户时期日本文人很难与中国文人进行直接交流。因此，对于首届中华使节的到来，日本文人表现出空前的热情，"入境以来，执经者，问字者，乞诗者，户外屦满，肩趾相接，果人人得其意而去"（石川英《日本杂事诗跋》①），登门造访者络绎不绝。尤其是年届而立、风华正茂的黄遵宪，在公使馆中最富文才，更成为日本友人的结交对象，每天都忙得不亦乐乎。其中情形，正如王韬在《日本杂事诗序》中所描述的那样："既副皇华之选，日本人士耳其名，仰之如泰山北斗，执贽求见者户外屦满。而君为之提唱风雅，于所呈诗文，率悉心指其疵谬所在。每一篇出，群奉为金科玉律，此日本开国以来所未有也"。② 对于日本友人携来的诗文，黄遵宪或为其修改，或为其作序作跋，悉心指点，不厌其烦。

在与日本友人交往的过程中，黄遵宪也开始了自己的日本研究。其间情形，正如他后来在《日本杂事诗》定本自序中所述：

> 余于丁丑之冬，奉使随槎。既居东二年，稍与其士大夫游，读其书，习其事，拟草《日本国志》一书，网罗旧闻，参考新政，辄取其杂事，衍为小注，弗之以诗，即今所行杂事诗是也。③

来日后的二年间，黄遵宪一方面与日本友人广泛开展文化交流活动，另一方面对日本社会进行仔细观察，深入调查，他目睹了日本明治维新后所发生的巨大变化，于是萌生了撰写《日本国志》的念头。由于此项工作规模宏大，需要耗费大量时日，于是作为前期准备工作，黄遵宪首先撰写了《日本杂事诗》。

《日本杂事诗》于 1879 年 7 月由总理衙门以同文馆聚珍板刊印，初

---

① 钟叔河：《日本杂事诗[广注]》，收入钟叔河主编：《走向世界丛书》第五辑，岳麓书社，1985 年版，第 793 页。

② 钟叔河：《日本杂事诗[广注]》，收入钟叔河主编：《走向世界丛书》第五辑，岳麓书社，1985 年版，第 574 页。

③ 钱仲联：《人境庐诗草笺注》（下）附录一，上海古籍出版社，1981 年版，第 1095 页。

版本上下二卷共收诗 154 首，分别从国势、天文、地理、政治、文学、风俗、服饰、技艺、物产等各个方面，以诗夹注的形式对日本的历史和现状进行了系统而形象的描述。就内容而言，《日本杂事诗》堪称《日本国志》的姐妹篇，所不同的是，《日本杂事诗》是采用七言绝句形式的文学作品，而《日本国志》则是采用中国传统史书中典志体裁的史学著作，由此而言，二者相辅相成而又相映成趣。

《日本杂事诗》刊行后，受到中日两国文人学者的极大赞誉，日本汉学家石川英在《日本杂事诗跋》中惊叹道："上自神代，下及近世，其间时世沿革，政体殊异，山川风土，服饰技艺之微，悉网罗无遗。而词彩绚烂，咀英嚼华，字字征实，无一假借"，并对黄遵宪的才能佩服之至："公度来日未及二年，而三千年之史，八大洲之事详确如此，自非读书十行俱下，能如此乎？"①

经过数年的艰苦努力，黄遵宪终于完成了《日本国志》的初稿。1882 年（光绪八年，明治十五年）3 月，黄遵宪驻日任期届满，奉命调任旧金山总领事，他在赠别日本友人诗中咏道："海外偏留文字缘，新诗脱口每争传。草完明治维新史，吟到中华以外天"。② 诗中所谓"新诗"是指日本友人广为传诵的《日本杂事诗》，而所谓草完的"明治维新史"，则是指已经完成初稿的《日本国志》。

然而，在其后驻美的三年半时间，由于公事繁忙，黄遵宪无暇对《日本国志》初稿进行修改。1885 年秋，黄遵宪由美乞假回乡，决心完成《日本国志》的编撰事业，因而谢绝了新任驻美公使张荫桓及两广总督张之洞之召，"家居有暇，乃闭门发箧，重事编纂"（《日本国志叙》）。经过近两年呕心沥血的艰苦努力，1887 年夏，黄遵宪终于完成了这部前后费时 8 载、洋洋 50 余万言的巨著。为此，他特作《日本国志书成志感》（《人境庐

---

① 钟叔河：《日本杂事诗[广注]》，收入钟叔河主编：《走向世界丛书》第五辑，岳麓书社，1985 年版，第 794 页。

② 黄遵宪：《人境庐诗草》卷四《奉命为美国三富兰西士果总领事留别日本诸君子》其三，钱仲联：《人境庐诗草笺注》(上)，上海古籍出版社，1981 年版，第 340 页。

诗草》卷五）一诗，以抒发自己的激动之情：

湖海归来气未除，忧天热血几时摅？
千秋鉴借《吾妻镜》，四壁图悬人境庐。
改制世方尊白统，罪言我窃比《黄书》。
频年风雨鸡鸣夕，洒泪挑灯自卷舒。①

诗中，黄遵宪将《日本国志》比作日本的史籍《吾妻镜》，以及明末清初著名思想家王夫之的《黄书》，明确表示欲借鉴日本明治维新的成功经验，对中国进行改革的远大志向。

《日本国志》撰成后，黄遵宪将稿本抄写四份，一送总理各国事务衙门，一送李鸿章，一送张之洞，自存一份。② 1890 年（光绪十六年），黄遵宪将《日本国志》书稿交付羊城富文斋刊刻，但此年并未出版。1894 年（光绪二十年），黄又将书稿邮至巴黎，请出使英法意比四国大臣薛福成作序。直到 1895 年（光绪二十一年）底左右，《日本国志》才终于得以正式刊行，此时离黄遵宪完成书稿已逾八载。就这样，从酝酿伊始到正式出版，《日本国志》前后竟然费时 16 年之久。

三、《日本国志》的编纂动机

《日本国志》共 40 卷 50 余万言，除卷首中东年表外，全书共分 12 志，计国统志 3 卷，邻交志 5 卷，天文志 1 卷，地理志 3 卷，职官志 2 卷，食货志 6 卷，兵志 6 卷，刑法志 5 卷，学术志 2 卷，礼俗志 4 卷，物产志 2 卷，工艺志 1 卷。作者采用中国传统史书中专门叙述典章制度的典志体裁，从各个角度对日本的历史和现状进行系统而深入的介绍和研究，称得上是一部研究日本的百科全书。特别是在介绍明治维新的制度改革方面，其内容涉及政治、经济、军事、法律、官制、文化等各个层面，故黄遵宪亦称

① 钱仲联：《人境庐诗草笺注》（中），上海古籍出版社，1981 年版，第 443—444 页。
② “黄公度先生年谱”光绪十三年条，《人境庐诗草笺注》（下）第 1195 页。

其为一部“明治维新史”。在介绍总结明治维新经验的同时，黄遵宪还史论结合，与中国的现状进行多角度对照比较，提出一系列先进的改革主张。

黄遵宪为何要编纂《日本国志》这部煌煌巨著呢？笔者认为，其动机主要包括以下四个方面。

（一）参赞官的使命感

据《清史稿・职官志六》记载：“使臣掌国际交涉，参赞佐之”，规定参赞的主要职责主要是辅佐公使处理各种外交事务。然而，黄遵宪却认为，除此之外，身为参赞官，自己还负有例事日本研究的历史使命。在《日本国志叙》中，黄遵宪明确表示：“今之参赞官即古之小行人，外史氏之职也”，并引用《周礼・秋官・小行人》：“小行人之职，使适四方，以其万民之利害为一书，礼俗、政事、教治、刑禁之顺逆为一书，以反名于王”；以及《周礼・春官・外史氏》：“外史氏掌五帝三王之书，掌四方之志”，来具体说明自己的职责。黄遵宪认为，古昔盛时，就“已遣輶轩使者于四方，采其歌谣，询其风俗，又命小行人编之为书，俾外史氏掌之，所以重邦交，考国俗者”，而如今，由于出使大臣忙于各种外交大事，无暇著述，于是采风问俗的工作自然而然地落在身为僚属的自己身上，“不从事于采风问俗，何以副朝廷咨诹询谋之意？”故而将之视为参赞官义不容辞的使命。

（二）对中国人缺乏了解日本的强烈不满

黄遵宪来日后，发现日本人研究中国的著作汗牛充栋，而中国人对日本却缺乏最基本的常识，不由得感慨万端，他在《日本国志叙》中写道：

> 以余观日本士夫，类能读中国之书，考中国之事。而中国士夫，好谈古义，足己自封，于外事不屑措意，无论泰西，即日本与我仅隔一衣带水，击柝相闻，朝发可以夕至，亦视之若海外三神山，可望而

> 不可即，若邹衍之谈九州，一似六合之外，荒诞不足论议也者，可不谓狭隘欤！①

长期的闭关锁国，使得中国的士大夫们陶醉在天朝至上、固步自封的自满情绪中，对于外部世界一直漠不关心。远隔重洋的欧美且不用说，就连仅隔一衣带水的日本，也将其视作传说中的海外三神山，可望而不可即。有感于此，黄遵宪认为有必要对日本进行全方位的介绍研究，以弥补国人对日认识的不足。

虽然鸦片战争后，为抵抗外来侵略，有志之士开始睁眼看世界，着手研究外国，诞生了徐继畬的《瀛寰志略》及魏源的《海国图志》等富有影响的著作。然而，诚如薛福成所言，它们"于西洋绝远之国，尚能志其崖略；独于日本，考证阙如。或稍述之，而惝恍疏阔，竟不能稽其世系疆域，犹似古之所谓三神山者之可望不可至也。"(《日本国志序》)如徐继畬的《瀛寰志略》虽于卷一叙述东洋二国日本与琉球，但竟称日本是由对马、长崎、萨马(按：萨摩之译音，今鹿儿岛)三岛组成，并用地图标出，足见当时国人的日本地理知识何等肤浅。而魏源的《海国图志》亦只是罗列前人的有关记述而已。

与此相比，《日本国志》乃是黄遵宪亲自考察日本的结晶，所据材料皆为作者驻日四年间多方蒐集而成，自然与徐、魏的著作不可同日而语。对此，黄遵宪也颇为自信，曾致函日本友人宫岛诚一郎，称《日本国志》"翔实有体，盖出《海国图志》、《瀛寰志略》之上。"②

(三) 明治维新观的转变

黄遵宪来日后，虽然亲身经历了明治维新后日本社会所发生的一系列重大变化，但他对于明治维新的认识，也经历了一个由怀疑到认同，再

① 黄遵宪：《日本国志》，上海古籍出版社，2001年版，第9页。

② 此函原件现存于日本国立国会图书馆藏"宫岛诚一郎文书"341，收入刘雨珍：《黄遵宪致宫岛诚一郎书柬辑录》，南开大学日本研究中心编《日本研究论集》第5辑，2001年3月。后收入陈铮编：《黄遵宪全集》(上)，中华书局，2005年版，第343—344页。

到赞美的转变过程。对此，黄遵宪在《日本杂事诗》定本自序中回忆道：

> 余所交多旧学家，微言刺讥，咨嗟太息，充溢于吾耳。虽自守居国不非大夫之义，而新旧同异之见，时露于诗中。及阅历日深，闻见日拓，颇悉穷变通久之理，乃信其改从西法，革故取新，卓然能自树立，故所作《日本国志》序论，往往与诗意相乖背。久而游美洲，见欧人，其政治学术，竟与日本无大異。今年日本已开议院矣，进步之速，为古今万国所未有。时与彼国穹官硕学言及东事，辄敛手推服无异辞。①

由于黄遵宪来日当初，结交的友人多为汉学家，受他们对明治维新“微言刺讥，咨嗟太息”的影响，《日本杂事诗》初版本中“新旧同异之见，时露于诗中”，甚至作诗讥讽维新后的民风衰败。②

但随着他“阅历日深，闻见日拓”，来日后期黄遵宪思想发生了巨大变化，认识到正是因为日本革故鼎新，引进西方的各项先进制度，才能做到“卓然能自树立”，进而坚信中国走向变法也是势在必然。他曾对何如璋说：“中国必变从西法，其变法也，或如日本之自强，或如埃及之被逼，或如印度之受辖，或如波兰之瓜分，则吾不敢知，要之必变”，并且预言：“三十年后，其言比验”。1880 年前后，日本自由民权运动方兴未艾，黄遵宪“初闻颇惊怪，既而取卢梭、孟德斯鸠之说读之，心志为之一变，以为太平盛世必在民主”，这种思想转变使他认识到必须把明治维新的改革经验介绍到中国，为中国的改革提供宝贵的借鉴，这也是促使他着手编纂《日本国志》的动机之一。

后来黄遵宪出使美英，在与欧美人的接触中，发现它们对日本明治维新后所取得的巨大成就赞不绝口，更加深了他对明治维新的高度评

---

① 钱仲联：《人境庐诗草笺注》(下)附录一，上海古籍出版社，1981 年版，第 1095 页。

② 如初版本第十九首作：“夕阳红树散鸡豚，荞麦青青又一村。茅屋数家篱犬卧，不知何处有桃源。”黄遵宪自注曰：“(前略)今东京、横滨、神户，民半狡黠异常矣。”见黄遵宪：《日本杂事诗》(影印初版本)，朝华出版社，2017 年版，第 11 页。

价。因此,黄遵宪于1890年在英国伦敦公使馆,对《日本杂事诗》进行大幅度修订,删除了初版本中讥讽明治维新之作,补充了吟诵各种新制度的诗歌,诗的数量由154首增至200首,并以其作为定本。

(四) 对日本不断扩张的高度警戒

明治维新后,日本积极推行富国强兵政策,一方面殖产兴业,对内发展经济,另一方面开疆拓土,对外不断扩张,1874年入侵台湾,1879年强占琉球,进而窥视朝鲜,对中国构成威胁。正如梁启超所言,黄遵宪著《日本国志》,其用意之一就在于警告国人"日本维新之效成且霸,而首先受其衝者为吾中国"。

在《日本杂事诗》定本自序中,黄遵宪回顾道:维新之初,人们对于日本的走向议论纷纭,有人认为是"外强中干,张脈僨兴",无法维持多久;也有人认为能"以小生巨,遂霸天下"。而黄遵宪则以其高度敏锐的洞察力,发现"日本维新以来,颇汲汲于武事"(《兵志》一),认为日本"颇有以小生巨,遂霸天下之志"(《地理志》一),因此极为详细地介绍了明治维新以后日本采用西方兵制,设立陆海二军的过程,并在《兵志》中著录了有关明治日本军事的最新统计表37个,包括"明治十三年征兵表"、"六管镇台表"、"陆军编制表"、"陆军军费出入表"及海军"船舰表"等,以期多角度地把握明治初期日本的军备发展情况。

1894年春,薛福成读罢《日本国志》,对中日两国的前途颇感不安,指出两国"自今以后,或因同坏而世为仇雠,有吴越相倾之势;或因同盟而互为唇齿,有吴蜀相援之形。时变递嬗,迁流靡定,惟势所适,未敢悬揣"(《日本国志序》),批评国人对日本缺乏相应的了解:"使稽其制而阙焉弗详,覘其政而瞢然罔省,此究心时务、闳览劬学之士所深耻也",并盛赞黄遵宪"可谓闳览劬学之士"。①

不久,甲午战争爆发,由于清廷统治者的腐败以及对日认识的不足,

---

① 黄遵宪:《日本国志》,上海古籍出版社,2001年版,第1页。

致使北洋水师全军覆没，被迫与日签订《马关条约》，割地赔款，屈辱求和。据黄遵宪回忆，当时任总理衙门章京的袁昶曾喟叹道：若是《日本国志》能够早流布的话，就可省去对日赔款的二亿两银子！① 虽属事后夸大之辞，但也一语道破《日本国志》所具有的远见卓识及其觇国价值。

四、《日本国志》的体例特征

《日本国志》虽然采用传统的典志体裁，但有不少地方推陈出新，具有自己的鲜明特色。作为近代中国人编纂的第一部系统研究日本的大型史籍，《日本国志》在体例上主要具有以下几个特征。

(一) 名从主人，实事求是

黄遵宪摒弃了中国传统史书推崇“华夷之辩”的妄自尊大态度，而采取实事求是、平等相待的叙述立场。在《日本国志·凡例》中，黄遵宪批评“以内辞尊本国，北称索虏，南号岛夷”的传统史笔乃“狭陋之见”，反对将他国之君无端“易其名号”，主张“史家纪述，务从实录”。在《日本国志》中，按照《谷梁传》中的“名从主人”原则，“曰皇曰帝，概从旧称”，且官名、地名、事物名称，亦“皆以日本为主，不假别称。”

同时，在《邻交志》中，黄遵宪也批评了日本史学家德川光国的《大日本史》及青山延光的《日本纪事本末》为尊崇日本国体，摒弃汉魏时期朝贡封拜事，而将中日交流断自隋唐的态度，指出“史家旧习，尊己侮人，索虏岛夷，互相嘲骂。丽国列日本于东夷传，日本史亦列隋唐为元蕃传；中国称为倭王，彼亦书隋主唐主。譬之乡邻交骂，于事何益？”，同时提出自己的著述立场：“今此篇谨遵条约睦邻国书之意，参采中国日本诸书，纪事务实，不为偏袒，曰皇曰帝，亦不贬损，所以破儒者拘墟之见，祛文人浮

---

① 黄遵宪：《三哀诗·袁爽秋京卿》：“马关定约后，公来谒大吏。（中略）公言行箧中，携有《日本志》，此书早流布，直可省岁币。我已外史达，人实高阁置。我笑不任咎，公更发深喟。”（《人境庐诗草》卷十）

誇之习也”(《邻交志》一)。这种“纪事务实,不为偏袒”,亦即尊重历史,实事求是的态度,作为《日本国志》的总体指导思想而贯穿始终。

(二) 详今略古,详近略远

与《通典》《通志》等传统典志书籍不同,《日本国志》并不注重详述日本各种典章制度的沿革史,而是将主要笔墨放在叙述明治维新后发生的巨大变化,特别是效仿西方推行的各项制度改革上。在《日本国志·凡例》中,黄遵宪指出:“检昨日之历以用之近日则妄,执古方以药今病则谬,故杰俊贵识时。(中略)日本变法以来,革故鼎新,旧日政令,百不存一,今所撰录,皆详今略古,详近略远,凡牵涉西法,尤加详备,期适用也”。他还表示:“考古即所以通今”(《日本国志叙》),主张发挥史书的经世致用作用。由此可见,黄遵宪编纂《日本国志》的意图之一,就是想通过详细介绍明治维新后日本走上近代化道路的具体历程,为中国的改革和施政提供一部生动的参考教材。

例如,《日本国志》中的职官、食货、兵志、刑法诸志,只在开篇略述其沿革史,然后便对明治维新后日本模仿西方资本主义国家,进行有关政治体制、经济体制、军事制度、法律制度等方面的一系列改革作了极为详尽的介绍,同时“借端伸论,又六万余言”(张之洞《咨文》引),通过许多注解和评论来阐发自己的见解,为中国的改革提出建议。如《刑法志》五卷,仅用数百字简述日本自古以来的法制概况,其余篇幅皆用于全文译载明治十三年(1880年)七月(原书作明治十四年二月)公布的《治罪法》480条及《刑法》430条。其目的就是希望中国能够参考这两部法典,编成一部具有近代意义的新宪法。①

(三) 史论结合,中外比较

《日本国志》仿《史记》“太史公曰”之例,每志前后都附有“外史氏曰”

① 参见李贵莲:《近代初期中国法的变革与日本的影响》,收入刘俊文、池田温主编:《中日文化交流史大系2·法制卷》,浙江人民出版社,1996年12月。

的评论，用以阐发作者的思想见解。据笔者统计，全书共有“外史氏曰”的评论31篇。另外，正文之中也常常加以长短不一的双行小注，以对正文的内容进行补充、考证或者分析。

这些评论和小注，有的是对日本的历史规律进行总结分析，有的是对西方资本主义制度详加介绍考察，但更多的是对明治维新后日本政府所采取的各种政策措施进行研究剖析，并与中国的实际情况加以对照，提出一些有益的建议，给人以很大启迪。

例如，在编完《国统志》后，黄遵宪对日本历史进行了总结，认为日本历史的“治乱之由”有四：“一在外戚擅权，移太政于关白”“一在将门擅权，变郡县为封建”“一在处士横议，变封建为郡县”“一在庶人议政，倡国主为共和”（《国统志》三）。

又如，《邻交志》下在叙述日本与洋的交流史后，黄遵宪笔锋一转，对治外法权展开了猛烈抨击。他批评西方列强明知治外法权“为天下不均不平之政”，但仍在亚洲极力推行，致使“今日治外法权之毒，乃遍及于亚细亚”（《邻交志》下一），并提出废除治外法权的具体设想。

“外史氏曰”的评论最多见于《食货志》，共计7篇。《食货志》共分6卷，详细介绍明治维新后日本的户籍、租税、国计、国债、货币、商务等情况。通过考忟研究，黄遵宪将西人治国理财之道，归纳为审户口、核租税、筹国计、考国债、权货币、稽商务六点，认为“六者兼得，则理财之道得而国富矣；六者交失，则理财之道失而国贫矣”（《食货志》一）。他还联系当时中国的经济现状，进行了广泛的比较研究。如关于税收制度，黄遵宪发现与中国“取之过轻，征之又不如额”的税收状况相较，日本及欧美的税收明显要繁重得多，然“询之欧罗巴人，亦终无一人怨其国之横征暴敛”。由此认识到国家税收的重要性，指出：“世人徒见英俄法美船舰之多，金帛之富，而不知其岁入租税至七千万磅之多。假使中国岁入得有此数，必今日常税骤增五六倍，即铁甲轮路，一切富强之具，咄嗟而办，亦复何难！正为岁入不足之故，无论外务，即内国政令，亦不得不苟且敷衍，能静而不能动，谓非取之过轻之故欤？”（《食货志》二）文中大胆批评清朝政府所采取的过轻的税收政策，提出了仿效欧美加大税收的必要性。

（四）以表辅之，一目瞭然

在《日本国志・凡例》中，黄遵宪指出："物非图则不明，事非表则不详"，因而书中频繁使用各种数字或文字统计表格，"以便阅者解带，触目了然"，使读者能够简洁明了地把握维新后的各种新变化。据笔者统计，《日本国志》收录的各类统计表多达130个，其中《食货志》有表40，居首位；以下依次为《兵志》37，《物产志》21，《地理志》19，《职官志》11，《天文志》1，《学术志》1。

另外，鉴于本书"编年纪月，不得不用日本年号，惟日本史中国颇少传"（《凡例》），黄遵宪特于卷首编辑了《中东年表》，将日本自崇神天皇元年（汉武帝天汉四年，公元前97年）至明治十四年（清光绪七年，公元1881年）的中日纪元，逐年列成对照年表，以方便中国读者对照参考。

虽然黄遵宪言"今所撰地理志，以图附志"（《凡例》），但所刊各本皆未见《地理志》后载有附图。据黄遵宪回忆，驻日期间，"《日本国志》初属稿时，地理志附数图。（一兵制分管之图，一学校分区之图，一裁判所分设之图，一物产图）既定体制，拟草稿，遂托陆军参谋部木村某以精铜刻板，与之订约，并交去百金。"木村名曰信卿，时任陆军步兵少佐，黄遵宪委托他及其同僚制作四幅地图，其中包括六管镇台及分营、炮台之位置、名界等，但由于后来内部有人告发，"谓其卖国，以险要形胜输之中国使署，遽锒铛下狱，扃禁甚严"①，木村受到处分，所绘之图，亦被没收。②

1897年，《日本国志》改刻本发行之际，黄遵宪觉得"《志》中《凡例》有

① 光绪二十三年（1897年）三月廿一日黄遵宪《致汪康年书》，收入陈铮编：《黄遵宪全集》上，中华书局，2005年版，第405页。

② 据明治十四年（1880年）九月五日《东京日日新闻》所载陆军裁判所判决书，当时参与地图制作者除木村信卿外，还有参谋本部地图课涩江信夫、木下孟宽、若林平三郎以及铜版师青野才平等人，因涩江惧怕查处而中途告发，事遂败露。涩江因故逝获免，木村被判"闭门半年后停官"。

附图之语,自不能略而不备也"①,打算将图补上。他曾从日本佛馆购得日本地图300份,但由于所载郡邑过于繁密,并不理想,故未补入。他还委托日本友人多方购买,然终未能遂愿②。今《日本国志》仅有表而无图,不得不说是一大遗憾。

五、《日本国志》的主要协助者

据薛福成序,黄遵宪撰《日本国志》"采书至二百余种",这些书籍包括中日两国的正史、野史、笔记、杂录等。其中日本史籍有德川光国的《大日本史》、赖山阳的《日本政记》《日本外史》、岩垣松苗的《国史略》、蒲生秀实的《山陵志》《职官法》,以及《日本书纪》《续日本书纪》《日本后纪》《文德天皇实录》《日本三代实录》《怀风藻》《扶桑集》《扶桑略记》《凌云集》《延喜式》《类聚三代格》《吾妻镜》《徂徕集》《江户繁昌记》等。③ 另据最新研究,《礼俗志》中不少条目多采自江户时期汉学家村濑栲亭的汉文著作《艺苑日涉》。④

而有关明治维新后的资料,据黄遵宪介绍,"所据多布告之书,及各官省年报"⑤,可知主要采自明治政府的太政官布告以及各省官年报。另据考证,《地理志》所据材料,则采自地理寮地志课冢本明毅等编撰的《日

---

① 光绪二十三年(1897年)三月廿一日黄遵宪《致汪康年书》,收入陈铮编:《黄遵宪全集》上,中华书局,2005年版,第405页。

② 光绪二十三年(1897年)四月十九日(5月20日)黄遵宪《致汪康年书》:"前托购日本图,如能多购几样(各样先购一本),再择其善者印数百分较为妥善。近日由日本使馆购得三百份,详载郡邑,过于繁密。弟意如有着色分画今之府县,古之藩国,并将镇台分管、学制分区、裁判分所注者最善。可问古城君有无此本也。"(陈铮编:《黄遵宪全集》上,中华书局,2005年版,第407—408页)

③ 郑海麟:《黄遵宪与近代中国》,三联书店,1988年版,第162—163页。

④ 王宝平:《黄遵宪〈日本国志〉源流考》,收入浙江大学日本文化研究所编:《江户·明治时期的日中文化交流》,(日)农文协出版社,2000年版。

⑤ 郑子瑜、实藤惠秀编:《黄遵宪与日本友人笔谈遗稿》第284页,早稻田大学东洋文学研究会,1968年5月,收入沈云龙主编《近代中国史料丛刊续编》第10辑。

本地志提要》。①

由于黄遵宪没有具体记载所引资料的来源，书中亦未列出引用书目，因此给《日本国志》资料来源的考证辨析工作带来诸多不便，需要我们今后进行更加细致的调查研究。

黄遵宪驻日前后只有四年有余，又不通日本语言，因此要编纂一部包罗日本历史各个方面的史书，确实不是一件容易的事情。特别是典章制度方面，因史料匮乏，甚至令日本史学家亦望而却步，知难而退。日本友人冈千仞就曾告诉黄遵宪说："此事水户史官所欲为而不能为，盖无足以供史料者也。蒲生君平亦有此志，中途而止，亦坐无史料耳"②，黄遵宪亦在《日本杂事诗》中叹道："兵刑志外征文献，深恨人无褚少孙"③。然而，黄遵宪还是决心效仿褚少孙续补《史记》，完成《日本国志》的编撰工作。

当然，在撰写《日本国志》的过程中，黄遵宪亦曾面临重重困难。他将这些困难概括为以下三点(《凡例》)。

第一，采辑之难："日本古无志书，近世源光国作《大日本史》，仅成兵、刑二志，蒲生秀实欲作氏族、食货诸志，有志而未就，新井君美集中有田制、货币考诸叙，亦有目而无书，此皆汉文之史而残阙不全，则考古难；维新以来，礼仪典章，颇彬彬矣，然各官省之职制、章程、条教、号令，虽颇足征引，而概用和文，不可胜译，则征今亦难。此采辑之难也。"④

第二，编纂之难："以他国之人，寓居日浅，语言不达，应对为烦，则询访难；以外国之地，襄助乏人，浏览所及，缮录为劳，则抄撮亦难。此编纂之难也。"

---

① 王宝平：《黄遵宪与姚文栋——〈日本国志〉中雷同现象考》，收入胡令远、徐静波编《近代以来中日文化关系的回顾与展望》，复旦大学日本研究中心第九届国际学术研讨会论文集，上海财经大学出版社，2000年7月。

② 刘雨珍编校：《清代首届驻日公使馆员笔谈资料汇编》(下)，天津人民出版社，2010年版，第710页。

③ 钱仲联：《人境庐诗草笺注》(下)，上海古籍出版社，1981年版，第1121页。

④ 黄遵宪：《日本国志》，上海古籍出版社，2001年版，第4页。

第三，校雠之难："既非耳目经见之书，又多名称僻异之处，而其中食物之名，有以和文译汉文者，有以英文译和文再译汉文者，或同字而异文，或有音而无义，则校雠亦颇为难。"①

上述种种困难，使得黄遵宪有时感到力不从心，"搁笔仰屋，时欲中辍"(《凡例》)，甚至曾对日本友人说"此事大难，恐不成书"②。

幸好黄遵宪周围聚集了一大批硕学鸿儒，可以随时为他提供各种帮助。据黄遵宪自称，"遵宪来东，士大夫通汉学者十知其八九"③，可见当时与日本汉学家交流之广泛。④ 黄遵宪在任驻日参赞的四年多时间，由于能与这些汉学家们通过作诗唱和或笔谈来进行交流，得以克服因语言不通而造成的巨大障碍。可以说，黄遵宪之所以能够完成《日本国志》这部巨著的撰写工作，是与他们的鼎力相助密不可分的。

就现有史料可以看出，黄遵宪在编纂《日本国志》的过程中，主要得到了宫岛诚一郎、青山延寿、石川鸿斋、龟谷省轩等人的大力协助。⑤ 他们都曾在修史馆任职，具有很高的史学素养，熟悉相关史料，通过笔谈可以随时为黄遵宪解疑释难，提供帮助。下面就利用一些笔谈资料，分别予以论述。⑥

---

① 黄遵宪：《日本国志》，上海古籍出版社，2001 年版，第 4 页。

② 刘雨珍编校：《清代首届驻日公使馆员笔谈资料汇编》(下)，天津人民出版社，2010 年版，第 710 页。

③ 陈铮编：《黄遵宪全集》上，中华书局，2005 年版，第 241 页。

④ 仅《人境庐诗草》中所咏及的日本友人，便有石川鸿斋、伊藤博文、榎本武扬、大山岩、浅田惟常、重野安绎、宫本小一、大沼厚、南摩纲纪、龟谷省轩、岩谷修、蒲生重章、青山延寿、小野长愿、森鲁直、冈千仞、鲈元邦、宫岛诚一郎、秋月种树、日下部东作等二十余名，他们多为明治初期日本著名的政治家、汉学家。

⑤ 参见伊原泽周《〈日本国志〉编写的探讨——以黄遵宪初次东渡为中心》，载《近代史研究》1993 年第 1 期。

⑥ 当时一些日本友人将与何如璋、黄遵宪等公使馆成员的笔谈资料详加整理，妥善保存，成为今日我们研究近代中日文化交流史的宝贵资料。如原高崎藩藩主大河内辉声(1848—1882)所保存的大量笔谈资料《大河内文书》，其中有关黄遵宪部分，经郑子瑜、实藤惠秀两先生悉心整理，曾以《黄遵宪与日本友人笔谈遗稿》名义刊行，嘉惠后人研究者甚多。近年来又发现宫岛诚一郎与何如璋、黄遵宪等的笔谈资料，参见刘雨珍：《黄遵宪致宫岛诚一郎书柬辑录》，南开大学日本研究中心编《日本研究论集》第 5 辑，2001 年 3 月。

1. 宫岛诚一郎

宫岛诚一郎(9838—1911),号栗香、养浩堂等,曾供职于左院、修史局、宫内省等,后被敕选为贵族院议员,著有《国宪编纂起原》、《养浩堂诗集》等。宫岛与首届公使何如璋、第二届公使黎庶昌、以及黄遵宪,杨守敬等人皆交情深厚,他们先后都参加过宫岛《养浩堂诗集》的俾改、评点、序跋工作,其中尤其以黄遵宪用力最深。[①]

正如宫岛在其《养浩堂诗集》序中所述:"黄参赞公度,与余交莫逆",二人交情非同一般。黄遵宪亦在诗中咏道:"一龛灯火最相亲,日日车声碾麴尘"[②],将宫岛视为一龛灯火下最为相亲的挚友。宫岛所居的麴町与公使馆仅一街之隔,二人来往频繁,关系非常密切。

由于黄遵宪与宫岛交情深厚,黄驻日期间,宫岛又先后任职于修史馆与宫内省,因此能够为黄遵宪《日本国志》的写作提供资料协助。

如1879年(明治十二年)3月31日,黄遵宪致函宫岛说:"德行自藤惺窝、文章自物徂徕以下诸公,乞条其名字、籍贯、所著之书,一一以告,汉学、宋学又当分别,文与诗又分举为妙也"[③]。藤惺窝即藤原惺窝,江户朱子学的开创者;物徂徕即荻生徂徕,江户古文辞学派的代表。毋庸置疑,黄遵宪是在为撰写《日本国志·学术志》中的汉学部分而请求宫岛提供有关资料。

又如,1880年(明治十三年)5月,黄遵宪在与宫岛笔谈中,介绍正在编撰的《日本国志》情况:

> 公度:近日作《日本史志》,必至今年年尾,乃能脱稿。分十三目,书约三十卷。

---

① 参见刘雨珍:《关于黄遵宪与宫岛诚一郎交友的综合考察——以〈宫岛诚一郎文书〉为中心》,(日)山梨学院大学社会科学研究所编《社会科学研究》第26期,2001年1月。

②《续怀人诗》其八,《人境庐诗草》卷七。

③ 刘雨珍编校:《清代首届驻日公使馆员笔谈资料汇编》(下),天津人民出版社,2010年版,第478页。

宫岛:先生独力犹为此事乎?且有公事,应多忙。吾辈突然访高馆,费贵闲,甚无心。一卷何十叶?

公度:独力为之。每脱一稿,则何大使润色之。一卷三十叶左右。

其目曰:国势、邻交(上下)、天文、地舆(有图)、食货(为目者六)、刑法、兵(为目二)、文学(为目三)、礼俗(为目十二)、物产、礼乐、工艺(十一)。有《礼俗志》一篇,中分十二目。有曰朝会,有曰祭祀者,此二事缺欠焉不详。阁下方官宫内省,必能缕悉之。幸于暇时别纸条示,感戴不尽。①

据此可知,黄遵宪计划于年内完成《日本国志》的编撰工作。将当时构想与后来成稿相比,可以发现略有不同,如十三目后减为十二志(无政治),三十卷后增至四十卷,另外如国势、地舆、兵制、文学,后亦改名为国统、地理、兵、学术诸志。但我们也可从笔谈中发现,此时黄遵宪已经初步设计好各志的细目。

由于当时宫岛正任职于宫内省,因此黄遵宪特地就《礼俗志》中有关朝会和祭祀问题请求帮助。随后,黄遵宪便开列了有关朝会和祭祀的十一项疑问,请求宫岛根据现行制度予以回答:

一问 朝会日期。如天长节之类。

一问 常朝仪式。

一问 朝会时尚有卤簿否?

一问 朝会时仪式。

一问 宫中女官参朝仪式。

一问 天子亲祭之神。

一问 遣使祭告之神。

① 刘雨珍编校:《清代首届驻日公使馆员笔谈资料汇编》(下),天津人民出版社,2010年版,第538页。

一问 祭祀仪式。

一问 祭祀时供设品物。

一问 祭祀时祝辞。

一问 臣庶家祭祀仪式。①

并特别指出："以上所问，据现今所行而答，其古时制度，且略而弗道。阁下若有不及尽知者，祈转询之友人，是所至祷。"

对此，宫岛回答道："朝会祭祀许之。现以假皇居，未有确制。古制则详于邦典，阁下应悉知。朝会规则现于式部寮议定之，阁下若求之，则缓求之。比阁下尊著渐成，必应定制。虽然，大抵假定之制度有之，仆为阁下徐应编纂之。"②表示愿意为黄遵宪提供帮助。

不久，宫岛将有关朝会、祭祀的暂行规定《现行假例》交给黄遵宪。8月14日，黄遵宪致函宫岛："收到见惠《朝会祭祀现行假例》一本，俟暇趋谢。"并言："前承赐《朝会典礼》，详密整赡，拜谢无已！"③

今阅《日本国志·礼俗志》有关朝会、祭祀记载，其中朝会包括新年朝贺、新年宴会、纪元节宴会、天长节宴会、每月赐宴等，祭祀包括新年祭、元始祭、祈年祭、春秋季皇灵祭、新尝祭、祭祢庙、祭陵等条目，分门别类，条理分明。而在最后的小注部分，黄遵宪写道："以上今礼，从宫内书记询问得之，名曰《现行例假》，谓暂时所行，非典制也。"(《礼俗志》一)显然，此处所谓宫内书记是指宫岛诚一郎，所言《现行例假》即前述宫岛所提供者。

然而，宫岛并非能为黄遵宪提供所需的一切资料，尤其是有关军事机密的内容，更是无法满足黄的要求。如1881年(明治十四年)7月17

① 刘雨珍编校：《清代首届驻日公使馆员笔谈资料汇编》(下)，天津人民出版社，2010年版，第538页。

② 刘雨珍编校：《清代首届驻日公使馆员笔谈资料汇编》(下)，天津人民出版社，2010年版，第538—539页。

③ 刘雨珍编校：《清代首届驻日公使馆员笔谈资料汇编》(下)，天津人民出版社，2010年版，第551页。

日，黄遵宪致函宫岛：

> 仆所撰《日本志》将近脱稿，中有海军一门，因海军尚无年报，拉杂采辑，虑不免有误，且尚有一、二询请之事，因念令弟小森泽君今官海军，仆亦叨有一面之识，不揣冒昧，敬以奉恳。①

信中提出《兵志》中的海军一节，因需要海军船舰表、海军兵学校、海军新设规程局以及海军每年经费等有关资料，请当时任职于海军省的宫岛诚一郎胞弟小森泽长政（小森泽家养子）帮忙提供如下信息：

> 一、今送到海军船舰表共四纸，中有错误者祈为改正，有疏漏者祈为补入。
>
> 一、问海军兵学校规则，明治四年正月十日太政官布告者，今犹用否？若有新规则，可以借示否？
>
> 一、海军新设规程局，敢问所司何事？
>
> 一、问海军兵卒（专指下卒）规则可借示否？兵卒每月给俸一元七十钱，有等第否？
>
> 一、问海军每岁经费何项用多少？可示其大概否？②

宫岛 8 月 2 日回函，转达小森泽婉言回绝此事之意：

> 所示海军船舰表并军兵学校其馀数件，仆已领命。弟小森泽长政现奉职东海镇守府，常在横滨总辖诸舰。阁下所云，仆已转致。顷弟从横滨来，曰所云件件仔细检查，此等之事，固当明告者。但秘史之职，事无大小，非受省卿之命，则不能私告。若转照之本省书记，则知之亦甚容易耳。俄、德二公使亦有此公问，已经一一明告。

① 刘雨珍编校：《清代首届驻日公使馆员笔谈资料汇编》（下），天津人民出版社，2010 年版，第 575 页。

② 刘雨珍编校：《清代首届驻日公使馆员笔谈资料汇编》（下），天津人民出版社，2010 年版，第 575 页。

弟之言如此，便以告阁下。①

但是，不久宫岛转来小森泽婉言回绝的口信："秘史之职，事无大小，非受省卿之命，则不能私告"，要求黄遵宪直接照会海军省书记，并说对德、俄两国公使也持同样态度。

今《兵志》海军部分，较之陆军，内容要简单得多，其原因大概在此。

2. 青山延寿

青山延寿(1820—1906)，字季卿，号铁枪，生于史学世家，著有《皇朝金鉴》、《大日本史地理志稿》、《读史杂咏》、《读史偶笔》、《铁枪文集》等。父延于，兄延光，皆为水户史学的著名学者。1878 年，黄遵宪为其《皇朝金鉴》佼序，对青山父子的史学成就给予了高度评价：

日本之史，以汉文纪事者，莫善于《大日本史》，而其书实出水户藩士之手。水户藩号多贤，有青山云龙氏者，世以史学鸣，其伯子延先(按："光"之误)，继《日本史》后，为《纪事本末》一书，而史体始备。余来日本，即闻青山氏名，后得与其季子延寿交。延寿官于史馆，平生所著述，多涉国史，与之征文考献，无能出其右者。②

由此可知，黄遵宪所交的日本友人之中，以青山延寿对日本史学造诣最深。

1878 年(明治十一年)3 月 23 日，青山延寿访问公使馆，与何如璋、黄遵宪等举行笔谈，以下是何如璋与青山之间的问答：

如璋：君在史馆现编何书？贵国史有各志否？如有成书，乞惠示一观为快。

青山：仆在史馆，搜索史料，是其任也。如撰修则在编修职，今

① 刘雨珍编校：《清代首届驻日公使馆员笔谈资料汇编》(下)，天津人民出版社，2010 年版，第 576 页。

② 陈铮编：《黄遵宪全集》上，中华书局，2005 年版，第 265 页。

仆所任，辑各藩史料也。《大日本史》有十一志略已就绪，兵志、刑法志已刻成，其他校合未毕也。①

据此可知，青山在史馆的工作主要是搜集史料。笔谈中，青山还介绍说，《大日本史》11 志（按：实为 10 志）当时只刊行了兵、刑二志，其他尚未校合完毕。《大日本史》10 志（神祇、氏族、职官、国郡、食货、礼乐、兵、刑、阴阳、佛事）最终全部刊行完毕，还须待到 1906 年（明治三十九年），因此黄遵宪编纂《日本国志》时，除兵、刑二志外，其余诸志皆未能参照。

青山延寿学识渊博，家藏史书极为丰富，可以推断，与其交流，是黄遵宪获取有关日本史志知识的重要途径之一。

3. 石川鸿斋

石川鸿斋（1833—1918），名英，字君华，号鸿斋、芝山外史等，三河丰桥人，工诗文，亦擅山水人物画。著有《精注唐宋八大家文》《日本八大家文读本》《日本外史纂论》《芝山一笑》等。1879 年黄遵宪撰成《日本杂事诗》，石川曾为之题跋。二人来往密切，笔谈频繁。如 1878 年（明治十一年）6 月 16 日的笔谈：

公度：《大日本史》有纪传而无表志，欲考典章，必于志乎。仆急急欲得如史志诸书览之，恨其不知也。

鸿斋：《日本外史》初卷有引书标目，仆不悉记，请在馆中示之耳。

公度：各史所引书目，多和文者，仆意欲得汉文者耳。②

由于《大日本史》表志部分此时尚未刊行，黄遵宪请石川为其推荐有关日本典章的史志书籍。对此，石川介绍说赖山阳的《日本外史》中列有

① 刘雨珍编校：《清代首届驻日公使馆员笔谈资料汇编》（上），天津人民出版社，2010 年版，第 51 页。

② 刘雨珍编校：《清代首届驻日公使馆员笔谈资料汇编》（上），天津人民出版社，2010 年版，第 128 页。

引书目录，而黄遵宪更希望阅读用汉文撰写的日本史料。

又如该年11月21日的笔谈中，黄遵宪请石川代为翻译岩垣松苗的《国史略》：

> 公度：此篇自“政体”以下，祈代为译汉，但何以酬劳，祈足下自度，与王黍园言之。
>
> 鸿斋：政体以来迄尾译之欤？
>
> 公度：是书译毕，他尚有烦君者。一切纸笔之费，仆以为不如计篇数，如每十篇需多少，足下自审度之可也。
>
> 鸿斋：此文鄙拙，译之不甚佳，惟贯串意而已。仆尘事多端，请限今年毕业。
>
> 公度：是文虽鄙，阁下熟史，以意润色贯穿之可也。他日携归，可为君刊行之。
>
> （中略）
>
> 公度：仆阅史，喜阅志，故求足下先为此。
>
> 鸿斋：译新闻纸布令者，有其人乎？未否？
>
> 公度：此间本有翻译冯姓者为之，然仆观之，不译亦知其事也。通西人语言文字者多，通日本语言文字者少。①

笔谈中，黄遵宪不仅委托石川翻译《国史略》的部分章节，而且提出译毕后，还有其他史籍需要石川继续帮忙，可见石川为黄遵宪采集资料提供了极大帮助。

另外，由此笔谈可知，对于当时报纸刊登的各种布告，黄遵宪无需借助翻译，便可大致看懂。因明治初期的新闻布告，尚保留较浓的汉文色彩，这也给不通日语的黄遵宪的资料采集工作带来了一定程度上的便利。

---

① 刘雨珍编校：《清代首届驻日公使馆员笔谈资料汇编》(上)，天津人民出版社，2010年版，第51页。

4. 龟谷省轩

龟谷省轩(1838—1913),名行,字子省,号省轩,擅长诗文,曾任太政官少史、修史庶务、记录局长等职,后辞职专心从事著述,除《省轩文稿》外,还著有《论语管见》、《论语汇纂》、《咏史乐府》、《近世义烈传》等。黄遵宪曾对日本友人说:"仆来此,最亲慕者,龟谷子一人",足见其对龟谷非常推崇。

1879 年(明治十二年)12 月 18 日,黄遵宪与龟谷笔谈,其中内容多涉及《日本国志》的编纂问题:

> 省轩:阁下近来有何著述?
>
> 公度:近来方编《日本国志》,恐至明年此时方能脱稿,为目十有二:
>
> 曰国统,曰邻交,曰天文,曰地舆,曰职官,曰食货,曰兵,曰刑,曰学术,曰礼俗,曰物产,曰工艺,成书约有五六十卷。
>
> 省轩:所引之书已具否?弟有所知,亦应言之。
>
> 公度:其不备不全者,当一一请教。虽然,仆之此书,期于有用,故详近而略古,详大而略小,所据多布告之书,及各官省年报也。①

据此笔谈可知,黄遵宪对于《日本国志》篇目的构想最早形成于此时。12 目中除地舆后改为地理志外,其他篇名与后来成书完全相同,只是卷数略有减少而已。另外,黄遵宪所言"所据多布告之书,及各官省年报也",也为我们研究《日本国志》的资料来源提供了极大的帮助。

笔谈中,龟谷还向黄遵宪介绍了伊藤东涯的《制度通》,羽仓胜堂的《甘雨亭丛书》以及蒲生秀实、新井白石等的有关著作,增强了黄遵宪有

---

① 刘雨珍编校:《清代首届驻日公使馆员笔谈资料汇编》(上),天津人民出版社,2010 年版,第 229 页。

关日本史学的知识。

以上据现有笔谈史料，主要介绍了宫岛诚一郎、青山延寿、石川鸿斋、龟谷省轩对黄遵宪编纂《日本国志》的协助情况。除此之外，当时其他汉学家如重野安绎、冈千仞等人，也都曾给予黄遵宪有力的帮助。

最后需要说明的是，关于《日本国志》的作者，现在一般皆认为由黄遵宪独自编撰而成，但黄本人曾数次言及《日本国志》乃与公使何如璋共同编辑，事实究竟如何？我们有必要对此问题进行探讨。

如1880年7月25日（光绪六年六月十九日），黄遵宪致函王韬时说："顷随何星使后，共编《日本志》，而卷帙浩博，明年乃能卒业"。[①] 同年8月21日（七月十六日），黄遵宪在与朝鲜修信使金宏集的笔谈中，再次言及与何如璋共同编辑《日本国志》事："《日本志》仆与何公同为之，卷帙浩博，可为三十卷，姑未清草"。[②] 由此看来，《日本国志》似乎仅非黄遵宪个人所为，公使何如璋亦曾参与其中。

那么，何如璋究竟参与了哪些工作呢？据同年5月黄遵宪与宫岛诚一郎的前述笔谈，便可知编撰工作实际上仍由黄遵宪独力进行，何如璋只是负责初稿的润色工作。笔谈中宫岛问道："先生独力为此事乎？"黄答曰："独力为之。每脱一稿，则何大使润色之"。[③]

当然，作为公使，何如璋亦为《日本国志》的编纂提供了诸多方便。可以设想，要想完成如此庞大的煌煌巨著，没有公使的大力支持，几乎是不可能实现的。因此，作为有力的协助者和支持者，何如璋可谓功莫大焉，但若仅以上述材料为据，将何如璋作为《日本国志》的合著者，显然是不妥当的。

① 陈铮编：《黄遵宪全集》（上），中华书局，2005年版，第320页。

② 刘雨珍编校：《清代首届驻日公使馆员笔谈资料汇编》（下），天津人民出版社，2010年版，第703页。

③ 刘雨珍编校：《清代首届驻日公使馆员笔谈资料汇编》（下），天津人民出版社，2010年版，第538页。

六、《日本国志》的影响

《日本国志》于光绪十三年(1887)撰成后，黄遵宪曾向李鸿章和张之洞各送一部，二人皆对此书给予了高度评价，如李鸿章在《禀批》中称其"博稽深考，于彼国改法从西原委，订证尤为赅备，意在于酌古之中，为匡时之具，故自抒心得，设论恢奇，深协觇国采风之旨"，指示"应如所请，即由本大臣备咨并原书两函，驿寄总理各国事物衙门备览"。[①] 张之洞亦在《咨文》中称其"条例精详，纲目备举，寄意深远，致功甚勤，且于外洋各国风俗政事，俱能会通参考，具见究心时务"，认为此书"实为出使日本者必不可少之书目"。[②] 光绪二十年(1894)，薛福成在《日本国志序》中也对此书大加称赞："此奇作也，数百年来鲜有为之者"。[③] 然而，由于种种原因，《日本国志》书稿一直没有刊行于世，因此未能产生广泛影响。

《日本国志》的正式出版大约是在光绪二十一年(1895)底。此时适逢甲午战败不久，昔日"天朝大国"竟然败给了"蕞尔小岛"的日本，国人深感震惊。出于认识和了解日本的需要，《日本国志》开始受到人们的高度重视，成为人们了解日本的必读书籍，以致被"海内奉为瑰宝。由是诵说之士，抵掌而谈域外之观，不致如堕五里雾中"(狄葆贤《平等阁诗话》[④])。

光绪二十二年(1896)十一月，梁启超撰《日本国志后序》，以半喜半悔的口吻慨叹道："中国人寡知日本者也。黄子公度，撰《日本国志》，梁启超读之，欣懌咏叹黄子：乃今知日本，乃今知日本之所以强，赖黄子也。又懑愤责黄子曰：乃今知中国，乃今知中国之所以弱，在黄子成书十年，久谦让不流通，令中国人寡知日本，不鉴不备，不患不怵，以至今日也"。[⑤]

---

① 黄遵宪：《日本国志》，上海古籍出版社，2001年版，第434页。
② 黄遵宪：《日本国志》，上海古籍出版社，2001年版，第434页。
③ 黄遵宪：《日本国志》，上海古籍出版社，2001年版，第1页。
④ 钱仲联：《人境庐诗草笺注》(下)，上海古籍出版社，1981年版，第1274页。
⑤ 黄遵宪：《日本国志》，上海古籍出版社，2001年版，第433页。

梁启超指出,《日本国志》撰成后未能立即流布,致使国人对日本一直缺乏了解和警惕,“不鉴不备,不患不悚”,最终导致甲午战败、積弱积贫的悲痛局面,这与前述袁昶的喟叹大致相同,应是当时有识之士的共同感受。

文中,梁启超称赞《日本国志》“于日本之政事、人民、土地及维新变政之由,若如其闺闼而数米盐,别白黑而诵昭穆也”,认为虽然该书撰写于十年以前,但“其于今日之事,若烛照而数计也”。[①]

其后,梁启超将《后序》发表于光绪二十三年(1897)二月二十一日出版的《时务报》第 21 册中,为《日本国志》的传播起了极好的宣传作用。是年,黄遵宪在《日本国志》的改刻本中,撤去李鸿章的《禀批》及张之洞的《咨文》,而将梁告超的《后序》补入。当时,《日本国志》刊印 700 部,其中 500 部是通过《时务报》馆发售。另外,梁启超在《西学书目表》及《读西学书法》中,将《日本国志》列为重点书目,推荐给维新派人士。后来任湖南时务学堂总教习时,又将《日本国志》指定为学员的必读书籍。由于梁启超的大力宣传,《日本国志》引起维新派人士的高度重视,对戊戌变法维新运动起了极夯的推动作用。

与那些走马观花式的日本闻见录不同,黄遵宪的《日本国志》是近代中国第一部对明治维新系统而深入地进行研究的著作,并对改革中国的现状提出了许多有益的意见。因此,维新运动中深受到维新派知识分子的欢迎。维新运动高潮的 1898 年,《日本国志》就曾三次刊刻,足见其影响之大之广。

不仅如此,《日本国志》还受到维新派领袖康有为以及光绪皇帝的高度重视,为戊戌变法提供了重要的理诺指导。据研究,康有为戊戌奏稿以及《日本变政考》中言及效法日本之论,不少地方就是直接取材于《日本国志》。[②]

① 黄遵宪:《日本国志》,上海古籍出版社,2001 年版,第 433 页。

② 参见郑海麟:《黄遵宪与近代中国》第六章第九节“《日本国志》对戊戌变法的影响”,三联书店,1988 年版。

康有为极力鼓吹效仿日本实行变法，引起了光绪皇帝对《日本国志》的极大兴趣。戊戌变法前夕，光绪皇帝两次催促翁同龢进呈《日本国志》，据翁戊戌年正月二十三日日记记载："上向臣索黄遵宪《日本国志》，臣对未洽，颇致诘难"，次日又曰："是日以《日本志》两部进呈"。[①] 可见光绪皇帝对此书的高度重视。

七、《日本国志》的版本

《日本国志》光绪十三年(1887)完稿后，虽于光绪十六年(1890年)交羊城富文斋刊刻，初刻本及改刻本扉页亦皆署有"光绪十六年羊城富文斋刊版"字样，但实际上该年并未刊行。光绪十六年十二月二十日(公历1891年1月19日)，黄遵宪自伦敦使署致函日本友人宫岛诚一郎，言及《日本国志》虽已完稿，然"所恨东西奔走，无暇付梓"，即为明证。

光绪二十年(1894)春，黄遵宪任新加坡总领事期间，曾将《日本国志》稿本邮至巴黎使馆，请时任出使英法意比四国大臣的薛福成作序。薛序作于该年旧历三月，初刻本即有收录，可知《日本国志》的出版应在此之后。

那么，《日本国志》的正式出版究竟在何时呢？笔者认为，初刻本应刊行于光绪二十一年冬，即1895年底至1896年初。因华东师范大学图书馆所藏有黄遵宪亲笔题签的《日本国志》初刻本，签曰：

> 此为初刻未校之本，而吾友索观者甚众。伯严考功(按：陈三立)谓《无邪堂答问》与此均近世奇作；爽秋观察(按：袁昶)言自有《职方外纪》以来第一书；善余大兄(按：陈庆年)更推为国朝大著作，足与梅定九《历算全书》、顾宛溪《方舆纪要》鼎足而三，面乞函催，需之甚殷，辄先赠一部，并求为删校，再行刊定。遵宪于八年精力聚于此书，美恶不能自知，但能免诸君子阿好之讥，则幸甚矣。

① 翦伯赞等编：《戊戌变法》第一册，神州国光社，1953年版，第521页。

乙未腊月八日遵宪自识。

笔者推测，此本《日本国志》乃黄遵宪刻好不久即赠给好友陈庆年(1863—1929)的初刻未校本，乙未腊月八日为公历1896年1月22日。该书卷一末尾题曰："光绪乙未十二月廿九日乙未除夕夜"(1896年2月12日)、卷二末尾题曰："光绪廿一年十二月除夕校未完，廿二年正月丙申朔补成之，灯下记"，盖为陈庆年接黄遵宪赠书，校后所留下的题记。由此可见，《日本国志》的初版时间应为光绪21年冬，即1895年底至1896年初之间。

《日本国志》初版发行，正值甲午战败，中国陷入空前的民族危机之际。此后为适应国人了解日本、变法维新的迫切需要，《日本国志》曾多次翻刻。据调查统计，迄今为止，《日本国志》的主要版本有以下八种：①

(一) 羊城富文斋初刻本(1895底至1896初)。刊头署"光绪十六年羊城富文斋刊版"，卷首有李鸿章《禀批》，张之洞《咨文》，薛福成《序》，每页12行，每行24字，共10册。

(二) 羊城富文斋改刻本(1897年)。刊头亦署"光绪十六年羊城富文斋刊版"，然卷首撤去李鸿章《禀批》，张之洞《咨文》，卷末补入梁启超撰于光绪二十二年(1896年)十一月的《后序》。因黄遵宪在光绪二十三年(1897年)三月初一日(4月2日)、廿一日(4月22日)、四月十一日(5月21日)三次致函汪康年，言及《日本国志》改写十数页寄往广东梁诗五，催其速印一事。七月廿七日(9月4日)致函汪康年则言，近得梁诗五函，所补《日本国志》已寄到报馆，请汪代为抽换装订后发售。故知此改

① 参见盛邦和：《黄遵宪史学研究》第三章第二节"《日本国志》的版本问题"，江苏古籍出版社，1987年版；以及郑海麟：《黄遵宪与近代中国》第六章第三节"《日本国志》的版本问题及与同时代的几部日本研究书的比较"，生活·读书·新知三联书店，1988年版。

刻本约刊行于 1897 年夏秋之间。①

由于初稿完成后十年来黄遵宪的思想发生了变化，因此改刻本中黄遵宪作了较大的改订。改动十数页，增补了数千字，其目的是为适应维新运动新的形势需要。另有近百处进行了文字上的润色。②

（三）浙江书局重刊本（1898 年）。版本、形式、内容同初刻本，刊头署“光绪二十四年浙江书局重刊”，共 10 册。

（四）上海图书集成印书局本（1898 年）。据羊城富文斋改刻本以铅字翻印，刊头署“光绪二十四年上海图书集成印书局印”，分别有 10 册本、8 册本、6 册本、4 册本。

（五）汇文书局本（1898 年）。内容、形式同羊城富文斋改刻本，刊头署“光绪二十四年汇文书局秋刊印”，木刻版，共 12 册。

（六）上海书局石印本（1901 年）。内容同羊城富文斋改刻本，刊头署“光绪辛丑秋月上海书局石印”，三十二开纸铅字刊印，分 4 册本和 5 册本。

（七）丽泽学会石印本（9902 年）。内容据羊城富文斋改刻本，扉页题“光绪壬寅夏日丽泽学会校印”，以四十八开纸印，即为《五洲列国志汇》本。

（八）台湾文海出版社影印本（1974 年）。此版本据上海图书集成印书局本影印，分上、下两册，大三十二开纸印出。收入沈云龙主编《近代中国史料丛刊续编》第 10 辑第 96 种。

此外，各地图书馆还藏有不少抄本，如上海图书馆的袁昶抄本，华东

① 四次信函有关内容如下：1. 光绪三十一年三月一日信函：“该本《日本志》十数页已收到，即乞交书店换刻改装”；2. 三月廿一日信函：“知《日本志》概送尊处，应改之十数篇，已寄粤省梁诗五，催其速印，印就寄到。即请饬人改订，并撤去李批张咨，（中略）补入卓如后序，即由报馆发售。现又属印七百份，除二百份自以送人外，余概存报馆”；3. 四月十一日信函：“梁诗五处如寄到《日本志》改本，乞即改订代售”；七月廿七日信函：“近得梁诗五函，知所补《日本国志》既寄到报馆，请穰兄查照三月间寄函，代为抽换装订。发售之价，每部三元，弟自收回二元。”见陈铮编：《黄遵宪全集》上，中华书局，2005 年版，第 174、178、180、181 页。

② 参见盛邦和：《黄遵宪史学研究》，江苏古籍出版社，1987 年版，第 111—113 页。

师范大学图书馆的盛宣怀抄本等。

虽然如上所述,《日本国志》版本繁多,然而经黄遵宪亲自改订者,唯有上述羊城富文斋改刻本一种,其余或据初刻本,或据改刻本。

本书影印即以羊城富文斋改刻本为底本,为节省篇幅,将原书四页缩小为一页,版心及格式仍保持不变。原改刻本中黄遵宪所撤去的李鸿章《禀批》与张之洞《咨文》,现作为附录补入书后。另外,为方便读者阅览利用,本书最后还编有人名索引。

由于笔者水平有限,加之时间紧迫,谬误之处在所难免,敬请方家批评指正。

(本文为影印本《日本国志》撰写的"前言",上海古籍出版社,2001年版,第1—26页,该书为王宝平主编:《晚清东游日记汇编》之一。以《黄遵宪〈日本国志〉述论》(上)为题刊载于南开大学日本研究中心编:《日本研究论集》第六期,天津人民出版社,2001年12月,第222—239页;以《黄遵宪〈日本国志〉述论》(下)为题刊载于南开大学日本研究中心编:《日本研究论集》第七期,天津人民出版社,2002年5月,第213—231页。)

第十七章　黄遵宪《日本国志》的编纂与明治前期的日本汉学家

一、前言

据薛福成序，黄遵宪编纂《日本国志》时"采书至二百余种"①，这些书籍包括中日两国的正史、野史、笔记、杂录等。其中日本史籍有德川光国的《大日本史》、青山延光的《国史纪事本末》、赖山阳的《日本政记》《日本外史》、岩垣松苗的《国史略》、蒲生君平的《山陵志》《职官志》，以及《日本书纪》《续日本纪》《日本后纪》《续日本后纪》《文德天皇实录》《日本三代实录》《怀风藻》《扶桑集》《扶桑略记》《凌云集》《延喜式》《类聚三代格》《吾妻镜》《徂徕集》《江户繁昌记》等②。另据研究，《礼俗志》中不少条目多采自江户时期汉学家村濑栲亭的汉文著作《艺苑日涉》③。而有关明治维新后的资料，据黄遵宪介绍，"所据多布告之书，及各官省年报"④，可知

① 陈铮编：《黄遵宪全集》下，中华书局，2005 年版，第 818 页。

② 郑海麟：《黄遵宪与近代中国》，生活·读书·新知三联书店，1988 年版，第 161—162 页。

③ 王宝平：《黄遵宪〈日本国志〉源流考》，浙江大学日本文化研究所编：《江户·明治时期的日中文化交流》，(日)农文协出版社，2000 年版。后收入王宝平：《清代中日学术交流研究》，(日)汲古书院，2005 年版。

④ 陈铮编：《黄遵宪全集》上，中华书局，2005 年版，第 692 页。

主要采自明治政府的太政官布告以及各省官年报。据考证，《地理志》所据材料，多采自地理寮地志课冢本明毅等编撰的《日本地志提要》①。

由于黄遵宪没有具体记载所引资料的来源，书中亦未列出引用书目，因此给《日本国志》资料来源的考证辨析工作带来诸多不便，需要我们今后进行更加细致的调查研究。近年来浙江工商大学日本文化研究所的王宝平教授在此方面进行了一系列有益的考辨工作。②

黄遵宪驻日前后只有四年有余，又不通日本语言，因此要编纂一部包罗日本历史各个方面的史书，确非易事。特别是典章制度方面，因史料匮乏，甚至令日本史学家亦望而却步，知难而退。日本友人冈千仞就曾告诉黄遵宪说："此事水户史官所欲为而不能为，盖无足以供史料者也。蒲生君亦有此志，中途而止，亦坐无史料耳"③，黄遵宪亦在《日本杂事诗》(卷一第 74 首)中慨叹："兵刑志外征文献，深恨人无褚少孙"④。然而，黄遵宪还是决心效仿褚少孙续补《史记》，完成《日本国志》的编纂工作。

当然，在撰写《日本国志》的过程中，黄遵宪亦曾面临重重困难。他将这些困难概括为以下三点(《日本国志・凡例》)。

第一，采辑之难："日本古无志书，近世源光国作《大日本史》，仅成兵、刑二志，蒲生秀实欲作氏族、食货诸志，有志而未就。(自注：仅有《职官》一志，已刊行。)新井君美集中有田制、货币考诸叙，亦有目而无书，此皆汉文之史而残阙不完，则考古难；维新以来，礼仪典章颇彬彬矣，然各官省之职制、章程、条教、号令，虽颇足征引，而概用和文，(自注：即日本

---

① 王宝平：《黄遵宪与姚文栋——〈日本国志〉中雷同现象考》，复旦大学《日本研究集刊》1999 年第一期。后收入胡令远、徐静波编：《近代以来中日文化关系的回顾与展望》，复旦大学日本研究中心第九届国际学术研讨会论文集，上海财经大学出版社，2000 年版。

② 除上述论著外，还可参见王宝平：《黄遵宪〈日本国志〉征引书目考释》，《浙江大学学报》(人文社会科学版)第 33 卷第 5 期，2003 年 9 月。修订版收入《中日文史交流论集——佐藤保先生古稀纪念》，上海辞书出版社，2005 年版。

③ 陈铮编：《黄遵宪全集》上，中华书局，2005 年版，第 710 页。

④ 陈铮编：《黄遵宪全集》上，中华书局，2005 年版，第 30 页。

文，以汉字及日本自联缀而成者也，日本每自称为和国。）不可胜译，则征今亦难。此采辑之难也。”

第二，编纂之难：“以他国之人，寓居日浅，语言不达，应对为烦，则询访难；以外国之地，襄助乏人，浏览所及，缮录为劳，则抄撮亦难。此编纂之难也。”

第三，校雠之难：“既非耳目经见之书，又多名称僻异之处，而其中事物之名，有以和文译汉文者，有以英文译和文、再译汉文者，或同字而异文，或有音而无义，则校雠亦颇为难。”①

上述种种困难，使得黄遵宪有时感到力不从心，“搁笔仰屋，时欲中辍”（《日本国志·凡例》），甚至曾对日本友人说“此事大难，恐不成书”②。

幸好黄遵宪周围聚集了一大批硕学鸿儒，可以随时为他提供各种帮助。据黄遵宪自称：“遵宪来东，士夫通汉学者十知其八九”（《中学习字本序》③），足见其与日本汉学家交流之广泛。仅《人境庐诗草》中所咏及的日本友人，便有石川鸿斋、伊藤博文、榎本武扬、大山岩、浅田惟常、重野安绎、宫本小一、大沼厚、南摩纲纪、龟谷省轩、岩谷修、蒲生重章、青山延寿、小野长愿、森鲁直、冈千仞、鲈元邦、宫岛诚一郎、秋月种树、日下部东作等二十余名，他们多为活跃在明治前期的著名政治家或汉学家。据蔡毅教授统计，《黄遵宪全集》中所记载的与其交流的明治时期的日本人名多达 79 人④。黄遵宪在任驻日参赞的四年多时间，由于能与日本汉学家们通过作诗唱和或笔谈来进行交流，得以克服因语言不通而造成的巨大障碍。可以说，黄遵宪之所以能够完成《日本国志》这部巨著的撰写工作，是与他们的鼎力相助密不可分的。

就现有史料可以看出，黄遵宪在编纂《日本国志》的过程中，主要得

① 陈铮编：《黄遵宪全集》下，中华书局，2005 年版，第 821 页。
② 陈铮编：《黄遵宪全集》上，中华书局，2005 年版，第 710 页。
③ 陈铮编：《黄遵宪全集》上，中华书局，2005 年版，第 241 页。
④ 蔡毅：《黄遵宪与日本汉诗》，载京都大学《中国文学报》第七十一册，2006 年 4 月，第 60 页。中文版收入蔡毅著：《日本汉诗论稿》，中华书局，2007 年版，第 102 页。

到了宫岛诚一郎、青山延寿、石川鸿斋、龟谷省轩等人的大力协助。① 他们都曾在修史馆任职，具有很高的史学素养，熟悉相关史料，通过笔谈可以随时为黄遵宪解疑释难，提供帮助。下面就利用一些近年来整理发表的一些笔谈资料，分别予以论述。②

二、黄遵宪与宫岛诚一郎

宫岛诚一郎（1838—1911），号栗香、养浩堂等，曾供职于左院、修史馆，后任职宫内省，被敕选为贵族院议员，著有《国宪编纂起原》、《养浩堂诗集》等。宫岛与首届公使何如璋、第二届公使黎庶昌、以及黄遵宪，杨守敬等人皆交情深厚，他们先后都参加过宫岛《养浩堂诗集》的修改、评点、序跋工作，其中尤以黄遵宪用力最深。③

正如宫岛在其《养浩堂诗集》序中所述，“黄参赞公度，与余交莫逆”，二人交情非同一般。黄遵宪亦在诗中咏道：“一龛灯火最相亲，日日车声

① 参见（日）伊原泽周：《〈日本国志〉编写的探讨——以黄遵宪初次东渡为中心》，载《近代史研究》1993年第1期。后收入伊原泽周著：《从“笔谈外交”到“以史为鉴”——中日近代关系史探研》第一编第四章，中华书局，2003年版。

② 当时一些日本友人将与何如璋、黄遵宪等公使馆成员的笔谈资料详加整理，妥善保存，成为今日我们研究近代中日文化交流史的宝贵资料。如原高崎藩藩主大河内辉声（1848—1882）所保存的大量笔谈资料《大河内文书》，其中有关黄遵宪部分，经郑子瑜、实藤惠秀两先生悉心整理，曾以《黄遵宪与日本友人笔谈遗稿》名义刊行，嘉惠后人甚多。（郑子瑜、实藤惠秀编：《黄遵宪与日本友人笔谈遗稿》，早稻田大学东洋文学研究会，1968年版，收入沈云龙主编《近代中国史料丛刊续编》第10辑。改订版题为《与日本友人大河内辉声等笔谈》收入陈铮编：《黄遵宪全集》上，中华书局，2005年版。）近年来又发现宫岛诚一郎与何如璋、黄遵宪等的笔谈资料，参见刘雨珍：《黄遵宪致宫岛诚一郎书柬辑录》，南开大学日本研究中心编：《日本研究论集》第5集，2001年3月。后收入嘉应学院黄遵宪研究所选编（张永芳、李玲责任选编）：《黄遵宪研究资料选编》第二辑“辑佚资料”第311—331页，香港天马图书有限公司，2002年版；以及吴振清、徐勇、王家祥编校整理：《黄遵宪集》（天津人民出版社，2003年版）第331页、第414—428页。陈铮编：《黄遵宪全集》上（中华书局，2005年版）第五编“笔谈”，除上述《与日本友人大河内辉声等笔谈》外，还收入由陈捷博士整理的《与日本友人宫岛诚一郎等笔谈》、《与日本友人冈千仞等笔谈》、《与日本友人增田贡等笔谈》等笔谈资料。

③ 关于黄遵宪与宫岛诚一郎交友的全貌，参见刘雨珍：《黄遵宪与宫岛诚一郎交友考——以〈宫岛诚一郎文书〉中的笔谈资料为中心》，南开大学日本研究院编：《日本研究论集》第九集，2004年9月。参见本书第四编第一章。

辗麹尘”（《人境庐诗草》卷七“续怀人诗”其八[①]），将宫岛视为一龛灯火下最为相亲的挚友。宫岛所居的麹町与公使馆仅一街之隔，二人来往频繁，关系非常密切。

由于黄遵宪与宫岛交情深厚，黄驻日期间，宫岛又先后任职于修史馆与宫内省，因此能够为黄遵宪《日本国志》的写作提供资料协助。

如1879年（明治十二年）3月31日，黄遵宪致函宫岛说：“德行自藤惺窝、文章自物徂徕以下诸公，乞条其名字、籍贯、所著之书，一一以告，汉学、宋学又当分别，文与诗又分举为妙也。”[②]藤惺窝即藤原惺窝，江户朱子学的开创者；物徂徕即荻生徂徕，江户古文辞学派的代表。毋庸置疑，黄遵宪是在为撰写《日本国志·学术志》中的汉学部分而请求宫岛提供有关资料。

又如，1880年（明治十三年）五月，黄遵宪在与宫岛笔谈中，介绍正在编撰的《日本国志》情况：

> 公度：近日作《日本史志》，必至今年年尾乃能脱稿。分十三目，书约三十卷。
>
> 宫岛：先生独力犹为此事乎？且有公事，应多忙。吾辈突然访高馆，费贵闲，甚无心。一卷何十叶？
>
> 公度：独力为之。每脱一稿，则何大使润色之。一卷三十叶左右。其目曰：国势、邻交（上下）、天文、地舆（有图）、食货（为目者六）、刑法、兵（为目二）、文学（为目三）、礼俗（为目十二）、物产、礼乐、工艺（十一）。有《礼俗志》一篇，中分十二目，有曰朝会，有曰祭祀者，此二事缺欠焉不详，阁下方官宫内省，必能缕悉之。幸于暇时别纸条示，感戴不尽。[③]

据此可知，黄遵宪计划于年内完成《日本国志》的编撰工作，何如璋

① 陈铮编：《黄遵宪全集》上，中华书局，2005年版，第129页。
② 陈铮编：《黄遵宪全集》上，中华书局，2005年版，第478页。
③ 陈铮编：《黄遵宪全集》上，中华书局，2005年版，第764—765页。

曾为其润色原稿。将当时构想与后来成稿相比，可以发现略有不同，如国势、地舆、文学，后改名为国统、地理、学术诸志。但我们也可从笔谈中发现，此时黄遵宪已经初步设计好各志的细目。

由于当时宫岛正任职于宫内省，因此黄遵宪特地就《礼俗志》中有关朝会和祭祀问题请求帮助。随后，黄遵宪便开列了有关朝会和祭祀的十一项疑问，请求宫岛根据现行制度予以回答：

一问 朝会日期。如天长节之类。

一问 常朝仪式。

一问 朝会时尚有卤簿否？

一问 朝会时仪式。

一问 宫中女官参朝仪式。

一问 天子亲祭之神。

一问 遣使祭告之神。

一问 祭祀仪式。

一问 祭祀时供设品物。

一问 祭祀时祝辞。

一问 臣庶家祭祀仪式。①

并特别指出："以上所问，据现今所行而答，其古时制度，且略而弗道。阁下若有不及尽知者，祈转询之友人，是所至祷。"②

对此，宫岛回答道："朝会祭祀许之。现以假皇居，未有确制。古制则详于邦典，阁下应悉知。朝会规则现于式部寮议定之，阁下若求之，则缓求之。比阁下尊著渐成，必应定制。虽然，大抵假定之制度有之，仆为阁下徐应编纂之。"③表示愿意为黄遵宪提供帮助。

不久，宫岛将有关朝会、祭祀的暂行规定《现行假例》交给黄遵宪。8

① 陈铮编：《黄遵宪全集》上，中华书局，2005年版，第765页。

② 陈铮编：《黄遵宪全集》上，中华书局，2005年版，第765页。

③ 陈铮编：《黄遵宪全集》上，中华书局，2005年版，第765页。

月，黄遵宪致函宫岛："收到见惠《朝会祭祀现行假例》一本，俟暇趋谢。"并言："前承赐《朝会典礼》，详密整赡，拜谢无已"①。

今阅《日本国志·礼俗志》有关朝会、祭祀记载，其中朝会包括新年朝贺、新年宴会、纪元节宴会、天长节宴会、每月赐宴等，祭祀包括新年祭、元始祭、祈年祭、春秋季皇灵祭、新尝祭、祭祢庙、祭陵等条目，分门别类，条理分明。而在最后的小注部分，黄遵宪写道："以上今礼，从宫内书记询问得之，名曰《现行例假》，谓暂时所行，非典制也"(《礼俗志》一②)。显然，此处所谓宫内书记是指宫岛诚一郎，所言《现行例假》即前述宫岛所提供者。

然而，宫岛并非能为黄遵宪提供所需的一切资料，尤其是有关军事机密的内容，更是无法满足黄的要求。如 1881 年(明治十四年)7 月 17 日，黄遵宪致书宫岛曰：

> 仆所撰《日本志》将近脱稿，中有海军一门，因海军尚无年报，拉杂采辑，虑不免有误，且尚有一二讯请之事，因念令弟小森泽君今官海军，仆亦叨有一面之识，不揣冒昧，敬以奉恳。③

信中提出《兵志》中的海军一节，因需要海军船舰表、海军兵学校、海军新设规程局以及海军每年经费等有关资料，请当时任职于海军省的宫岛诚一郎胞弟小森泽长政(小森泽家养子)帮忙提供如下信息：

> 一、今送到海军船舰表共四纸，中有错误者祈为改正，有疏漏者祈为补入。
>
> 一、问海军兵学校规则，明知四年正月十日太政官布告者，今犹用否？若有新规则，可以借示否？
>
> 一、海军新设规程局，敢问所司何事？
>
> 一、问海军兵卒(专指下卒)规则可借示否？兵卒每月给俸一元

① 陈铮编：《黄遵宪全集》上，中华书局，2005 年版，第 322 页。
② 陈铮编：《黄遵宪全集》下，中华书局，2005 年版，第 1434 页。
③ 陈铮编：《黄遵宪全集》上，中华书局，2005 年版，第 331 页。

七十钱，有等第否？

一、问海军每岁经费何项用多少？可示其大概否？①

宫岛8月2日回函，转达小森泽婉言回绝此事之意：

所示海军船舰表并军兵学校其余数件，仆已领命。弟小森泽长政现奉职东海镇守府，常在横滨总辖诸舰。阁下所云，仆已转致。顷弟从横滨来，曰所云件件仔细检查，此等之事，固当明告者。但秘史之职，事无大小，非受省卿之命，则不能私告。若转照之本省书记，则知之亦甚容易耳。俄、德二公使亦有此公问，已经一一明告。弟之言如此，便以告阁下。②

由此可知，小森泽长政任职东海镇守府，在横滨总辖诸舰。没有上级命令，无法透露有关情况，要求黄遵宪直接照会海军省书记，并言对待俄、德二公使的有关询问，亦是如此作答。

今阅《兵志》海军部分，较之陆军，内容要简略得多，其原因大概在此。

三、黄遵宪与青山延寿

青山延寿（1820—1906），字季卿，号铁枪，生于水户史学世家，明治五年（1872）移居东京，后供职于修史馆，明治十二年（1879）请辞，专心著述。著有《皇朝金鉴》、《大日本史地理志稿》、《读史杂咏》、《读史偶笔》、《战略新编》、《铁枪文集》等。父延于曾任江户彰考馆及水户弘道馆总裁，四子延光、延昌、延之、延寿，皆为著名学者，其中延光、延寿尤为突出。

1878年，黄遵宪为延寿《皇朝金鉴》作序，对青山父子的史学成就给予了高度评价：

① 陈铮编：《黄遵宪全集》上，中华书局，2005年版，第331页。
② 陈铮编：《黄遵宪全集》上，中华书局，2005年版，第332页。

> 日本之史，以汉文纪事者，莫善于《大日本史》，而其书实出水户藩士之手。水户藩号多贤，有青山云龙氏者，世以史学鸣，其伯子延先（按："光"之误），继《日本史》后，为《纪事本末》一书，而史体始备。余来日本，即闻青山氏名，后得与其季子延寿交。延寿官于史馆，平生所著述，多涉国史，与之征文考献，无能出其右者。①

由此可知，黄遵宪所交的日本友人之中，以青山延寿对日本史学造诣最深。

另外，在《日本杂事诗》中，黄遵宪也屡次言及青山一家的史学贡献。如在卷一第20首中咏道："萨摩材武名天下，水户文章世不如。几辈磨刀上马去，一家修史闭门居。"赞扬材武以萨摩藩为胜，而文章则以水户藩为最，并在自注中言道："余老友青山延寿，是藩人。父延于，兄延光，世治史学，具有典型。"②又如在前述卷一第74首的自注中，黄遵宪介绍日本汉文史学著作时说："汉文之史有六部，国史为编年体，水户藩源光国始作《大日本史》，是为纪传。又有水户藩臣青山延光作《日本纪事本末》，三体备矣。"③而黄遵宪在《日本国志》的编纂过程中，也引用了青山延光《国史纪事本末》的有关记述。④ 位于梅州的黄遵宪故居人境庐，现至今仍藏有《国史纪事本末》十九册。⑤

1878年（明治十一年）3月23日，青山延寿访问公使馆，与何如璋、黄遵宪等举行笔谈，以下是何如璋与青山之间的问答：

---

① 陈铮编：《黄遵宪全集》上，中华书局，2005年版，第265页。

② 陈铮编：《黄遵宪全集》上，中华书局，2005年版，第13—14页。

③ 陈铮编：《黄遵宪全集》上，中华书局，2005年版，第30页。按：《黄遵宪全集》误作"《国史》"，误。国史乃指古代日本用汉文撰写的六部史书即"六国史"（《日本书纪》《续日本纪》《日本后纪》《续日本后纪》《文德天皇实录》《日本三代实录》）。另《国事纪事本末》此处引作"《日本纪事本末》"，应为黄遵宪所改。

④ 参见王宝平：《黄遵宪〈日本国志〉源流考——与〈国事纪事本末〉的关联》，四天王寺国际佛教大学日中交流史研究会编：《〈日本国志〉研究——礼俗志「神道」——》，2003年7月。后收入王宝平：《清代中日学术交流研究》，（日）汲古书院，2005年版。

⑤ 见陈铮编：《黄遵宪全集》下，中华书局，2005年版，附录五"人境庐黄遵宪藏书目录"No. 289，第1614页。

如璋：阅君前日与公度诸人笔谈，识议甚高，且家传史学著作极富，读所著今只编年、后序，已见一斑，拜服之至！

青山：仆家世业文字，实无识见过人，惟父兄所著书皆以汉文，无一书和文者，是其所以异他人者。（后略）

如璋：君在史馆现编何书？贵国史有各志否？如有成书，乞惠示一观为快。

青山：仆在史馆，搜索史料，是其任也。如撰修则在编修职，今仆所任，辑各藩史料也。《大日本史》有十一志略已就绪，兵志、刑法志已刻成，其他校合未毕也。"①

据此可知，作为水户史学世家，青山延寿的父亲延于、兄长延光皆以汉文著作传世，而延寿在史馆的工作主要是搜集史料。笔谈中，青山延寿还介绍说，《大日本史》11 志（笔者按：实为 10 志）当时只刊行了兵、刑二志，其他尚未校合完毕。《大日本史》10 志（神祇、氏族、职官、国郡、食货、礼乐、兵、刑法、阴阳、佛事）最终全部刊行完毕，还须待到 1906 年（明治三十九年），因此黄遵宪编纂《日本国志》时，除兵、刑二志外，其余诸志皆未能参照。

当日笔谈中，黄遵宪还问及青山延寿的读书爱好及修史馆待遇等事。

公度：自史馆散直后，在家何以消遣？尤爱读何书？

青山：散直以后读书消遣，惟仆性鄙野，日从尘事，为能专心于书也。

（中略）

公度：何以为生涯？史馆之俸能赡一家耶？

青山：史馆之俸大足为生涯。仆前在东京府俸倍今日，以故得起松风楼也。②

① 陈铮编：《黄遵宪全集》上，中华书局，2005 年版，第 576 页。
② 陈铮编：《黄遵宪全集》上，中华书局，2005 年版，第 577 页。

由此可知，虽然修史馆之俸禄较之东京府约少一半，但也足以养家糊口。

青山延寿学识渊博，家藏史书极为丰富，可以推断，与其交流，是黄遵宪获取有关日本史志知识的重要途径之一。

四、黄遵宪与石川鸿斋

石川鸿斋(1833—1918)，名英，字君华，号鸿斋、芝山外史等，三河丰桥人，工诗文，亦擅山水人物画。著有《精注唐宋八大家文》《日本八大家文读本》《日本外史纂论》《芝山一笑》等，《芝山一笑》就是石川鸿斋与何如璋、黄遵宪等人的交流纪录。1879 年黄遵宪撰成《日本杂事诗》，石川曾为之题跋。二人来往密切，笔谈频繁。如 1878 年(明治十一年)6 月 16 日的笔谈：

> 公度：贵国典章，闻《礼仪类典》五百余册，恨非汉文，《大日本史》之十二志又未刊行，有何书可以供读否？敢问。
>
> 鸿斋：全书无。仆处古书无可证者，间有之者，皆敝国之文。史书《大日本史》既尽矣，其他糟粕耳。以敝文所志，间有数卷中仅仅得一二段耳，未备也。
>
> 公度：《大日本史》有纪传而无表志。欲考典章，必于志乎。仆急急欲得如史志诸书览之，恨其不知也。
>
> 鸿斋：《日本外史》初卷有引书标目，仆不悉记，请在馆中示之耳。
>
> 公度：各史所引书目多和文者，仆意欲得汉文者耳。①

据此可知，黄遵宪对日本的典章制度颇感兴趣，由于德川光国奉敕编纂的《礼仪类典》并非汉文，且《大日本史》表志部分此时又未刊行，黄遵宪请石川为其推荐有关日本典章的史志书籍。对此，石川介绍说赖山

① 陈铮编：《黄遵宪全集》上，中华书局，2005 年版，第 634—635 页。

阳的《日本外史》中列有引书目录，而黄遵宪更希望阅读用汉文撰写的日本史料。

又如该年11月21日的笔谈中，黄遵宪请石川代为翻译岩垣松苗的《国史略》：

> 公度：此篇自"政体"以下，祈代为译汉，但何以酬劳，祈足下自度，与王黍园言之。
>
> 鸿斋：政体以来迄尾译之欤？
>
> 公度：是书译毕，他尚有烦君者。一切纸笔之费，仆以为不如计篇数，如每十篇需多少，足下自审度之可也。
>
> 鸿斋：此文鄙拙，译之不甚佳，惟贯串意而已。仆尘事多端，请限今年毕业。
>
> 公度：是文虽鄙，阁下熟史，以意润色贯穿之可也。
>
> （中略）
>
> 公度：仆阅史，喜阅志，故求足下先为此。
>
> 鸿斋：译新闻纸布令者，有其人乎？未否？
>
> 公度：此间本有翻译冯姓者为之，然仆观之，不译亦知其事也。通西人语言文字者多，通日本语言文字者少。①

笔谈中，黄遵宪不仅委托石川翻译《国史略》的部分章节，而且提出译毕后，还有其他史籍需要石川继续帮忙，可见石川为黄遵宪采集资料提供了极大帮助。

另外，由此笔谈可知，对于当时报纸刊登的各种布告，黄遵宪无需借助翻译，便可大致看懂。因明治初期的新闻布告，尚保留较浓的汉文色彩，这也给不通日语的黄遵宪的资料采集工作带来了一定程度上的便利。

---

① 陈铮编：《黄遵宪全集》上，中华书局，2005年版，第680页。

五、黄遵宪与龟谷省轩

龟谷省轩(1838—1913),名行,字子省,号省轩,擅长诗文,曾任太政官少史、修史庶务、记录局长等职,后辞职专心从事著述,除《省轩文稿》外,还著有《论语管见》《论语汇纂》《咏史乐府》《近世义烈传》等。

1879年(明治十二年)12月18日,黄遵宪在与石川鸿斋的笔谈中,流露出对龟谷省轩的推崇之意:

> 鸿斋:今日有约,与龟谷访阁下。龟谷今在公使处。此人博学奇才,仆日本人为友者,唯此而已。
>
> 公度:仆最赏其诗文,向读其诗文,曾评曰:"二十年后必有负天下盛名。"
>
> 鸿斋:如重野川田,一时得显官,然腹笥空寂无一物。其他皆不足论。如龟谷真英杰,取人失澹然(按:《黄遵宪全集》作"澹台",据《笔谈遗稿》改),其谓之乎?
>
> 公度:仆来此,最钦慕者,龟谷子一人。重野川田氏之文,再过十年,亦如今日,盖无复进境矣。龟谷未可量也。①

黄遵宪与石川鸿斋对当时修史馆的重镇重野安绎(1827—1910)及川田甕江(1830—1896)评价似乎并不太高,反而极力推崇龟谷,特别是从黄遵宪在笔谈中所言"仆来此,最钦慕者,龟谷子一人",足见其对龟谷评价该之高。其实,早在1878年8月1日的笔谈中,黄遵宪就曾对冈千仞盛赞道:"同坐龟谷氏,他日必以诗名世者也。"②

1879年(明治十二年)12月18日,黄遵宪与龟谷笔谈,其中内容多涉及《日本国志》的编纂问题:

> 省轩:阁下近来有何著述?

① 陈铮编:《黄遵宪全集》上,中华书局,2005年版,《黄遵宪全集》第690页。
② 陈铮编:《黄遵宪全集》上,中华书局,2005年版,《黄遵宪全集》第789页。

公度：近来方编《日本国志》，恐至明年此时方能脱稿，为目十有二：

曰国统，曰邻交，曰天文，曰地舆，曰职官，曰食货，曰兵，曰刑，曰学术，曰礼俗，曰物产，曰工艺，成书约有五六十卷。

省轩：所引之书已具否？弟有所知，亦应言之。

公度：其不（按：《黄遵宪全集》作“之”，据《笔谈遗稿》改）备不全者，当一一请教。虽然，仆之此书，期于有用，故详近而略古，详大而略小，所据多布告之书，及各官省年报也。

省轩：弟曾在史官，欲为国家早一代大典，网罗十馀函，分门数十，其书未成，弟亦罢官。寻皇城系祝融，草木举付乌有，诚可慨叹也。惟有《职官表》一册仅存，后之史官，冒为己著，其实弟成之也。

公度：是大可惜！今日内务省出版之书，层出不穷，无一人为此事，亦一大憾事。《大日本史》只有兵刑二志，蒲生氏《职官志》亦可补其缺，以外则寂寥无闻矣。诚得有志之士数人，编为巨典，仿《通考》（按：《黄遵宪全集》作“《通政》”，据《笔谈遗稿》改）、《通典》，则二千年来典章文献，不至无用，仆日夕引领望之，曾与今史馆诸公重野川田氏言之，不知其能否也。

省轩：敝土先辈，眼孔甚小，无及见之者。独伊藤东涯著《制度通》，公见之否？

公度：未见。源君美有此意，仆见其序，不见其书。此后则止有蒲氏君平而已。

省轩：此书宜（按：《黄遵宪全集》作“直”，据《笔谈遗稿》改）购一部。

公度：此刻史馆有塙田守巳？

省轩：塙忠敞今官史局，其父保巳（按：“巳”乃“己”字之笔误）以盲著书。

公度：有保已一书为底稿，尚可为此。过二三十年，恐益无人为之，典章文献，终恐寥落矣。

省轩：羽仓胜堂（按："板仓胜明"之误）著《甘雨亭丛书》，亦塙之类也，卷数未满五十。①

（中略）

省轩：白石著书百馀部，多有用书。

公度：恨其多和文，而外间又不流传。东京书籍馆（按：《黄遵宪全集》无"馆"字，据《笔谈遗稿》加）所收，不足此数。

省轩：《白石诗草》，仆藏之。②

据上述笔谈可知，黄遵宪对于《日本国志》篇目的构想最早形成于1879年。12目中除地舆后改为地理志外，其他篇名与后来成书完全相同，只是卷数略有减少而已。另外，黄遵宪所言"所据多布告之书，及各官省年报也"，也为我们研究《日本国志》的资料来源提供了极大的帮助。

笔谈中，龟谷还向黄遵宪介绍了塙保已一（1746—1821）的《群书类从》、蒲生重章（1833—1901）的《职官志》、伊藤东涯（1670—1736）的《制度通》、板仓胜明（1809—1857）的《甘雨亭丛书》以及蒲生君平（1768—1813）、新井白石（1657—1725）等的有关著作，增强了黄遵宪有关日本史学的知识。

六、结语

以上据现有笔谈史料，主要论述了宫岛诚一郎、青山延寿、石川鸿

① 《黄遵宪全集》及《笔谈遗稿》均作"羽仓胜堂"，应为"板仓胜明"之笔误。板仓胜明（1809—1857），江户后期安中藩藩主。《甘雨亭丛书》辑于1845—1867年间，包括正篇5集，别篇2集。正篇收入日本儒学家汉文著作，别篇则包括和歌及和文，共计56册。然世所流传者如《丛书集成续编》本一般仅收正篇48册，即此处所谓"卷数未满五十"者也。

② 陈铮编：《黄遵宪全集》上，中华书局，2005年版，第692—693页。

斋、龟谷省轩对黄遵宪编纂《日本国志》的协助情况。由此可言，黄遵宪之所以能够完成皇皇巨著《日本国志》的编纂工作，与这些明治前期日本汉学家们的鼎力相助确实密不可分。当然，黄遵宪也为他们删改诗文，作序作跋，受到广大日本汉学家的尊敬和信赖。他们之间的友好交流，共同谱写出一曲明治前期中日文化交流的新篇章。

（本文为2006年9月9—10日由复旦大学日本研究中心、复旦大学日文系、中日韩东亚比较文化国际会议、日本全国大学国语国文学会共同主办的“东亚文化的继承与扬弃——东亚共同体文化基盘形成之探讨”国际学术研讨会的提交论文，后收入胡令远、徐静波、庞志春主编：《东亚文明：共振与更生》，复旦大学出版社，2013年版，第141—153页。）

第五编　近现代中日关系史研究

第十八章　《宫岛诚一郎文书》中的琉球交涉史料

一、前言

1877年底，黄遵宪作为中国首任驻日公使何如璋的参赞官赴日，至1882年3月调任驻美国旧金山总领事，先后在日本度过了四年多的外交官生活。除协助何如璋公使处理琉球归属交涉、朝鲜开国等问题外，还与明治初期的日本文人开展广泛交流，结下了深厚友谊。当时，一些日本友人将与何如璋、黄遵宪等公使馆成员的笔谈资料详加整理，妥善保存，成为今日我们研究近代中日文化交流史的宝贵资料。如原高崎藩藩主大河内辉声（源桂阁，1848—1882）所保存的大量笔谈资料《大河内文书》，其中有关黄遵宪部分，经郑子瑜、实藤惠秀两位先生悉心整理，曾以《黄遵宪与日本友人笔谈遗稿》名义刊行，嘉惠后学者甚多[①]。然而，囿于当时的客观条件，此书未能收录黄遵宪与日本友人笔谈资料的全部。随着调查研究的不断深入，一份内容更为丰富、史料价值更高的笔谈资料被发掘，这就是宫岛诚一郎与何如璋、黄遵宪、黎庶昌、杨守敬等初期清

① 郑子瑜、实藤惠秀编：《黄遵宪与日本友人笔谈遗稿》，早稻田大学东洋文学研究会，1968年版。

朝驻日公使馆员的笔谈资料——《宫岛诚一郎文书》①。笔者近年来以此为中心，系统考察了黄遵宪与宫岛诚一郎的交友关系②。本文则以《宫岛诚一郎文书》中所记录的琉球交涉史料为线索，探讨一下当时公使馆成员与明治政府关于琉球交涉的一些鲜为人知的内幕。

二、宫岛诚一郎其人

宫岛诚一郎(1838—1911)，号栗香、养浩堂等，出生于江户时代末期米泽藩(今属山形县)的下级藩士家庭。自幼接受严格的汉学训练，被誉为神童。戊辰战争时期，宫岛虽担任藩校"兴让馆"助教，然心系国事，洞察天下大势，为谋求东北诸藩的团结一致以及东北问题的和平解决，奔波于东北、江户、大阪、京都等地。当时东北诸藩组成"奥(陆奥)羽(出羽)越(越后)列藩同盟"，联合对抗以西南诸藩为主的新政府军队，但在

① 有关宫岛诚一郎与何如璋、黄遵宪等人的笔谈资料，主要散见于早稻田大学图书馆、日本国会图书馆以及善邻书院、神户大学国际文化学部等处，其中绝大部分收藏于早稻田大学图书馆，并编有目录(早稻田大学图书馆编:《宫岛诚一郎文书目录》，1997 年 3 月。最新出版的《黄遵宪全集》(陈铮编，国家清史编纂委员会·文献丛刊)上册收录了由陈捷博士整理的"与日本友人宫岛诚一郎等笔谈"(中华书局，2005 年版，第 714—785 页)。另，国内外有关黄遵宪与宫岛诚一郎的交友主要有以下一些研究，佐藤保:《黄遵宪与宫岛诚一郎——〈养浩堂诗集〉札记》(《御茶水女子大学中国文学会报》第 10 期，1991 年 4 月)；筧久美子:《黄遵宪与宫岛诚一郎——日清政府官僚文人交游的一个轨迹》(京都大学《中国文学报》第五十期，1995 年 3 月)；杨天石:《黄遵宪与宫岛诚一郎——东京宫岛吉亮先生家藏资料研究之一》(收入杨天石:《海外访史录》，社会科学文献出版社，1998 年版)；张伟雄:《文人外交官的明治日本——中国首届驻日公使团的异文化体验》(日本柏书房，1999 年版)；伊原泽周:《从"笔谈外交"到"以史为鉴"——中日近代关系史研究》(中华书局，2003 年版)；陈捷:《明治前期日中学术交流研究——清国驻日公使馆的文化活动》(日本汲古书院，2003 年版)等。

② 刘雨珍:《关于黄遵宪与宫岛诚一郎的交友》(载浙江大学日本文化研究所编:《江户·明治时期的日中文化交流》，日本农文协出版，2000 年版)；刘雨珍:《关于黄遵宪与宫岛诚一郎交友的综合考察——以〈宫岛诚一郎文书〉为线索》(日本山梨学院大学社会科学研究所编:《社会科学研究》第 26 期，2001 年 1 月)；刘雨珍:《黄遵宪致宫岛诚一郎书柬辑录》(南开大学日本研究中心编:《日本研究论集》第 5 集，2001 年 3 月；后收入嘉应学院黄遵宪研究所编:《黄遵宪研究资料选编》上册第 311—331 页，香港天马图书有限公司，2002 年版)；刘雨珍:《黄遵宪与宫岛诚一郎交友考——以〈宫岛诚一郎文书〉中的笔谈资料为中心》(南开大学日本研究院编:《日本研究论集》第九集，2004 年 9 月)。

新政府军势如破竹的攻击下，北越各藩相继投降，陆奥的会泽藩若松城也于1868年9月22日被攻破，“奥羽越列藩同盟”宣告失败。

1870年（明治三年），宫岛诚一郎经胜海舟引见，结识新政府实力派人物大久保利通，由大久保推荐得以任职于明治政府的待诏院。由于宫岛具有深厚的汉学修养，主要负责诏敕及公文书的起草工作，然因身处战败一方，一直官途多舛。1872年经左院少议官，任左院仪制课课长，1875年左院被废，改任权少内史，次年内史被废转任修史局御用挂，1877年（明治十年）修史局被废任修史馆御用挂，1879年兼任宫内省御用挂，1881年7月专任宫内省御用挂。1884年（明治十七年）任参事院议官补，1886年任华族局主事补，1888年5月任爵位局主事补，同年12月任爵位局户籍课课长，1896年被敕选为贵族院议员。①

宫岛诚一郎还是明治时期倡导立宪政治的先驱者。1872年4月，宫岛出任左院仪制课课长时，与大议官伊地知正治协议后，向议长后藤象二郎提交《立国宪议》，实为明治新政府中最早建议制定宪法者。后来宫岛诚一郎将此建白的内容及提交过程，编辑整理为《国宪编纂起原》一书。②

宫岛诚一郎研究东亚局势，深感与中国友好亲善之必要。1878年初，何如璋等抵达日本后不久，宫岛就与公使馆成员建立了深厚友谊。1880年，宫岛与海军大尉曾根俊虎等人发起成立“兴亚会”，并在3月9日的成立大会上发表演说，认为日中两国唇齿相依，互派使臣，结交欢之情，乃是亚洲的幸福。1882年，黎庶昌继任驻日公使，宫岛诚一郎与黎庶昌、杨守敬等人亦结下了深厚交情。1887年，宫岛诚一郎的长子宫岛大八（1876—1943，字咏士）经黎庶昌介绍，入保定莲池书院，先后受教于张裕钊长达七年之久，归国后成为日本著名的汉语教育家和书法家。③

---

① 详见鱼住和晃：《宫岛咏士——人与艺术》第一章“明治的先觉者宫岛诚一郎”，（日）二玄社1990年版。

② 收入《明治文化全集》第一卷“宪政篇”，日本评论社，1928年版。

③ 详见鱼住和晃：《宫岛咏士——人与艺术》，日本二玄社，1990年版。

从现存的笔谈资料可知，宫岛诚一郎初次访问位于芝山月界院中的清国驻日公使馆，是 1878 年 2 月 15 日，这天宫岛与公使何如璋、副使张斯桂进行了长时间笔谈。而宫岛与黄遵宪的初次会晤，则为该年的 4 月 19 日，两人一见倾心，相见恨晚。其后，两人切磋诗文，过从甚密，尤其是该年 11 月，公使馆由芝公园的月界院迁至永田町的新址后，由于离宫岛家只有一街之隔，彼此交往更加密切，诚如宫岛在其《养浩堂诗集》序中所述："黄参赞公度，与余交莫逆"，两人已成莫逆之交。后来，黄遵宪在《续怀人诗》中怀念宫岛时亦曾咏道：

一龛灯火最相亲，日日车声碾麴尘。
绝胜海风三日夜，挐舟空访沈南苹。

并自注曰："宫岛诚一郎。君住麴町，与使馆隔一街耳，每见辄论诗。昔画师沈南苹客长崎，赖山阳闻其名走访之，阻风三日夜，及至而南苹已归，以为平生恨事。"(《人境庐诗草》卷七)诗中将宫岛视为一龛灯火下最为相亲的朋友，互相来往，从未间断。

从笔谈资料中还可看出，宫岛诚一郎还经常将自己的诗稿，送至公使馆成员传阅，恳请为其批改评点，何如璋、张斯桂、黄遵宪、沈文荧，以及应邀赴日作短暂游历的王韬，都曾参与过评点工作。在黄遵宪等人的协助下，宫岛于 1882 年将自己的诗集编成《养浩堂诗集》五卷刊行(明治壬午新镌文库藏版)，卷首依次有三条实美、何如璋、黄遵宪、沈文荧四篇序及作者自撰《例言六则》，卷末有胜安芳(海舟)、黎庶昌二人的序文。

《宫岛诚一郎文书》中记载了宫岛诚一郎与何如璋、张斯桂、黄遵宪、沈文荧、王韬、黎庶昌、杨守敬等人的大量笔谈资料，内容丰富，感情真挚，是我们研究黄遵宪的文学、史学、外交、思想等方面的珍贵资料，同时也为近代中日文化交流史的研究提供了极大的参考。

三、宫岛诚一郎的特殊身份

我们在考察《宫岛诚一郎文书》时，首先不可忽视的一点，就是宫岛诚一郎与公使馆成员的交往，与纯粹追求风雅之交的大河内辉声相比，具有明显的不同性质。一方面，宫岛通过诗文交流，与何如璋、黄遵宪、黎庶昌等人先后结成了深厚友谊；另一方面他又充分利用与何如璋、黄遵宪、黎庶昌等公使馆员的私交身份，将所获取的清廷有关琉球交涉的最新情报，迅速传达给大久保利通、岩仓具视等明治高官，成为明治政府掌握清廷动态的主要线索之一。

由于宫岛具有深厚的汉文修养，利用笔谈等方式可与何如璋、黄遵宪等人自由交流，日本外务省曾考虑让他负责对华接待工作，据宫岛《养浩堂私记》卷二："顷者，外务省有内谕，愿采用余为清国应接之差" 云云，但宫岛经过斟酌后认为：

> 予亦自左院废院以来，深考时势，轻举妄动，贪一时之荣利，素非所好。况今日与清国公使之谈话，乃两国交欢之始，仅皮肤之谈而已。其心术如何，却在间接交际之中，今若公开供职于外务省，他日有事之时，却不免嫌忌。①

宫岛在与大久保利通商量后，谢绝了外务省的工作。大久保告诉宫岛："间接之交际，反而可为政府谋求利益"，并要求宫岛："今后只管注意两国之协和，全心致力于亲睦。"②就这样，此后宫岛利用其与公使馆成员个人私交甚厚的特殊身份，主动充当起为明治政府提供清政府动态的情报员的角色。宫岛自撰的《养浩堂私记》就详细记录了琉球归属交涉时的情形。③

宫岛于 1878 年 2 月 15 日首次访问公使馆，《养浩堂私记》卷二记载了宫岛与何如璋、张斯桂、沈文荧等公使馆成员当时的会晤情况：

---

① 本文引用《养浩堂私记》，除标明原文为汉文外，均为笔者所译。

②《养浩堂私记》卷二。

③《养浩堂私记》十册，见鱼住和晃：《宫岛家文书收录资料目录》（神户大学国际文化学部纪要《国际文化学研究》第三号，1994 年 11 月）所收"一、缩微胶卷收录资料"之"2.《养浩堂私记》十册，宫岛诚一郎撰，手抄本"。感谢神户大学国际文化学部鱼住和晃教授的慷慨提供。

二月十五日，访清国公使馆（芝公园地月界院），始晤正副钦差何如璋、张斯桂，有笔谈。（笔谈在别记）

二月二十七日，副使张斯桂、随员沈文荧来访，笔谈及深夜。（笔谈在别记）

同二十八日，正使何如璋来访笔谈。（笔谈在别记）①

三月二日，与寺岛外务卿，会集吉井议官宅，一读清公使笔谈。

同十四日，将笔谈一条示大久保参议，得回复如下：

敬读 君与清公使有所往来，希望两日之内可以一见。所示之趣，皆已知晓。方便之时，退朝后可来一叙，特此奉答，拜具。

三月十四日　　　　　　　　　　　　　　利通

宫岛君

于是，宫岛择日赴大久保家，“逐一汇报前后事情”，看中了宫岛特殊身份的大久保则作了前述安排，并对宫岛说：“笔谈一卷，暂且借用，望留下。”②

由以上材料可知，宫岛将与何如璋公使的笔谈向明治政府的高官寺岛宗则、吉井友实、大久保利通等人作了详细汇报，明治政府的高官们由此牢牢掌握住了公使馆的最新动向。1878 年 5 月 14 日，大久保利通遭暗杀后，宫岛又继续与右大臣岩仓具视保持密切联络，不断地向其提供公使馆的最新情报。

四、琉球交涉之记录

对于宫岛的这种身份，何如璋、黄遵宪等人似乎也有所察觉，据《养浩堂私记》卷二曰：“余与清国公使交际以来，自二月至十一月，虽往返十

① 笔谈内容详见《栗香大人与支那人问答录》（早稻田大学图书馆藏《宫岛诚一郎文书》C—7，以下简称《问答录》），然《问答录》此处作“二月二十九日，清国钦差大臣何如璋来访”，两者相差一日。因《问答录》乃宫岛于 1893 年重新整理而成，当以《养浩堂私记》记录为准。

②《养浩堂私记》卷二。

数余次，无人曾向余言及琉球之事。”今阅《宫岛诚一郎文书》中的有关笔谈资料，在此之间的交流多为诗词唱和的风雅之谈。

宫岛在《养浩堂私记》中最早记述公使馆员对琉球问题的态度始于1878年12月1日：“十二月一日，访清公使何如璋笔谈，颇有关系于东洋，不啻琉球一事，以记之。”①此次笔谈中，何如璋主要谈到俄国南下所带来的威胁，主张中、日、朝应携手防俄。最后，何如璋才附加指出：“顷照外务，告琉球之事，外务未有答。”此处所谓照会，乃指10月7日（光绪四年九月十二日），为抗议明治政府阻止琉球向中国进贡，何如璋向日本外务卿寺岛宗则提出的照会，其中使用了较为强烈的措辞：“今忽闻贵国禁止琉球进贡我国，我政府闻之，以为日本堂堂大国，谅不肯背邻交欺弱国，为此不信不义、无情无理之事。”②日本政府却故意回避阻止琉球向中国进贡、企图吞并琉球的事实，而指责何如璋上述措辞为“假想之暴言”，要求向日方作出道歉，一时中日交涉陷入僵局。③

1879年2月26日，何如璋再次照会日本外务省，要求重新开始交涉琉球问题，但外务省不予理睬，反而进一步加快吞并琉球的步伐。对于明治政府的强行措施，何如璋一方面向李鸿章及总理衙门报告，另一方面也利用宫岛的特殊身份，作为与明治政府交涉的一个窗口。为此，特派黄遵宪与沈文荧特去拜访久病初愈的宫岛诚一郎，据《养浩堂私记》卷二记载：“三月一日，清使馆黄参赞遵宪、沈知州文荧来访，笔话颇剧谈球事，余答辩太苦。”④由此可见当时的紧张气氛。

笔谈中，首先沈文荧提出因日本将要实行“废琉置县”，因此公使馆员皆准备撤出日本，返回本国。进而黄遵宪指出：

---

① 《养浩堂私记》卷二，原文为汉文。

② 《日本外交文书》第11卷第271页。

③ 详见米庆余：《琉球历史研究》第七章“中日交涉琉球归属问题”，天津人民出版社，1998年版。

④ 原文为汉文，《问答录》作“三月二日”。陈捷博士整理“与日本友人宫岛诚一郎等笔谈”时据此置于“3月2日”，并注引《己卯日记》说明笔谈的实际日期是“3月1日”，参见陈铮编：《黄遵宪全集》上，中华书局，2005年版，第731页。

贵政府若有事于球，非蔑球也，是轻我也。我两国修好条规第一条即言："两国所属邦土，务各以礼相待，不可互有侵越。"条规可废，何必修好？故必绝聘问，罢互市。吾辈不得不归也。"①

黄遵宪引用《中日修好条规》第一条，驳斥日本吞并琉球是对中国邦土的侵犯。沈文荧还威胁道："今贵邦政府贪其地而不顾理之是非，将来用兵而致祸患，仆甚不解其惑也。"②暗示中方对此可能付诸武力。

3 月 10 日，宫岛将此笔谈呈递给右大臣岩仓具视，岩仓态度未有改变，告之如下：

庙堂之议，今日已定。今若踟蹰此事，则先年大久保之施行，亦不成前后顺序，如此则除断然废藩、如内地一般施政外，别无他策。此笔谈非谈寻常文事，于国事颇有巨大干系，作为内部机密，惟可示以主管参议一人，烦请誊写一部。

对此，宫岛要求岩仓为其保守秘密："若此事外露，则有失清人交际之道，万请予以保守机密。"(《养浩堂私记》卷二)

3 月 11 日，日本政府派遣松田道之率领警察和军队奔赴琉球，27 日松田抵达琉球，宣布废除琉球藩而设置冲绳县，要求 31 日前接管琉球王宫"首里城"。4 月 4 日，明治政府通告全国实行"废琉置县"，5 日任命锅岛直彬为冲绳县首任县令。5 月 27 日，将琉球国王尚泰移居东京，琉球王国终于灭亡。黄遵宪曾作《琉求歌》以记之(见《人境庐诗草》卷三)。

五、格兰特调停的前前后后

正当中日两国琉球交涉陷入僵局之时，1879 年 6 月，美国前总统格兰特(Ulysses Simpson Grant，1822—1885)周游世界，途经中国前往日本，李鸿章便委托其居中调停。格兰特 6 月 2 日从北京出发，21 日到达

---

①《黄遵宪全集》上，中华书局，2005 年版，第 732 页。
②《黄遵宪全集》上，中华书局，2005 年版，第 733 页。

长崎，7月3日抵达横滨。而宫岛诚一郎则通过与沈文荧的频繁笔谈，最早获取了格兰特受清廷委托居中调停的情报。

6月20日，宫岛访问何如璋，感到何公使对于日方的废琉置县“不能心平气和”（《养浩堂私记》卷二）。7月18日，宫岛再次来到公使馆，沈文荧笔谈中不小心透露出格兰特来日的目的：“彼驻北京一月，我政府与彼议球事。彼来贵邦，为我作排解，仆辈俟之。”对此宫岛内心大喜，在《养浩堂私记》中写道：

> 以上笔谈事件，颇为紧要，就中美国格兰特受清国之托，为其周旋球事，实乃紧要中之紧要，若非沈氏之雅量，绝不至对外泄漏。若黄遵宪为其机要枢纽之人，从未透露过有关格兰特调停之片言只语。①

得知这一秘密情报后，宫岛诚一郎迫不及待地报告右大臣岩仓具视。

> 岩仓右府大喜，曰：今格兰特将琉球之事奏陈圣上，又忠告政府，然不知其乃受清廷之请愿而为其周旋。今得此言，实需仔细考虑，则我须先采取措施。②

7月12日，明治政府指派伊藤博文、西乡从道、吉田清成为接待使，陪同格兰特参观日光、箱根等地。其间，伊藤等人劝说格兰特放弃支持中国的立场。8月19日返京后，岩仓具视、大隈重信、吉田清成又多次拜访格兰特下榻的延辽馆，反复陈述日方对琉球问题的态度。

8月18日，宫岛再次访问公使馆，与沈文荧笔谈。其目的是“此时格兰特自日光归，想必有事告清公使者，欲试探其间情况”。③ 但沈文荧告诉他：“既彼居间，且俟其复音。刻下亦无事，俟彼回来再看。”④20日，宫

---

①《养浩堂私记》卷二。

②《养浩堂私记》卷二。

③《养浩堂私记》卷二。

④《养浩堂私记》卷二，原文为汉文。另见《问答录》1979年8月18日条。

岛"面见岩仓右府，详谈沈文荧之密话，且听其机密之政略。"①虽然"机密之政略"为何，我们不得而知，但岩仓一定在对宫岛继续获取公使馆机密问题上，提出了一些具体要求。

这时，宫岛在《内外交际新志》刊载的"米国前统领克兰德上言"中发现格兰特对琉球问题的重要态度，感到"虽其信伪难以保证，颇为精确之论。"于是将其译为汉文：

> 余来贵国，殆将阅月。贵政府及人民之待遇，到处极优渥，情谊恳笃，殆忘望乡之情，顿觉光阴之速，实乐居此境。顷自箱根回，以本月下旬将搭归船向桑港。（中略）
>
> 此次有不可不言之事，余曩者游清国，面会恭亲王及李鸿章，详细语余以琉球之事，请余说贵政府诸臣公平处分之。余固不肯，唯答以我力勉当周旋，故与我公使"ピンハン"（汉译"平安"——引者注）氏数次商议。既而游日光，幸得与伊藤、西乡二君亲话，始详琉球之颠末。惟余所闻两国议论大有差异，不可知其孰曲直，凡事皆然，故无足怪者。察日本之今日，此事势难可退，又有他不可言事情，余能了知之，且已自信行之，则勉当保全其国权。虽然，清廷意向之所在亦不可不察，是以余特就此一点欲辨而已。
>
> 夫清廷以日本为非和亲国之道，古来琉球之于支那，有多少关系，而日本不之顾，忽行废藩，是蔑如我也。往年台湾之耻犹忍之，今又以一层之凌侮加我，其意必在略取台湾，以遮断太平洋。于是猜疑百出，清廷大臣怀忿恨不已也。余视之，此事互无涉于论判，贵政府以宽大公义，量察清国情实，宜让一步于彼，抑按宇内大势，日清保平和，莫急于今日，故此等小事，不可不相让，余虽未能确言，若日本分割该岛屿之境界与之清国，使彼出太平洋得一条广阔之海路，则彼必当承诺，亦足以察清廷怀忿怒，犹且有好平和、容熟议之

①《养浩堂私记》卷二。

地也。①

由此可见，在不愿意得罪中日双方的情况下，格兰特成为分解琉球方案的始作俑者。这种做法，实际上是不顾琉球自成一国，企图以肢解琉球的办法，缓冲中日两国的矛盾，杜绝欧洲人从中渔翁得利，以保证美国—横滨—上海航线的安全②。后来，中日双方为琉球分岛方案在北京展开了激烈交涉，宫岛与何如璋、黄遵宪等人的笔谈之中又恢复了往日的友好气氛。

当然，宫岛的这种努力在《养浩堂私记》中随处可见，甚至一直持续到何如璋的离任之时。1882 年 2 月 26 日，就在何如璋应召回国之前，宫岛提出了明治政府非常关注的问题。

> 诚曰：临别一言，如公与我则可谓千载知己矣。顷者，仆与一友人深虑两国利害，说某大臣。大臣深纳之，曰固以球一事，开两国祸端，余不喜也。此事唯我知之，请阁下一言。
>
> 何曰：两国绝不因此小事而开大争端，我政府亦是此意。③

此处所谓友人指吉井友实，某大臣则指岩仓具视。宫岛在何如璋离任之际，渴望了解清政府对于日本吞并琉球后采取武力的可能性。何如璋则断然告诉宫岛，清廷不会为此大动干戈。对此，宫岛诚一郎在其《养浩堂私记》卷二末尾特地记道：

> 上述临别一言，实为关系两国之重大事件也。苟使何公使归国后注意此点，则两国苍生所得幸福岂鲜少哉！余五年之间，区区心曲，以结私交，所忧虑者，在此一点，此事关系外交机密，特戒泄漏。

虽说宫岛不愿中日两国兵戈相见，但在琉球交涉过程中，却千方百计地刺探中方机密，并迅速报告日本政府，给当时的中国外交带来不可

---

①《养浩堂私记》卷二，原文为汉文。

② 详见米庆余：《琉球历史研究》，天津人民出版社，1998 年版，第 213 页。

③《养浩堂私记》卷二，原文为汉文。另见《问答录》1982 年 2 月 26 日条。

估量的损失。

六、结语

1882年3月，公使何如璋任期届满，应召回国，参赞黄遵宪则调任驻旧金山总领事。宫岛诚一郎忙于筹备送别宴会，并亲赴横滨分别为二人送行。在离开日本之际，黄遵宪作《奉命为美国三副兰西士果总领事留别日本诸君子》五首，对驻日四年多的生活进行了回顾，其中第一首便是对明治政府强行吞并琉球的强烈不满：

远泛银河附使舟，眼看沧海正横流。
欲行六国连衡策，来作三山汗漫游。
唐宋以前原旧好，弟兄之间况同仇。
如何瓯脱区区地，竟有违言为小球。

当然，出使日本四年多来丰富多彩的交流活动，使黄遵宪对日本更多地充满了善意的赞美："占此江山亦足豪，凌虚楼阁五云高"（其二），"海外偏留文字缘，新诗脱口每争传。草完明治维新史，吟到中华以外天"（其三），并表达了对离开日本依依不舍的惜别之情："一日得闲便山水，十分难别是樱花"（其四）。对此，宫岛诚一郎也一一次韵，诗中称赞黄遵宪道："渤海初浮星使舟，知君参赞果名流"（其一），"佳篇上梓人争诵，新史盈箱手自编"（其三），并表达了对黄遵宪的美好祝愿："期君早遂经时志，海陆兼营两火轮"（其五）。①

然而，我们也必须充分注意到，由于中日两国当时面临着非常复杂的外交问题，宫岛诚一郎在与何如璋、黄遵宪及其后出使的黎庶昌等人开展友好交流的同时，亦曾极力利用与公使馆成员的私人交情，在琉球交涉及朝鲜问题上，千方百计地为明治政府搜集有关情报。虽然何如璋、黄遵宪等人能够较好地处理这种公私有别的交友关系，但部分使臣

① 详见《人境庐诗草》卷四。

如首届公使官随员沈文荧、第二届公使黎庶昌等人，往往在闲谈中不经意间泄露了重大的外交机密，给中国外交带来了巨大损失①。由此可见，与当今世界外交官们的职业外交相比，虽然近代初期他们这种具有儒者风范的文人交友堪称风雅，但要在不损害国家利益的基础上，做到真正意义上的知心知己，该是何等之难！

（本文为笔者2005年3月26—28日参加由中国史学会、中国社科院近代史研究所主办的“纪念黄遵宪逝世一百周年国际学术讨论会”时提交的论文，原载中国史学会、中国社科院近代史研究所编：《黄遵宪研究新论：纪念黄遵宪逝世一百周年国际学术讨论会论文集》，社会科学文献出版社，2007年版，第352—365页。）

---

① 关于第二届公使黎庶昌与宫岛诚一郎的交友，请参照伊原泽周著：《从“笔谈外交”到“以史为鉴”——中日近代关系史研究》第一编第二章“论黎庶昌的对日外交——以琉球、朝鲜为中心”，中华书局，2003年版。

第十九章　晚清官民的日本政法考察述论

一、前言

清末，在内外交困的形势下，为了挽救岌岌可危的封建统治，腐败的清政府被迫推行所谓的新政。而新政的主要内容之一，就是改革官制与刑律、预备立宪。因此，在晚清国人对日本的考察视野中，行政与司法占有极大比重。从游历者所留下的游记、日记及考察报告等资料来看，除宽泛的一般考察外，在各专项考察中，政法考察类著作最多。① 这些著作的作者，有的是清廷自中央或地方派赴日本的官员，有的是地方督署遣派的游历士绅，其中不乏自备资斧的考察者，还有一些则是当时的留日学生。他们对日本行政与司法等所作的考察，为晚清政府即将推行的新政提供了必要的参考。

---

① 据熊达云著：《近代中国官民的日本考察》，（日）成文堂，1998 版，第 14—20 页，附录一“清末中国人日本考察者所著游记、日记类目录”统计，清末各种考察记的种类分别是：一、教育考察类 34 种；二、政法考察类 43 种；三、工商实业考察类 24 种；四、军事考察类 6 种；五、一般考察类 60 种；六、大使馆员著述 16 种。可见除一般考察类外，政法考察记所占比例最大。

二、清末官民东游日本热的时代背景

1868年日本实行明治维新后，迅速走上了近代化的发展道路，逐渐成为资本主义强国。而同时代的中国则国势衰微，内忧外患，接连不断。1874年日本悍然出兵台湾；1875年进攻朝鲜；1879年又强占琉球。日本的崛起开始引起中国驻日外交官员的关注，如首届驻日参赞黄遵宪在1877年底抵日后，经过不到两年的仔细考察，在与日本友人开展广泛交流的基础上，于1879年撰成《日本杂事诗》二卷，以诗附注的形式对日本的历史、社会、文化、风俗以及明治维新后的各项改革进行了广泛的介绍。此后，黄遵宪继续密切关注日本社会的变革与发展，并于1882年3月离开日本前夕，完成了名著《日本国志》的数据搜集及初稿编纂工作。《日本国志》本着"详今略古，详近略远，凡牵涉西法，尤加详备"（凡例）的方针，对明治维新后日本的政治、经济、官制、法律等作了全面而系统的介绍，旨在通过详细探索明治维新后日本走向近代化道路的具体历程，为中国的改革和施政提供一部生动的参考教材。但由于作者随即调任旧金山总领事，无暇修订刊行。直至1887年，《日本国志》的修订工作才得以完成，其正式刊行更是在甲午战争后的1895年底。①

由于甲午战争以前，日本的迅速崛起并未引起清廷的足够重视，加之明治政府采取严厉限制中国人游历日本内地的措施，因此赴日考察游历的国人寥寥无几。1886年7月，经过中日政府的长期交涉，明治政府终于决定向中国开放门户，允许中国人赴日本内地旅行、视察。1887年，经光绪皇帝钦定、被选为外国游历使的兵部员外郎傅云龙与刑部主事顾厚焜，奉命游历日本、美国、秘鲁、古巴、巴西等国。11月16日（旧历九月二十六日），二人抵达长崎，开始了为期六个月的日本考察。二人先在东京考察了海军、陆军、大藏省、司法省以及学校、制造工厂、工场局厂、公

---

① 参见刘雨珍:《日本国志》前言，上海古籍出版社，2001年版。

园、船坞等，在外务大臣伊藤博文发给游历内地的护照后，又先后考察了静冈、名古屋、琵琶湖、滋贺、京都、大阪、神户等地。考察时二人作了具体分工，傅云龙负责搜集日本的地理、历史、风俗及旧事逸闻，顾厚焜则负责考察明治维新后所推行的各种新政。考察结束后，傅云龙撰成《游历日本图经》三十卷，顾厚焜撰成《日本新政考》二卷。《日本新政考》共分九部，其中卷一为洋务部、财用部、陆军部、海军部，卷二为考工部、治法部、纪年部、爵禄部、舆地部，下列共计 73 个细目，对于明治维新后日本的官制、经济、军事、法律等作了较为系统的介绍。但是，诚如自叙中所言："盖慨西法之转移国俗，何如此之速也！又慨是邦之轻弃成宪，何如此之易也！"作者对于明治政府所推行的改革措施并非全面赞成，军事、经济方面改从西法，尚表理解，但对于政治典章方面的改革，依然抱有极大的疑虑："若夫岁历之推迁，守其旧则农民称便；衣冠之制度，率其常则国体自存。日人乃好异矜奇，竟一变而无不变也，是诚何道也！抑亦思一姓相传，历世已一百二十二，历年已二千五百四十八，一旦举法度典章，一一弃若弁发，是得谓是邦之福哉！"①可见顾厚焜对于明治政府改革法度典章并不是完全持赞同态度。

1894 至 1895 年的甲午之战，一向被视为"蕞尔小国"的日本竟然打败了自视为天朝上国的清朝，令国人上下对其刮目相看。值此民族危亡之际，以康有为、梁启超为首的一些先进的中国人，发起了维新变法运动，号召学习日本、变法图强。1895 年，康有为联合在北京应试的举人 1300 余人上书光绪皇帝，陈述变法的主张。在这次有名的"公交车上书"中，康有为指出："日本一小岛夷耳，能变旧法，乃能灭我琉球，侵我大国，前车之辙，可以为鉴"。② 在他看来，日本以一个小岛之国，竟敢挑战中华，其变法自强的经验应该借鉴。1898 年，他又将《日本变政考》上呈光绪皇帝，书中以大量篇幅对西方的议会制度和日本维新的具体过程与措

① 顾厚焜：《日本新政考》自叙，参见刘雨珍、孙雪梅编著：《日本政法考察记》，上海古籍出版社，2002 年版，第 2 页。

② 康有为：《上清帝第二书》，《戊戌变法》(二)，神州国光出版社，1953 年版，第 153 页。

施进行了介绍，同时还将维新前的日本与中国对照，认为“日本蕞尔三岛，土地人民不能当中国十分之一”，但维新以后仅数十年，日本却能文明大辟，政法大备，成为强国。“以日本之小，能更化则聚强如彼，岂非明效大验哉？”[①]康有为以日本的成功来证明变法之可行。他介绍说，日本明治维新，其作法虽多，不外乎如下几条：“大誓群臣以定国是；立制度局以议宪法；超擢草茅以备顾问；纡尊降贵以通下情；多派游学以通新学；改朔易服以易人心数者。”他认为，“我朝变法，但采鉴于日本，一切足已”。[②] 康有为建议：“彼与我同俗，则考其变法之次第，鉴其行事之得失，去其弊误，取其精华，在一转移之间，而欧美之新法，日本之良规，将发现于我神州大陆矣。”[③]在此，康有为进一步阐明了其欲师法日本，并通过日本而学习西方的主张。1898 年 6 月 11 日，光绪皇帝颁布《明定国是诏》，开始实行变法。然而，由于慈禧太后等顽固派的疯狂反扑及维新派自身力量的软弱，“戊戌变法”运动仅仅持续了 103 天便告失败。

然而，甲午一役确实也为中国人提供了一次重新认识日本的机会，诚如梁启超所言：“吾国四千余年大梦之唤醒，实自甲午战败割台湾、偿二百兆以后始也。”[④]面对日本的崛起与中国的衰落，中国的有识之士痛感应积极学习西洋文化，以求存图强。他们认为，“取法泰西，获效最著者莫如日本”[⑤]；赴日学习，不仅路近费省，而且文字相近，易于通晓。对中国来说，日本不仅是学习西洋文化的成功典型，更是一条输入西洋文化的快捷方式所在。

《辛丑条约》签订后，政治统治江河日下的清政府不得不以日本为师，开始推行新政，进行所谓的改革，旨在求强自保。1901 年 1 月 29 日，清廷颁布上谕，指出：“近数十年，积弊相仍，因循粉饰，以致酿成大衅。

---

① 汤志钧编：《康有为政论集》上册，中华书局，1981 年版，第 153 页。
② 康有为：《日本变政考》跋。
③ 汤志钧编：《康有为政论集》上册，中华书局，1981 年版，第 223 页。
④ 梁启超：《戊戌政变记》卷一，《戊戌变法》(一)，神州国光出版社，1953 年版，第 249 页。
⑤ 天津图书馆、天津社科院历史研究所编，廖一中、罗真容整理：《袁世凯奏议》(中)，天津古籍出版社，1987 年版，第 557 页。

现正议和，一切政事，尤须切实整顿，以期渐致富强。"要求督抚以上重臣就"朝章国政，吏治民生，学校科举，军制财政，当因当革当并，如何而国事始兴，如何而人才始盛，如何而度支始裕，如何而武备始精，各举所知，各抒所见，通限两个月内，悉条议以闻，再行上禀。"①

自此，国人对日本的关注日渐密切，赴日考察、学习其政治、法律制度的游历者也愈益增多，形成了中国历史上第一次东游热潮。自1903年起，无论官派还是自请，不管公费还是自费，赴日人数猛增，一时竟如过江之鲫。具体而言，留学生人数以1903年—1906年为多②，而游日官绅人数则以1903年—1907年为多③。始自1903年的东游热，在1905至1907年达到高潮。

总的来看，无论是公派还是自请，游日者的派出机关一为中央政府，一为地方督署。当然，他们的游历考察得到了日本有关团体及友人的大力支持和帮助，虽然其中不乏维护日本自身利益的动机，但客观上却为清末中国人的大举东游提供了方便。下面我们就分别从中央与地方两个层面对当时国人考察日本政法的情况加以论述。

三、清廷中央派遣的赴日政法考察

首先我们来看一下中央政府派遣的赴日考察政法的情形。

1906年底，清政府派载泽、尚其亨、李盛铎及戴鸿慈、端方等五大臣率团出洋考察宪政，"随带人员，分赴西洋各国考求一切政治，以期择善而从。"④次年一月，载泽率领的考察团抵达日本，他们对日本寄予了很大

① 《光绪朝东华录》四，中华书局，1958年版，第4601—4602页。

② 参见实藤惠秀著，谭汝谦、林启彦译：《中国人留学日本史》，附录三"有关中国留日学生的五个统计表"，生活·读书·新知三联书店，1983年版，第451页。

③ 参见熊达云：《近代中国官民的日本考察》，(日)成文堂，1998版，图一"1900—1911年中国官民日本考察者人数变化图表"，第201页。

④ 《派载泽等分赴东西洋考察政治谕》，见故宫博物院明清档案部编：《清末筹备立宪档案史料》上，中华书局，1979年版，第1页。

的希望，在不到一个月的时间里，参观了上下议院、公私立大学、小学校及兵营、机械厂、警察裁判所等近代设施，还聆听了伊藤博文、大隈重信、金子坚太郎、穗积八束等一流政治家和宪法学者关于天皇大权、日本宪政、日本宪法等方面的讲义，同时又与伊藤博文讨论了宪法的制订等问题，"以求立法之原理，与其沿革损益之宜。"①载泽的《考察政治日记》对于日本各种设施的视察记述极为简单，但对于穗积八束的宪法讲义以及与伊藤博文的问答却记述得非常详细。② 五大臣在日本和欧美各自考察了将近七个月时间，回国后即奏请立宪。为了更加深入地了解日本的宪法体制，1907年11月，学部侍郎达寿率考察团赴日对其宪法进行调查，后来达寿因被任命为理藩院左侍郎而被中途召回，调查工作由驻日公使李家驹接替进行。他们除参观了内阁、枢密院、宫内省、内务省、大藏省、司法省、文部省、警视厅、地方政府等设施外，还在伊东巳代治子爵的安排下，由穗积八束、有贺长雄、清水澄、太田峰太郎等专家学者讲授有关宪政方面的系统知识，如日本宪法史、比较宪法、议院法、司法、行政、财政等。尤其是有贺长雄博士，先后为考察团讲述宪政长达一年之久，甚至还亲自为五大臣起草了视察报告。③

在清廷所派出使大臣之外，各部也积极派员赴日考察。如光绪三十二年(1906)四月至八月，巡警部员外郎舒鸿仪与同僚章兰荪奉派赴日，考察警政。他们将"学堂讲录、参观日记、友朋对答之语，与所制赠图表，随时连缀"(自序)，编成《东瀛警察笔记》。其中卷一"讲录"为作者参照东京警察学堂听讲时，学堂理事所授《警察讲录》一卷，并参考教习所讲，择要编辑而成。卷二"问答"为作者在警视厅或警察署与日人黑柳重昌、岛田文之助、新藤银藏、植木武彦、室田景辰、田川诚作等人的问答记录。卷三"图表"包括警察官办制服图、监狱图、警视厅分课表、采用巡查试验

---

① 《出使各国考察政治大臣载泽等奏在日本考察大概情形暨赴英日期折》，见《清末筹备立宪档案史料》上，第6页。

② 参见载泽：《考察政治日记》，收入钟叔河主编《走向世界丛书》，岳麓书社，1986年版。

③ 参见熊达云：《近代中国官民的日本考察》，日本成文堂，1998年版，第160—166页。

表、留置犯人表、调查户口表、盗难告诉表、遗失口头届出表。卷四“日记”记载了作者五月初七抵达长崎，至同年八月廿八日回国间的所见所闻。然如作者所言：“除考查警察外，常参观监狱、军队、学堂、工厂，参观后归而志之。（中略）至于个人之交际，其往来酬应之事，概从删略。”主要还是以参观考察日本监狱等近代设施的记录为主。

此外，雷廷寿亦于该年八月，被巡警部派往日本考察警察制度，十二月归国。作为考察期间的调查报告，雷廷寿编辑了《日本警察调查提纲》一书。全书共分宪法篇、命令篇、官制篇、权限篇、任用篇、俸给篇、纪律篇、赏罚篇等八篇，对明治维新后日本警察制度的改革进行了较为全面的介绍和考察。

是年，法律修订大臣沈家本奏派刑部候补郎中董康、刑部主事麦秩严赴日调查裁判、监狱事宜。为了使调查工作得以圆满完成，还增派留日的法科大学学生熊垓帮助调查，奏派刑部员外郎王仪通协助进行数据的编辑与整理。此外，刑部候补员外郎熙桢与四川綦江县知县区天相自备资斧同往游历。董康等人自当年的四月起程东渡，至十二月份先后回国。在大半年的时间里，他们或赴日本各处的裁判所及监狱详细参观，或于司法省及其监狱协会听其讲解。在对日本的裁判、监狱进行了认真的调查之后，董康等人指出：“方今力行新政，而监狱尤为内政外交最要之事。虽其中条目纷繁，骤难力臻美备，而缔构之初，宜注意者，厥有四。”他们建议清政府应改建新式监狱、培养监狱官吏、颁布监狱规则、编辑监狱统计。同行的熙桢也提出了六条建议供政府参考。同时，熙桢还建议，有志于司法改革之人，如不能远赴日本参观，不妨就近赴天津学习，因为天津的监狱在仿效日本进行改良之后，已为全国之首善。

光绪三十三年（1907）十月，原民政部官员刘杼与曾在日本法政大学学习的好友张瀚溪、刘孝陔一同赴日考察，滞日三个月，自费入法政大学地方自治讲习班听讲两个月。其间主要学习以下七类科目：听清水澄主讲宪法，听黑泽久次郎主讲府县郡制，听吉村原太郎主讲市町村制，听岛田铁吉主讲户籍法，听工藤重义主讲选举法，听松浦镇次郎主讲教育行政法，听小滨松次郎主讲警察行政。与此同时，作者还游历了司法省、巢鸭监狱等东京及其附近的许多地方。作者在其所著的《蛉洲游记》中，在介绍日本现状的同时，还以附注的形式对一些问题进行了深入探讨。特别是其最后部分，作者在介绍了日本明治维新所取得的巨大成就后，对于中国存在的各种弊病进行了较为深入的分析和探讨，指出中国落后的病源在于：一、机关不备；二、人材不足；三、官场习气太重，流品太杂；并对此提出了具体的改革方案。如针对机关不备之弊病，作者提出需采取六项措施：第一、改官制；第二、开国会；第三、开省会；第四、举行地方自治；第五、遍设巡警；第六、遍设地方裁判所。针对人材不足的现象，作者认为必须：第一、培（养）法政人材；第二、培（养）各项专门实业人材；第三、大力筹办教育。又如作者认为，要改革官场习气太重的弊病，必须采取如下措施：第一、普通考验（无论京官外官，实缺候补，一切由钦派通晓新政大臣，分类切实考验）；第二、分发考验（专考验新分发人员）；第三、省服冠；第四、省应酬；第五、省傔从；第六、免兼差；第七、免供张（外省州县，凡遇大员过境，上司出巡，供亿之费，往往不赀，今宜一律禁绝）。[①] 这些都是作者通过亲身赴日考察，对当时政府所推行的新政而提出的有益建议。

四、清末地方官员的赴日政法考察

与中央政府遥相呼应，各地方督署为了给各自的地方改革寻找范本、培养人才，也纷纷派员赴日考察学习，其所派人员总数远远超过了中央政府。

如 1903 年，天津府知府凌福彭受直隶总督兼北洋大臣袁世凯的委派，赴日考察大阪府监狱习艺等事宜。第二年，袁世凯又派其赴日。此次凌福彭用了一个月的时间，从沿革、制度、建筑样式、经费四个方面，对

① 刘梣：《蛉洲游记》，参见刘雨珍、孙雪梅编著：《日本政法考察记》，上海古籍出版社，2002 年版，第 379—380 页。

日本的监狱进行了考察。这种经历，为凌福彭日后在天津开展司法改良提供了有益的帮助。

随着新政的实施，受过新式教育的人材益发不敷为用，地方固陋的风气与闭塞的民智的影响亦愈加明显。为了解决上述问题，一些地方政府一方面继续选派人员赴日留学，一方面派遣官绅出洋游历。如 1905 年，袁世凯制定了遣派官绅出洋游历的办法（《遣派官绅出洋游历办法片》）。其中对派遣官员规定："实缺州县人员，除到任已久，未便令离职守外，其余新选新补各员，未到任以前，酌给津贴，先赴日本游历三个月。参观行政、司法各署及学校实业大概情形，期满回国，然后饬赴新任，并责令呈验日记以征心得，数年以后，出洋之地方官日见增多，庶新政不致隔膜。"而选派绅士时则规定："各属公举品端学粹之绅，咨送日本游历四月，应需经费有取诸学款者，有另行筹备者，每州县至少须送一人，选派护送员、译员随同东渡。"该《办法》最后明确指出："方今时局更新，惟有上下一心，博采邻邦之良法，此项官绅游历为目前行政改良之渐，即将来地方自治之基。"①由此可见，袁世凯对官绅合作，共图发展的重要性及学习日本的必要性已有较为充分的认识。

由于以直隶省政府与地方部门分别筹资的方式进行派遣，加之上述《办法》对官绅游历所作的硬性规定，因而导致了直隶省人士的纷纷东渡，一时间竟成相拥于途之势。1905 至 1907 年，以知县名义赴日的直隶省官员，在日本外务省外交史料馆所藏的《外国官民本邦及鲜满视察杂件》（清国之部）中，有名可查者就有 40 多人②。他们分别来自保定、抚宁、西宁、栾城、邢台、博野、清丰、无极、高邑、赵州、宁津、巨鹿、满城、广昌、宁晋、容城、任丘、迁安、柏乡、曲周等府、州、县，分布范围不可谓不广。1907 年，为适应筹备地方自治的需要，直隶又选派士绅分三期赴日

① 《遣派官绅出洋游历办法片》，《袁世凯奏议》（下），第 1162 页。

② 日本外务省外交史料馆藏 No .3—9—4—34—2《外国官民本邦及鲜满考察杂件》（清国之部），第 2—4 卷。

考察地方自治①。当然,在公派之外,尚有许多人"自备资斧"前往日本考察或留学。如严修1902年8月第一次赴日考察时即为自费,陈振武、王毓锐、范润书等人亦是以自费留日。大规模地公费派遣与不断地自费前往相结合,遂使直隶成为当时东游人数较多的省份之一。自1905年6月至9月,直隶在短短四个月的时间里,先后派了200多人东游。如此大规模的赴日游历,当时在全国并不多见。②

日本之行对官绅们触动颇大。1905年6月,直隶盐山县知县段献增等十人同赴日本考察行政机关及学校制度。这十人均为实任知县。在三个月的时间里,他们在东京参观了司法省、巢鸭监狱、市谷新旧监狱等四十余处。然后又赴关西地区,在大阪与神户参观了县厅、市役所等十余处。1905年7月赴日的直隶正定府栾城县知县刘瑞璘在其所著的《东瀛考政录》中记载说:"日本衙署,仿照西式。局长之室,与大臣之室,均相毗连,有事可以立刻相商,不似中国深居简出,屡谒不见。亲王大臣,及地方官仪仗虚文,一切扫除。虽一等公爵,陆海军大将升塔上马,过轮船、登火车,不用仆从扶掖,谓己非痿痹,何必事事须人。与平民语,和平温厚,故民无不达之情。"③对比之下,中日行政方式之落差可见一斑。

日本之行还使官绅们受到许多启发。如1906年赴日的直隶巨鹿县知县涂福田在三个月的日本考察结束后,在其所著的《东瀛见知录》一书的最后写道:"虽然一见胜于百闻,千虑必有一得。吾师不远,对鉴易明。因就日本所行之有效,为我直隶所急宜仿办者,随事记录,约得十章。"这十条建议分别是:(一)津保宜设演说练习所也。(二)津保宜设农蚕实验场也。(三)津保宜设森林水利专局也。(四)初等小学宜兼收女生也。(五)学校宜用通学法也。(六)各县宜有银行支店也。(七)各县宜

---

① 据王三让《游东日记》记载,直隶所派第三期考察地方自治的士绅实际上1908年才成行。

② 参见孙雪梅:《清末民初中国人的日本观——以直隶省为中心》,天津人民出版社,2001年版,第40页。

③ 刘瑞璘:《东游考政录》,参见刘雨珍、孙雪梅编著:《日本政法考察记》,上海古籍出版社,2002年版,第105页。

一律改良监狱，令罪犯习艺也。（八）州县宜选正绅数人为名誉职员，略仿参事会之制也。（九）各县于四乡创办巡警，宜练乡团以为辅助也。（十）许州县就地方起公债也。①

1907年，为适应筹备地方自治的需要，直隶又选派士绅分三期赴日考察地方自治。据1908年随第三期士绅团赴日的直隶永平府卢龙县举人王三让记载，考察团一行先于政法大学上课听讲。所学内容有选举法、市町村制、户籍法、宪法、教育行政、警察行政、府县郡制。两个月的学习结束后，他们又赴茨城县参观。所观之处有茨城县监狱、水户地方裁判所及区裁判所、茨城县厅及东茨城郡吉田村役场。

此外，当时在日学习的留学生对日本的政法亦颇为留意。他们中的一些人凭借所学的专业知识，利用课暇或毕业后滞日的时间，对日本的行政与司法进行了详细的考察。其中，来自直隶的留学生刘庭春、孟传琴、赵世清、李鸣鹿及湖北留学生罗邦俊、山西留学生续思文、山东留学生唐文源、江苏留学生王皋，自警察学校毕业后，先后利用数月的时间，对日本的各个政治机关进行了考察。他们认为："日本维新四十年，至今已熟收法制之效果。揆厥由来，实缘当日观法于英德之详。吾国当新政经始，借助于考察者为尤要。"②基于这种考虑，他们从警察、地方行政官厅、裁判所、监狱四大方面对日本的政法机关进行了详细的考察，其细致入微的说明与条目清晰的描述，使其所著的《日本各政治机关参观详记》一书在同类著述中别具一格。

另如但焘于光绪二十八（1902）年赴日，游学于日本东京中央大学大学部英法科。在其所著诗文集《海外丛稿》卷三中，作者对明治维新后日本政法方面的词汇借用中国古代词汇进行了广泛的考察，如对于"治外法权"作者论述道："《汉律》：蛮夷长有罪当殊之。犹今各国法予外国元

① 涂福田：《东游见知录》，参见刘雨珍、孙雪梅编著：《日本政法考察记》，上海古籍出版社，2002年版，第147—149页。

② 刘庭春等编：《日本各政治机关参观详记》序，参见刘雨珍、孙雪梅编著：《日本政法考察记》，上海古籍出版社，2002年版，第293页。

首以治外法权之意，盖属地主义之创例也。”[①]诚如驻日公使李家驹在序中所说：“每下一意，辄疏通古今，穿穴中外，虽未睹全豹，亦略见一班（斑）矣。”[②]

五、清末日本政法考察的作用与意义

在清末新政的实施过程中，从中央到地方不断派员对日本政法所作的考察，虽然最终未能拯救清王朝灭亡的命运，但在某些方面，游日者所做的努力还是对中国社会的发展起了积极的推动作用，至少给仍然故步自封的清王朝的专制统治带来了一股新风。具体而言，其作用表现在以下几个方面。[③]

第一，为清廷的新政提供了范本。

预备立宪、实行宪政改革乃清末新政的首要内容。1906 年，出使各国考察政治大臣载泽等人在对日本进行了一番调查之后，上奏朝廷说：“大抵日本立国之方，公议共之臣民，政柄操之君上；民无不通之隐，君有独尊之权。”[④]载泽等人对日本所行君主立宪制度的推崇，使走投无路的清政府终于决定宣布预备立宪，厘定官制。清廷在 1906 年 9 月发布的上谕中说：“现载泽等回国陈奏，皆以国势不振，实由于上下相睽，内外隔阂，官不知所以保民，民不知所以卫国。而各国之所以富强者，实由于实行宪法，取决公论，君民一体，呼吸相通，博采众长，明定权限，以及筹备财用，经画政务，无不公之于黎庶。又兼各国相师，变通尽利，政通民和有由来矣。时处今日，惟有及时详晰甄核，仿行宪政，大权统于朝廷，庶

---

① 但焘：《海外丛稿》，参见刘雨珍、孙雪梅编著：《日本政法考察记》，上海古籍出版社，2002 年版，第 55 页。

② 李家驹：《海外丛稿》序，参见刘雨珍、孙雪梅编著：《日本政法考察记》，上海古籍出版社，2002 年版，第 41 页。

③ 参见孙雪梅：《清末民初中国人的日本观——以直隶省为中心》第五章“东游所见之日本司法”、第六章“东游所见之日本行政”、第八章“东游与直隶省的发展”。

④《出使各国考察政治大臣载泽等奏在日本考察大概情形暨赴英日期折》，见《清末筹备立宪档案史料》上，第 6 页。

政公诸舆论，以立国家万年有道之基。”①至于实行宪政的效法对象，在对各国进行了考察、比较之后，载泽密奏道：“以日本宪法考之，证以伊藤侯爵之所指陈，穗积博士之所演说，君主统治大权，凡十七条。”载泽认为，这十七条宪法所讲的，是指“凡国之内政外交，军备财政，赏罚黜陟，生杀予夺，以及操纵议会，君主皆有权以统治之。论其君权之完全严密，而无有丝毫下移，盖有过于中国者矣。”②其他游日者亦认为，以君主立宪为政体的日本，其政治权力既不在议会，也不属内阁，而是由天皇掌握。日本的行政制度既学西方，又不失本国特色。有的游日官绅描述说，日本“维新以后，步趋西洋各国，而仍斟酌其本国之民情土俗，布为宪法。虽设议会，其权仍操之于上。如议会有不善之处，在上者可令其随时解散。是立宪之内，尚有专制之权”。③ 在游日者看来，中国若是以日本为范式，建立君主立宪的中央集权专制体制，不仅能够保住皇帝的统治，还可使国内外的舆论平息，实乃两全其美之计。并且，针对国内纲纪涣散、吏治日坏的腐败现象，有游日者认为，将日本这种以天皇为中心的君主立宪式专制体制“取以挽救中国积习，洵为适当”。④

而且，将官制改革作为预备立宪的切入口，同样是效法日本的结果。1906 年，出使各国考察政治大臣戴鸿慈等上奏道：“日本之实施宪法在明治二十三年，而先于明治七年、明治十八年两次大改官制，论者谓其宪法之推行有效，实由官制之预备得宜。”⑤因此，清廷在宣布预备立宪的上谕中，明确指出：“廓清积弊，明定责成，必从官制入手，亟应先将官制分别议定，次第更张。”⑥

---

①《宣示预备立宪先行厘定官制谕》，见《清末筹备立宪档案史料》上，第 43—44 页。

②《出使各国考察政治大臣载泽奏请宣布立宪密折》，见《清末筹备立宪档案史料》上，第 173—174 页。

③ 甘厚慈辑：《北洋公牍类纂》卷三吏治，台湾文海出版社印行，第 187 页。

④ 甘厚慈辑：《北洋公牍类纂》卷三吏治，第 187 页。

⑤《出使各国考察政治大臣戴鸿慈等奏请改定全国官制以为立宪预备折》，见《清末筹备立宪档案史料》上，第 367 页。

⑥《宣示预备立宪先行厘定官制谕》，见《清末筹备立宪档案史料》上，第 44 页。

在地方自治的提倡与筹备上，游日者同样也借鉴了日本的做法与经验。1906 年 8 月，袁世凯奉谕在天津创设自治局，凌福彭被任命为督办，毕业于早稻田大学的翰林院检讨金邦平协同办理。自治局仿照日本实行地方自治时曾设期成会的作法，设立了天津县自治期成会。1908 年 5 月，天津府自治局扩大成直隶自治总局，筹办直隶各府州县的地方自治事宜。1909 年 4 月，直隶自治研究所成立；同年十月，直隶成立了宪政研究会。从此，始自天津的地方自治在直隶各地兴办了起来。在各州县地方自治的筹办过程中，东游者及那些曾在自治研究所学习过的人发挥了主要作用。如广宗县 1907 年曾派四人入津学习，其中一人于 1908 年赴日考察。他们回县后，于 1909 年创办了自治研究所。研究所先招了 30 多人传习，六个月毕业后，又招了 30 多人。1910 年，广宗县成立了自治预备会，由曾赴日考察过学务的张鹤鸣任会长，着手准备实行自治。①

此外，在司法改良方面，游日者仿效日本的做法，从中用力颇大。以直隶省为例，凌福彭等人在考察了日本的监狱之后，于 1904 年 7 月，率先在天津创办了罪犯习艺所，并采择日本成法，制定了《天津监狱习艺所办法》。由于以日本为范本而创设的天津罪犯习艺所在开办几个月后，即已“极形整齐，成效可观”，所以 1905 年上半年，直隶又在省城保定创办了一处罪犯习艺所。无论是罪犯习艺所还是游民习艺所，其对习艺的要求是一致的，即“因才施教，就地取材，尤以易于销售，获利较薄者为最宜”。并且，在罪犯习艺所创办之初，袁世凯就曾要求“工艺一事，拟令精粗并习”。② 由于天津与保定所处的地理位置不同，所以，对其习艺的要求也不能一概而论，应该有所区别。天津为通商之地，在习艺上宜尚精美；而保定由于较为闭塞，其习艺则应先事粗浅。由此看来，直隶在学习日本，力求建立近代的监狱制度之时，并不都是简单的模仿，其对各地的实际情况还是有所考虑的。

---

①《广宗县志》，台湾成文出版社据 1933 年版影印，第 171—172 页。

②《袁世凯奏议》(下)，第 1110 页。

1906年，清政府实行官制改革，将刑部改为法部，专理司法；将大理寺改为大理院，专掌审判。同时，清廷亦打算学习立宪国家，将司法权与行政权分开，实现司法独立。鉴于直隶的监狱改良已渐有起色，因而，朝廷决定：专设审判，先由天津地方试办。袁世凯认为，此事若在直隶全省同时开办，既缺少能够充当法官的专业人才，又不好布置。于是择由天津一府先行试办，而一府之中，又先从天津一县试行。是年，凌福彭由天津府知府调补保定府知府。保定有作为直隶全省刑名总汇的谳局，凌福彭在保定任上，“遇有疑难重案”，“悉心推鞫，务得真情，民不喊冤，狱无留滞”。因天津“交涉事繁”，同年，袁世凯又将他调回天津任知府。① 故此，可以说，以天津为试点所创办的审判也是在凌福彭的主持下进行的。

第二，通过对日本政法的考察，使清末的游日者增长了见识，开阔了视野。

游日者听说，日本原来也和中国一样，行政、司法混为一体，自司法省成立后，才逐渐加以改良。虽然日本原先的审判方法与中国大同小异，但在进行司法改良后，却废除了酷虐之刑。如对犯人不能刑讯逼供；警察拘捕犯人不能私用鞭挞，若有用者，一经查知，必予处罚。② 关于辩护制度及律师的作用，游日者了解到，律师既非官吏，又不隶属裁判所，而是一独立执行其职务的角色。律师的职务乃是受当事人的委托或经司法机关指定，依法协助当事人进行诉讼及处理有关法律事务。在民事诉讼中，律师被称为诉讼代理人，只有在刑事诉讼中，才称为律师。③ 游日者还听说，监狱对所关押及释放的犯人，均有详细的统计。有关方面根据这些日统计、月统计与年统计，来分析哪类人犯何种罪为多，并找出其社会根源。在此基础上，则可对症下药，施以教育，以促进社会进步。这种根据犯罪种类与人数来考察社会所存在的问题的作法，在游日者看

① 《袁世凯奏议》(下)，第1459页。

② 严修：《严修东游日记》，武安隆、刘玉敏点注，天津人民出版社，1995年版，第41页。

③ 刘庭春等编：《日本政治机关参观详记》，参见刘雨珍、孙雪梅编著：《日本政法考察记》，上海古籍出版社，2002年版，第331页。

来,“用意至为深远”。[①]

对日本政法的考察,还引发了游日者深刻的反省与思考。如有人指出,中国的刑狱不但为外人所诟病,即使国人对其也颇有微词。“文告既繁,弊窦丛生。大讼累年不决,小讼一任官吏之喜怒为轻重。是以罪名未完,先受非刑。及经系逮,狱卒之私刑,更有难堪。甚至无辜株连者,不论将来能否得剖白解脱,其人已饥渴瘦死。即幸而出狱,既未予以自新之路,又未授以营生之计,仍不免重蹈故辙”。[②] 还有人直言,中国的监狱黑暗秽臭,不见天日,饮食不洁,疾病丛生。往往案件尚未审理完毕,犯罪嫌疑人已死在狱中。[③] 也有人建议,由于中国的法律尚不完备,“地方讼事率用压力,民气抑制已久。”一旦爆发,恐政府将难以控制。因此,应“多设裁判所,分别民刑二事为入手基础。而减轻刑律尤为当务之急。”[④]总之,游日者认为,中国应师法日本的司法制度,逐渐进行改良,以臻完善。

此外,受日本的启发,游日者还结合中国的具体情况,对在中国实行司法审判的前提条件提出了独自的见解。如郑元浚建议,中国“如欲仿设裁判,必也先之以国民教育,使民皆知耻,不复存幸胜之心;而又辅以警察,使民皆知法,不敢有非理之想。则刑讯之风,或庶几乎少息已。”[⑤]他认为,只有这样,中国的司法审判才能顺利地实行。

司法制度作为规定司法机关的性质、任务、组织、审判程序、司法行政工作的制度的总称,其内容既多且繁。清末游日者或囿于学识,或限于时间,其对日本司法的考察尚有欠系统与全面。但总的来看,游日者以审判制度、律师制度与监狱制度为中心,对日本司法制度所作的论述,

① 涂福田:《东瀛见知录》,参见刘雨珍、孙雪梅编著:《日本政法考察记》,上海古籍出版社,2002年版,第136页。

② 王锦文:《乙巳东游日记》(稿本),9月22条。

③ 刘瑞璘:《东瀛考政录》,参见刘雨珍、孙雪梅编著:《日本政法考察记》,上海古籍出版社,2002年版,第114页。

④ 郑元浚:《东游日记》(石印本),1914年刊,第9—10页。

⑤ 郑元浚:《东游日记》,第6页。

在一定程度上说明,清末中国人已认识到了日本司法制度的先进性。同时,他们的论述为清末的法制改革亦提供了一些借鉴与经验。

六、结语

兴起于 1903 年的清末东游热在持续了几年后,于 1908 年开始降温。从此,游日者日趋减少。1911 年辛亥革命爆发后,在日的中国人几乎全部回国,喧嚣一时的清末东游热遂致冷却。

在清末东游热中,涌现了大量的有关日本政法方面的考察记录。据熊达云博士统计,清末中国人留下的政法考察记多达 43 种,[①]加上一般视察类之中也包含了不少政法类的考察记,以及尚有一些遗漏的著作,实际上有关日本政法考察的记录应该更多。

本书中,我们收录了有关政法考察记的考察报告、游记及日记 15 种,这仅为清末赴日政法考察记的一部分,其他还有多种因篇幅等原因未能收入。收录时以考察者赴日的时间先后排序。为了读者利用方便,我们还在书后编制了人名索引。

(本文为刘雨珍、孙雪梅编著《日本政法考察记》所撰"前言",上海古籍出版社,2002 年版,第 1—26 页,该书为王宝平主编《晚清东游日记汇编》之一。)

① 参见熊达云:《近代中国官民的日本考察》,(日)成文堂 1998 版,附录一"清末中国人日本考察者所著游记、日记类目录"。

第二十章　《日本政法考察记》所收书目解题

一、顾厚焜:《日本新政考》

元和顾厚焜著。二卷。光绪丁酉年(1887)夏慎记书庄石印。卷首有光绪十四年(1888)驻日公使黎庶昌所作的序及作者自序。

光绪十三年(1887),经光绪皇帝钦定、被选为外国游历使的兵部员外郎傅云龙与刑部主事顾厚焜,奉命游历日本、美国、秘鲁、古巴、巴西等国。九月二十六日(公历 11 月 16 日),二人乘坐日本邮船会社的东京丸抵达长崎,开始了为期六个月的日本考察。

其间,二人先在东京考察了海军、陆军、大藏省、司法省以及学校、制造工厂、工场局厂、公园、船坞,在外务大臣伊藤博文发给游历内地的护照后,又考察了静冈、名古屋、琵琶湖、滋贺、京都、大阪、神户等地。考察时二人又作了具体分工,傅云龙负责日本的地理、历史、风俗及古事逸闻,顾厚焜则负责明治维新后所推行的各种新政。考察结束后,傅云龙撰成《游历日本图经》三十卷(光绪十五年版),顾厚焜撰成《日本新政考》二卷。《日本新政考》共分九部,其中卷一为洋务部、财用部、陆军部、海军部,卷二为考工部、治法部、纪年部、爵禄部、舆地部,下列共计 73 个细目，如考工部下分细目有：东京海军兵学校考、东京炮兵工厂考、大阪炮兵工厂考、长崎饱浦机器局考、长崎造船所考、川崎造船所考、小野滨海军造船所考、横须贺海军造船所考、东京千住制绒所记、东京旺子造纸局记、大阪硫曹制造会社记、大阪制燧社记、大阪硝子制造会社记、瓷器陶器记略、织绸纤呢记略、大阪纺织会社记略。本书特征，诚如黎庶昌序中所言："不繁言费辞，使全国维新治迹，灿若列眉，简约能赅，真大辂之椎轮也。"

二、但焘：《海外丛稿》

蒲圻但焘（植之）著。四卷。宣统元年（1909）六月日本东京秀英舍第一工场印刷出版。卷首有盛宣怀、胡惟德、贺纶夔题字，并附盛宣怀、李家驹、蒋文宗、范熙壬来函，其后为李家驹序及作者自叙，时作者游学于日本东京中央大学大学部英法科。

文中虽未记载具体赴日年月，然作者于己酉年（1909）六月所撰的自叙中曰："担囊东徂，七越春秋"，可知作者赴日应为光绪二十八年（1902）。

本书为作者的诗文集。其中卷一为诗，乃作者在日期间的自作或唱和之作。卷二为文，包括《地方自治丛编》序、《各国上院纪要》序等。卷三为有关法律制度的札记，卷四则为有关日语词汇的札记（一名日语古征）。其中，卷三札记中作者对日本明治政法方面的词汇借用中国古代词汇进行了广泛的考察，具体细目有：法术、律令、宪、预审、治外法权、制国用、敕选、史、隶人、判书、无故入人室宅、司民、拾遗、立法权、领土、官人叙才、刑事民事、宣告、往成、期外不听、揭示、罚作、道禁、毒蛊、没收、判决录、权利、冢宰、联、富寿、法令由一、质成、不从中覆、林政、渔猎、无障川谷、施法、施典、施则、制国用必于岁杪、国务大臣、断罪无正条、亲属相为容隐、以吏为师、中国民事诉讼法成例之一班（斑）、县大郡小、家令、卖饧、夕市。李家驹序中赞曰："每下一意，辄疏通古今，穿穴中外，虽未睹全豹,亦略见一班(斑)矣。”

三、金保福:《扶桑考察笔记》

沈阳金保福著。一册,上下二卷。卷首有李家驹、徐琪题签及作者丁未(1907)年六月所撰的自序,卷末附有正误表。

据作者自序,作者于1904年秋,奉岑云阶、张安圃命,考取派赴日本学习法政,先后与李仲芝、曹九畴、子才及湖北游历官庆松岩一同参观考察。1906年夏,由政法大学、警务学堂毕业后,又有实地考察之举,“凡司法、行政、各官厅及官私所设物业有关于政治之学者,由校中导往参观。”参观考察之处有:大审院、日本桥警察署、巢鸭监狱、司法省、外务省、内务省、大藏省、陆军省、海军省、农商务省、递信省、京桥区水上警察署、埼玉县八王子町缫丝厂、芝区烟草制造局、芝区新桥铁道作业局、上野公园图书馆、东京府市役所、东京盲哑学校、京桥区常盘私立两等小学校及附属幼儿园、本乡区女子高等师范学校附属小学校、大冢洼高等师范学校附属小学校、曲町区东京府公立第一中学校、东京华族学习院、浅草区东京府立第一高等女学校、上野音乐学校、帝国大学、小石川区东京府立女子师范及第二高等女学校附属小学校幼儿园、小石川区高田丰川町女子大学校附属高等女学校又小学校幼稚园、牛込区东京府公立第四中学校、曲町区市立富士见两等小学校并附属幼儿园、曲町区晓星中学及两等小学校、浅草区东京高等工业学校附属职工徒弟学校又工业教员养成所工业补习学校、下谷区美术学校、劝业银行等。

四、段献增:《三岛雪鸿》(《东邻观政日记摘录稿》)

滇南段献增著。一册,不分卷。京华印书局排印,原书卷末附文牍一斑,滇南段献增著。一册,不分卷。京华印书局排印,原书卷末附文牍一斑,今略。

光绪三十一年(1905)夏，著者以直隶盐山县知县的身份，循例赴日考察行政机关及学校制度。同行者有邢台县知县田鸿文、博野县知县邓炎芬、无极县知县鲍德邻、清丰县知县马觐臣、实任知县张朴、姒锡章、马丙炎、许辰田、王春藻。

是书虽名曰“日记”，但由于著者认为“日记体裁烦琐，不甚尘渎，”于是模仿吴汝纶《东游丛录》的“摘抄之例，撷要录列。”

著者在日所观之处有：上野劝商场、上野公园、动物园、浅草公园、植物园、博物馆、图书馆、宏文学院、内务省、卫生试验所、司法省、市谷新旧监狱、巢鸭监狱、东京市区裁判所、大审院、芝公园、外务省、东京养育院、东京市立常盘小学校、东京府立第一中学校、东京府厅、度量衡检查所、给水工场、东京市京桥区役所、官立商品陈列馆、女子高等师范学校及附属幼儿园、电话交换局、帝国大学、高等商业学校、高等工业学校、盲哑学校、东京府立职工学校、东京万年寻常小学校、东京府立师范学校及其附属小学校、美术学校、东京音乐学校、日本银行、女子职业学校、东京麻布区警察署、农事试验场及蚕业讲习所、庆应义塾、大阪市立高等工业学校、大阪府西成郡丰崎村寻常高等小学校、大阪商品陈列所、三轩屋株式会社、纺织工厂、兵库县厅、神户市役所、神户市立高等商业学校、云中茸合村寻常高等小学校等。

另外，同行的田鸿文着有《(乙巳)东游日记》(1905 年)，保定学务处排印。

五、刘瑞璘：《东游考政录》

东里刘瑞璘著。一册，不分卷。

光绪三十一年(1905)六月，著者以直隶正定府栾城县知县的身份，受直隶总督袁世凯的委派赴日考察政治。同游者有实缺知县李盛銮、宣化府西宁县知县高承枢及直隶所派第二期游历士绅武幼边、杨雨农等 72 人。自六月初十日由天津出发东渡至八月二十日离日，往返两月余。参观考察之处有：内务省、市立小学、官立女子高等师范学校及其附属幼儿园、小学校及附属高等女学校、警视厅、高等商业学校、东京高等师范学校及其附属教育博物馆、振武学校、上野帝国博物馆、东京市役所、农商务省、东京邮便局、东京番町电话局、司法省、芝区商品事业劝工场、控拆院、大审院、东京商业银行、东京监狱，巢鸭监狱，东京府、日本银行、上野动物园、法政大学。在千叶县参观九天，所观之处有：千叶县厅、千叶警察教习所、千叶警察署，千叶郡役所、千叶师范学校、千叶县小学校及其附属农事试验场、千叶监狱、千叶税务署、千叶町役场、千叶地方裁判所、千叶医学校、千叶病院。在关西所观之处有西京府、京都帝国大学、京都市役所、京都水利事务所、西京织物株式会社、西京棉子株式会社、嵯峨村役场、大阪府三平株式会社、岛田硝子场、大阪东区活板制造所、摄津纺纱厂、黑合名会社、毛斯纶纺织株式会、焰田染工厂、大阪市上水道、神户商品陈列所、神户市立寻常小学校、神户市立高等女学校等。

是书以日记体对所观之处逐日记载，内容较详。

六、涂福田：《东瀛见知录》

涂福田著。一册，不分卷。卷首有崇阳刘桴所写的叙。

光绪三十二年(1906)二月，著者以直隶巨鹿县知县的身份赴日东游。同行有新选赵州知州恩惠、宁津县知县禄坤、准补满城县知县吴烈，历时约三个月的日本之行，著者在东京参观了东京盲哑学校、高等女子师范学校、东京府立第一中学校、第一高等学校、王子村农事试验场、蚕业讲习所、东京府立女子师范学校附属高等学校、小学校、幼儿园、电话交换所、常盘小学校、东京市养育院、高等工业学校、东京府、东京市役所、曲町区役所、美术学校、警视厅、芝区警察署、大森町役场、高等师范学校、私立女子职业学校、万年町特种小学校、振武学校、水道局、早稻田大学，司法局、巢鸭监狱、宏文学校、内务局、东京府立第三高等学校、帝国大学、中央气象台、东京邮便局、日本银行、农商务省、印刷局、王子造纸厂、东京大林区署、日本精制糖株式会社、目黑村林业试验所。其后赴埼玉县，参观了埼玉县厅、浦和监狱、浦和裁判所、浦和警察署、浦和师范学校附属小学校、浦和女子师范学校附属高等女学校及小学校等。

本书卷末有著者所提的“日本所行之有效，为我直隶所急宜仿办”的十条建议。

另外，同游者恩惠着有《东瀛日记》(1906 年)，吴烈着有《丙午东游日记》(1906 年)。

七、王仪通:《调查日本裁判监狱报告书》

王仪通著。一册，不分卷。北京农工商部印刷科 1906 年 5 月铅印。

卷首有作者所写之叙，其次为调查日本裁判监狱报告书目录。本书正文开篇为法律修订大臣沈家本所写的《调查日本裁判监狱情形折》。奏折中言明，光绪三十二年(1906)四月，刑部候补郎中董康偕自备资斧随往游历的刑部候补员外郎熙桢、刑部主事麦秩严、四川綦江县知县区天相赴日调查监狱、裁判事宜，并添派日本法科大学学生熊垓帮同调查。一行四人于闰四月间抵日后，“审知司法一项，端绪芬如”。恰学部奏派刑部员外郎王仪通赴日调查学务，于是又咨派王仪通在日“襄理编辑。”王仪通等人将在日九个月间的调查所得“辑译成书，分期报告”，乃成本书的主要内容。

是书主要由调查裁判列表与调查监狱列表两部分组成。前者共分司法权、裁判所及检事局、通用规则、职员四部分，后者由沿革、构造、刑罚、监狱定义等 22 部分组成。其次为上奏的《实行改良监狱折》。在书的最后，附有松冈义正《日本裁判沿革大要》及冈田朝太郎《死刑宜止一种论》。

另外，同行的熙桢着有《调查东瀛监狱记》(1906)一书。

八、熙桢:《调查东瀛监狱记》

长白熙桢著。一册,不分卷。卷首有照片十幅,其中首尾两幅为著者像,其余八幅为著者所乘车船及东京地区建筑设施的照片。

光绪三十二年(1906)春,著者鉴于"非修内政无以定外交,而内政之修首在刑律,监狱一日不改即刑律一日不修,而领事裁判权亦一日不复。"遂自备资斧,以刑部候补员外郎的身份赴日考察监狱,以资仿效。同行者有刑部候补郎中董康、刑部主事麦秩严、四川綦江县知县区天相、在日则有法科大学学生熊垓陪同。

本书开篇为著者所写调查东瀛监狱记。在是记中,著者认为:"东瀛监狱虽称美备,而徨(皇)国如欲取法,须择其善者而从之,其不善者而改之。"并提出了六条具体建议以供参考。

本书后附《刑事被告人遵守条例》与《囚犯与惩治人遵守条例》。

九、舒鸿仪:《东瀛警察笔记》

舒鸿仪著。四卷。光绪三十二年(1906)八月上海乐群图书编译局初版发行。卷首题巡警部员外郎舒鸿仪著、委员章兰荪校,其后为王赓序及作者作于东京旅舍的自序。卷后有陈瑜跋,版权页署"编辑者:舒鸿仪,订正者:章兰荪"。

据舒鸿仪自序,光绪三十二年(1906)四月至八月,作者与章兰荪奉命派往日本,考察警政,将"学堂讲录、参观日记、友朋对答之语与所制赠图表,随时连缀,积成此篇。"其中卷一"讲录"为作者参照东京警察学堂听讲时,学堂理事所授《警察讲录》一卷,并参考教习所讲,择要编辑而成,主要内容包括国际法、结社集会之限制、携带品之禁止、戒严之宣告、交通规则、卫生法、建筑法、妓寮旅馆饮食店浴屋剧场之取缔、通货及模造证券漉入纸之检查、农矿森林之保护、刑法之分类、刑法之适用、加重减轻、重罪之加减例、违法命令、不当命令、消防班之施行规则、郡部消防事务细则。卷二“问答”为作者在警视厅或警察署与日人黑柳重昌、岛田文之助、新藤银藏、植木武彦、室田景辰、田川诚作等人的问答记录，包括警察官制俸给及巡查人数、采用巡查手续、新闻报纸条例、陆军军人处置法、巡查不得轻易拔剑、对待外国人之法。卷三“图表”包括警察官办制服图、监狱图、警视厅分课表、采用巡查试验表、留置犯人表、调查户口表、盗难告诉表、遗失口头届出表。卷四“日记”起始于作者三十二年五月初七抵达长崎，终于同年八月廿八日，其间记述如作者所言：“除考查警察外，常参观监狱、军队、学堂、工厂，参观后归而志之。(中略)至于个人之交际，其往来酬应之事，概从删略。”

十、雷廷寿:《日本警察调查提纲》

渭南雷廷寿编辑。一册，不分卷。卷首有非卿光绪丁未(1907)冬的题签及作者光绪三十二年(1906)12月的自序。

光绪三十二年丙午(1906)八月，作者被巡警部派往日本考察日本警察制度，是年十二月归国，此即其归国后的调查报告。全书共分宪法篇、命令篇、官制篇、权限篇、任用篇、俸给篇、纪律篇、赏罚篇等八篇，但并非全文抄录，而是适当摘录有关章节，并附上作者自己的按语，如凡例中所言，“篇中内容，大半撮录汉籍诸书原文，仅据私意分别部局，加以按语。”且“汉译诸书，大抵皆据明治三十九年(1906)以前之本”。如宪法篇中，仅摘录第二章第十八条、第二十二条、第二十三条、第二十五条至第二十九条，而官制篇则对日本警察机关之组织抄录甚详。

十一、赵咏清:《东游纪略》

海阳赵咏清著。一册，不分卷。光绪三十三年(1907)活字版。

此书以日记体形式，逐日记载作者赴日考察的经过。丙午年(1906)

十二月初六，作者"赴吏部具呈亲缮愿书，自备资斧游历东洋考察政法"，吏部当堂许给咨文。丁未年(1907)正月初五，作者乘坐日本弘济丸东渡，经长崎、马关、神户，十一日抵达横滨。滞日三个月，于该年四月十三日乘德国公司船归国，十六日抵达吴淞口。

在日期间，作者及友人聘请梅田君讲述各种法律问题共七周，并将其内容详加记载。

此外，作者还游历了外务省、博物院、巢鸭监狱、东京第一高等学校、东京高等师范学校、神田国光馆、市谷监狱、东京帝国大学、东京朝海小学校、水产讲习所、靖国神社、东京监狱、东京府师范学校、日本女子大学、商船学校、东京盲哑学校、新桥邮便局等处。

十二、刘庭春:《日本各政治机关参观详记》

宁晋刘庭春等人编著。一册，不分卷。光绪三十三年(1907)日本并木活版所、警监研究社印刷。扉页书名为兰圃题写。卷首有刘庭春所写之序。

是书由直隶孟传琴、山西续思文、山东唐文源、江苏王皋、湖北罗邦俊、直隶鸡泽李鸣鹿、宁晋刘庭春、永年赵世清等人共同编辑、增辑而成。编著者均为留日学生，他们"课余考察，积数月之久，博观详记，订为是编。"希望能为新政之参考。

全书共由警察、地方行政官厅、裁判所、监狱四编组成，每编又分成若干章节目，内容颇为具体、细致。

十三、刘杼:《蛉洲游记》

崇阳刘杼(剑侯父)著。一册，不分卷。卷首有戊申年(1908)夏李稷勋的题签及作者该年二月所作的自序。

光绪三十三丁未年(1907)十月初五，作者与好友张瀚溪(则川)、刘孝陔(造驹)乘博爱丸油轮由上海出发,初六夜抵达长崎,经门司、神户于初十到达东京。滞日三个月,戊申年(1908)正月十二日由横滨乘博爱丸油船返回上海。

抵日不久的十月十三日,作者自费入法政大学地方自治讲习班听讲两个月,主要科目有以下七类:清水澄主讲宪法,黑泽久次郎主讲府县郡制,吉村原太郎主讲市町村制,岛田铁吉主讲户籍法,工藤重义主讲选举法,松浦镇次郎主讲教育行政法,小滨松次郎主讲警察行政。

与此同时,作者还游历了东京地区的许多地方,所游之处主要有:浅草公园、靖国神社、日比谷公园、上野公园博物馆、小石川区役所、盲哑学校、东京府师范学校、神田共立女子职业学校、上野公园图书馆、女学校杂志社、成城学校、司法省、巢鸭监狱、王子村造纸所、帝国大学、医科大学、日本桥区本石町常盘小学校及附属幼儿园、小石川区丰川町女子大学校、目黑村林业试验所、涩谷农科大学、王子村蚕业讲习所、东京市养育院、高等女子师范学校、大手町印刷局、大藏省、东京烟草第二制造厂、日本桥区两替町日本银行、上野公园美术学校、电话交换所等地。作者在介绍日本现状的同时,还以附注的形式,对一些问题进行了深入探讨。

作者在游记的最后部分,指出中国落后的病源在于:一、机关不备;二、人材不足;三、官场习气太重,流品太杂。并对此提出了一些具体的改革方案。

十四、王三让:《游东日记》

永遵王三让著。一册,不分卷。卷首有作者自序。

光绪三十四年(1908)二月,著者以直隶永平府卢龙县举人的身份,作为直隶第三期赴日考察地方自治士绅中的一员东渡,滞日三个月。著者一行于法政大学上课学习,“听讲暇,择要参观藉实地考验,以吸其精神”。其在法政大学所修课程内容为选举法、市町村制、户籍法、宪法、教育行政、警察行政、府县郡制。两个月的学习结束后,又赴茨城县参观。

所观之处有茨城县中学校、师范学校及其附属小学校、茨城县监狱、水户地方裁判所及区裁判所、常盘公园、茨城县厅及东茨城郡吉田村役场。回国前在东京参观了私立美术学校、私立三轮田高等女学校。

十五、贺纶夔:《钝斋东游日记》

蒲圻贺纶夔编述。一册,不分卷。己酉(1909)仲秋上海商务印书馆刊印。卷首有作者亲自题签及自序,卷末附有正误表。

作者于光绪三十四年(1908)冬"请于大府,东行观政。"文章开始记十二月十四日由成都出发直至宣统元年(1909)二月二十日抵达上海的沿途情况。闰二月初三日,作者乘日本邮船博爱丸离沪,初五抵达长崎,经门司、神户于初八到达东京。滞日三个月,五月初二由神户乘船,六日返回上海。

作者游历之处有帝国博物馆、外务省、司法省、上野美术学校、文庙、靖国神社、芝区裁判所、东京监狱、巢鸭监狱、市谷监狱、日本银行、兴业银行、劝业银行、警视厅、芝区警察署、芝区巡查练习所、陆军被服本厂、目黑骑兵第一联队、目黑野炮兵第一联队、中央幼年学校、户山学校、经理学校、陆军军医学校、赤十字社病院、工兵大队、近卫步兵第一联队、宪兵司令部、炮工学校、兽医学校、东京卫戍监狱、野战炮兵射击学校、振武学校、东京府、邮传株式会社、市役所、区役所、帝国铁道厅、早稻田大学、东亚铁道学校、行政裁判所、宪兵练习所、帝国大学、农科大学、女子职业学校、东京府公立师范学校、高等师范学校、高等工业学校、外国语学校、第一高等学校、学习院滨町小学校、盲哑学校、商船学校、感化院、慈惠病院、巢鸭精神病院、淀桥净水场等地。

是书以日记体对所观之处逐日记载,内容较详。

(本文为刘雨珍、孙雪梅编著《日本政法考察记》所撰"解题",上海古籍出版社,2002年版,第1—11页,该书为王宝平主编《晚清东游日记汇编》之一。)

第二十一章　论近代中国官民日本考察的历史意义
——评熊达云著《近代中国官民的日本考察》

一、前言:中日近代化的不同之路

19世纪中叶以后,面对西方列强的冲击,东亚各国被迫开国,濒临空前的民族危机。日本通过明治维新积极吸收西方各国的文化制度,迅速实现了近代化。而中国苦于内忧外患,未能赶上这波浪潮,近代化的道路迂回曲折。对于二者近代化道路的不同,之前的研究者们已从各个角度予以深入探讨。其中无法忽视的要素之一,则是明治政府与清政府对外认识的差别。

明治四年十一月十日(公历1871年12月12日),成立不久的明治新政府便向欧美派遣右大臣岩仓具视为特命全权大使,参议木户孝允、大藏卿大久保利通、工部大辅伊藤博文、外务少辅山口尚芳等为副使的高规格政府代表团,史称"岩仓使节团"[①]。该代表团共计107人,包括46名使节团员和18名大使及副使的随从,43名华族、士族、书生等留学生。在第一站美国,使节团就因在修改条约方面不断碰壁,不得已改变原定

---

① 久米邦武编,田中彰校注:《美欧回览实记》(一),岩波文库,1977年版,第41页。

计划，改为亲眼见识欧美发达国家的制度和文化，吸取其长处，致力于日本的近代化。使节团一行历经约一年十个月，遍访美国、英国、法国、比利时、荷兰、德国、俄罗斯、丹麦、瑞典、意大利、澳大利亚、瑞士等十二个国家，近乎贪婪地考察了政治、产业、经济、文化等各种设施。回国后，以大久保利通为首的岩仓使节团首脑，掌握了明治政府的主导权，他们立足于欧美资产阶级国家原理和十九世纪后半期国家政治实际情况，力图构建独自的近代天皇制国家。可以说在某种意义上，岩仓使节团的欧美考察为之后明治政府的前进道路指明了方向。

另一方面，因鸦片战争而被迫开国的清廷却依然固守着传统的中华思想，并不关心与外国的交流。1906 年，经过戊戌变法和义和团运动，清廷开始重视外国考察，并向日本和欧美派出堪称中国版的"岩仓使节团"——五大臣考察团，认真探讨立宪政治的可能性。这次向海外派遣政府高官考察团是在清政府灭亡五年前，比日本足足晚了三十多年。当时同被欧美列强强制开国，日本通过明治维新早一步吸收西方先进文化，在甲午战争中打败老牌帝国中国，日俄战争中又战胜俄国，对中国来说日本成为学习的范本，很多中国人都来到日本考察或留学。从 1895 年甲午中日战争战败到 1911 年清朝灭亡，中国人到日本考察和留学的热潮持续了十多年，从政治到经济，军事到教育各个方面，给中国的近代化带来了巨大影响，甚至被称为"日本式的中国"(A Japanese China)或"中国的日本化"(La Japanization de chine)①。

迄今为止，对清末考察热和留学热的研究一直集中在对留学生的研究中，也涌现出实藤惠秀的《中国人留学日本史》②，黄福庆的《清末留日

① 参见吕万和:《明治维新与中国》，日本六兴出版，1988 年版，第 191 页。

② 实藤惠秀:《中国人留学日本史》，日本黑潮出版，1960 年版。中译本为实藤惠秀著，谭汝谦、林启彦译:《中国人留学日本史》，生活·读书·新知三联书店，1983 年版。

学生》[1],严安生的《日本留学精神史——近代中国知识分子的轨迹》[2]等一系列优秀著作。与此相对,在对大规模的中国官民的日本考察的研究方面,尚未出现统观全局的系统性研究。由此可言,熊达云博士的《近代中国官民的日本考察》堪称填补该领域空白的先驱性巨作。

二、《近代中国官民的日本考察》的整体框架

本书为熊达云教授于1997年2月,向早稻田大学大学院政治学研究科提交的博士学位论文《关于中国官民日本考察的历史性考察——清末中国近代化的尝试和日本》[3]的基础上修改而成。作者凭借该论文,于1998年3月获得早稻田大学政治学博士学位,同年8月改题为《近代中国官民的日本考察》[4],作为山梨学院大学社会科学研究丛书其中的一册,由日本成文堂刊行。

诚如作者在序章中所述,本书以"中国官民如何实现日本考察?在哪些领域展开考察?哪些人可以参加考察?又考察哪些了事物?考察后又展开了哪些探讨?在中国近代化事业上又采取了哪些行动?产生了何种效果?总的来说就是来验证日本考察与中国近代化历程的关联"[5]为研究课题,此外,"对于中国官民的日本考察,日本方面又采取什么态度?如何来对待的?"[6]也纳入了作者的研究视野之中。

全书分为两编进行论述,第一编"关于中国官民日本考察的历史性

① 黄福庆:《清末留日学生》,台湾"中央研究院",1975年版。

② 严安生:《日本留学精神史——近代中国知识分子的轨迹》,日本岩波书店,1991年。中文版题为《灵台无计逃神矢——近代中国人留日精神史》,严安生著,陈言译,生活·读书·新知三联书店,2018年版。

③ 日文原题为:『中国官民の日本視察に関する歴史的考察——清末における中国近代化への試みと日本——』。

④ 日文原题为:『近代中国官民の日本視察』,山梨学院大学社会科学研究所叢書3,成文堂,1998年8月刊行。

⑤ 熊达云:《近代中国官民的日本考察》,日本成文堂,1998年版,第2页。

⑥ 熊达云:《近代中国官民的日本考察》,日本成文堂,1998年版,第2—3页。

考察”论述了中国官民实现日本考察的经过和考察情况，第二编“清末中国近代化的尝试与日本考察者的影响及作用”论述了日本考察者们在中国近代化的尝试上的影响和作用，全书结构如下：

序章
第一编　关于中国官民日本考察的历史性考察
第一章　中国官民实现日本考察的过程
第二章　首次中国游历使的日本“来朝”
第三章　中国官民日本考察热的形成
第四章　中国官民日本考察的全貌
第五章　中国官民日本考察的实例研究——以出使各国考察政治大臣的日本考察与日本宪法考察为例
第六章　日本对中国官民考察的配合
第二编　清末中国近代化的尝试与日本考察者的影响及作用
第七章　启蒙与鼓励——近代日本的宣传者
第八章　劝告与进言——导入立宪的提倡者
第九章　实践与改革——新制度试行的实践者
第十章　计划与设计——立宪事业的设计者
终章　结论
参考文献
后记
附录一
附录二
人名索引
事项索引

作者在正文里适宜地插入了必要的29个表和6张图，卷末里加了两个附录：“附录一、清末民初考察日本中国人所著游记、日记清单”与“附录二、清末民初考察日本中国官民清单”。全书正文398页，附录和索引 74 页，共计超过 470 页，是一部名副其实的巨作。

三、《近代中国官民的日本考察》的主要内容

以下笔者依据本书目录，就各章内容展开介绍和论述。

序章可谓全书的概论部分，清晰地表达了作者的执笔意图。作者首先就近代中国受日本影响的根源，举出了以下四个方面：1. 派遣留学生；2. 招聘日本人教师和顾问；3. 出版日本出版物的汉译版；4. 中国官民考察日本。并指出其他三个方面研究成果众多，最后的中国官民的日本考察虽说出现了个别研究，但是考察全貌的研究却不够充足，以此来说明选择本课题的目的和意义。

第一章《中国官民实现考察日本的过程》可谓中国官民考察日本的前史，解明了在实现考察日本之前所经历的过程。如前所述，鸦片战争以后，中国虽迫于欧美的炮舰政策，不得不开国，却依旧固守传统的中华思想，在最初阶段也不关注日本。明治维新前夕，德川幕府于 1862 年和 1867 年两次向中国派遣使者，提议建立双边通商关系和人际交流，被清廷断然拒绝。1871 年两国缔结《修好条约》和《通商章程》后不久，在北京和东京各自设立公使馆，互相设置驻外使节。此后，惊讶于日本明治维新后的显著变化，要求去日本游历和通商的中国官民增多，清廷向日本提出接收中国使节的要求，这次却被明治政府拒绝了，并且限制了开放港口外中国人在日本内地的旅行。清廷和明治政府之间围绕中国人的日本考察展开了马拉松式的外交谈判，终于在 1886 年，明治政府以附加条件的形式，同意向中国人内地旅行与学术考察开放门户。作者分析原因可能是日本前年确立了内阁制度，需要整顿立宪各种制度，以及日本正式开始了与英美诸国修改条约的谈判，为了加快本国近代化进程和增强加入强国行列的信心。

第二章《最初的中国游历使的日本来朝》论述了 1887 年，傅云龙和顾厚焜作为首届日本游历使的派遣经过，日本方面对二人的态度，二人

游历日本各地的情形，以及考察日本的报告书。对于二人考察日本的情形，至今为止虽有部分举例，然而在派遣日本的整个流程方面仍有许多不明之处。作者以此为契机，举出御史谢祖源的上奏文，里面提出有必要将向外国派遣游历使作为紧急要务，"考察敌情，理解西洋法律，精通制造测量与绘图要点，学习陆海军战术，学习租税，外交以及茶桑栽培，畜牧矿山等方面事宜"①。而且，在外国游历使考试中成绩优秀的傅云龙和顾厚焜得到了日本官民各界的广泛协助，半年间考察日本各地，其成果展现在报告书《游历日本图经》和《日本新政考》之中。

遭遇傅云龙和顾厚焜赴日的中国人也有很多，比如著名改良思想家王韬于 1879 年夏应日本汉学者的邀请在日本游历四个月，其经过记录在《扶桑游记》中。其他比如李圭、王之春、李筱圃等分别于 1876 年、1879 年和 1880 年游历日本。但是，说到底他们是民间人士抑或是伪装成民间人士的政府官员，并不是通过两国政府间的协议正式派遣的考察者，所以作者把傅云龙和顾厚焜定义为最初的中国游历使。另外，本章名称中所使用的"日本来朝"，会给人以站在日本人立场上之感，笔者建议可改为"日本来访"或"渡日"。

第三章《中国官民考察热的形成》论证了中国官民日本考察热形成的社会、政治及国际等诸多因素。如前所述，傅云龙和顾厚焜于 1887 年由清廷派遣前往日本考察，当时尚未制度化，所以政府派遣的日本考察就此搁置。考察日本的重要性再度被提起，是甲午中日战争战败后，试图进行变法维新的戊戌变法之时，形成热潮是在数年后的 1903 年。这一年，慈禧太后为首的清廷最高领导人认识到，仅仅是维持现状是无法维持统治的，需要引入立宪政治来为政权延续寿命。另一方面，日本明治政府在甲午中日战争和日俄战争中取得胜利，国力空前强大。所以，为了给崩溃前的邻国中国的未来施加影响，也为了扩大自己的利益和权力，明治政府改变了之前限制中国人考察日本的方针，开始主动地接受，

① 熊达云：《近代中国官民的日本考察》，日本成文堂，1998 年版，第 46 页。

推动甚至吸引中国人访日。

作者在本章采用的是实证研究法，探讨了戊戌变法时期以康有为为首的维新变法运动指导者，立宪运动时期张謇、刘坤一、张之洞、袁世凯等立宪派官僚的强力提议，以及驻中国各地的日本领事馆的动态，明确了日本考察热的形成原因。同时指出，日本政府积极接受中国官民考察的姿态，客观上推动了中国的近代化进程，但也反映了明治政府急于扩大在华权益的自私自利的一面。

第四章《中国官民日本考察全貌》主要介绍并详细分析了中国派遣考察日本人员的手续，日本方的接收方法和对策，考察者的日本考察内容、领域及考察方法，考察情况等为中心的调查数据。本章内容主要以外务省外交史料馆所藏资料为中心，其特征是使用大量表格和统计表周密整理数据。据作者以外交文书为中心制作的《附录二，清末民初考察日本中国官民清单》，在清廷灭亡的 1911 年以前，派遣人数上升到 1445 人，1907 年派遣人数最多，达 334 人。此外，比较派遣人员的来源，地方上是 961 人，中央官厅是 428 人，很明显地方派遣人员相当于中央的两倍。

在此。作者指出中国官民的日本考察具有以下特征：1. 由清廷统一指导控制；2. 不限于政府派遣，也鼓励自费考察；3. 优先推进清廷近代化。考察前期以教育考察为重点，后期转变为宪法、政治、法律制度考察。这种变化也呼应了清末宪政运动的发展；4. 鼓励地方政府积极参与，特别是袁世凯掌握的直隶，张之洞控制的湖广地方，给全国日本考察热的形成带来了巨大影响。

第五章《中国官民日本考察的实例研究》中，列出了出使各国考察政治大臣的日本考察与日本宪法考察两个考察团，从个案分析，来进一步具体探讨中国人的日本考察情况。为了考察真正的立宪政治，清廷于 1906 年，派遣了载泽和端方为代表的政治考察团，1907 年又派遣达寿和李家驹为代表的宪法考察团。其中，载泽考察团游历了日本、美国、英国、法国、比利时五国，端方考察团游历日本之外的欧美十一个国家，耗时约七个月，两个考察团统称为“五大臣外国政治考察团”。考察团向清廷提议，不可采用美法的民主制度，也不可选择英国宪法的“虚君议会制”，可以强调大权政治的日本和德国宪政为例来构建立宪政治。其中考察重点主要是日本。考察团在日逗留期间，一边考察各种近代设施，一边聆听伊藤博文、金子坚太郎、穗积八束等日本一流的政治家与学者有关天皇大权、日本宪政、日本宪法的课程。而且，达寿及其继任者李家驹的日本宪法考察团，由受伊藤博文之托的伊东巳代治招待，课程由有贺长雄负责。有贺在课程上强调重视系统性和学说，他举出清王朝 1906 年公布的《预备立宪京内官制全案》，逐条讨论并加以评论。伊东提出宪法起草应该秘密进行，不应对国民公开。调查团通过参观学习和课程，受到极大的启发和刺激。

第六章《日本对中国官民考察的协作》强调指出，日本的协作体制是考察成功的条件。面对中国官民的日本考察，以明治政府为首，从经济界、学界、教育界、法律界等民间机构提供资料，开设短期研修课程，负责宪政理论讲义课程，代写考察报告书，到向清廷提建议和进言，协作方法丰富多样。其中需要特别指出的是日本宪法考察团的有贺长雄宪法课程。作者在早稻田大学中央图书馆所藏的缩微胶卷《伊东巳代治文书》中找到“有贺长雄博士讲述宪政讲义”篇章，对讲义内容进行了详细研究。此次课程多达 60 回，有贺认为日本的立宪政治虽是引自欧美各国，却立足本国国情有所改良，比欧美各国更好，对于拥有与日本天皇制相似的皇帝制度的中国来说最为合适，企图通过连续讲义，给听讲生们灌输他的这种想法。作者提出有贺为考察各国政治大臣执笔考察报告这一令人惊愕的事实，指出有贺长雄对中国的立宪事业一直强烈关注。

第二编详细探讨了清末政治近代化过程中考察日本人员所产生的作用。清末的政治近代化过程中，总强调以往的归国留学生所起的重要作用，但也不能忽视已经在各领域就任要职的考察人员的功绩。作者就考察人员的作用和影响，试图从“近代日本的宣传者”、“导入立宪的提倡者”、“新制度试行的实践者”、“立宪事业的设计者”四个方面来把握。

首先，第七章《启蒙与鼓励——近代日本的宣传者》主要通过考察人员归国后出版的日记、日本游记以及提交给上司和政府的复命报告书，来考证他们眼中的日本像，也分析了这些给当时的为政者带来了何种影响。作者以《实藤文库目录》为基础，参考中国大陆和台湾的出版书籍，制作成《附录一 清末民初考察日本中国人所著游记、日记清单》，据此可以了解到，直到清王朝灭亡前，中国考察人员执笔的日本游记等著书多达 167 种。由于考察人员的教养水平、出身阶级、考察目的、个人兴趣等各不相同，他们眼中映射的日本形象也是千差万别，作者在这汗牛充栋的议论中，聚焦于考察人员比较关注的领域，讨论他们如何看待日本的教育制度、明治宪法、司法独立、法律改革、近代警察监狱等清廷改革的重点，其中基本都是充满善意的高度评价。同时指出这些才是清末中国向日本全面谋求近代化榜样的政治与社会原因。

第八章《劝告与进言——导入立宪的提倡者》考证了考察人员们不仅介绍日本，还向政府当局建言政治改革，引入立宪政治。1901 年八国联军侵华后，慈禧太后发布上谕，要求全国要实施改革变法，直到 1906 年五大臣外国政治考察团归国后，上书奏章和进言书主张立宪已不可避免，慈禧太后这才正式表明赞成立宪。作者把考察人员执笔的主要奏章和进言书制成清单，仅仅高级官僚就多达 53 份。其内容丰富广泛，本章主要以引入宪法、改革行政制度、实现教育近代化，司法独立为重点，分析端方、载泽、吴汝纶、罗振玉、达寿、李家驹、董康等人的言论。这些议论中，有人主张直接套用日本的已有制度，也有人主张应该考虑中国国情的特殊性，表明了考察人员意见众多。

第九章《实践与改革——新制度试行的实践者》从实践步骤考察日本考察人员的具体行动。一般而言，考察人员从自身立场和利益关系出发，保守倾向较强，对迅速改革持消极态度，所以此前研究基本都否定他们的历史作用。回顾中国的历史进程，日本考察人员确实对推进近代化事业产生过消极作用，然而作者认为，仍然不可忽视他们所产生的积极作用。因此，本章举出张謇、严修、凌福彭三人，作为考察人员朴素的立宪实践的例子,集中于三人的民间立宪活动、近代化教育的尝试、直隶地方的试行亲政进行论述。张謇在科举考试中成绩优异,夺得状元,1900年八国联军侵略北京之后,他深感政治改革的必要性,写成《变法平议》,主张借鉴日本的立宪经验来推进渐进性改革。一方面集结民间力量由下而上敦促立宪,致力于设立预备立宪公会和省咨议局以及国会开设的恳请运动。另外还建立了众多学校和企业,对确立近代教育和培植产业作出了巨大贡献。严修在1905年正式废除了科举,并就任了相当于最高教育机关的学部次官。严修大力推行了留学生或考察者的派遣,遍布于全国各地的"劝学所"的设置等各种各样的教育改革,力图提高教育的质量。此外,作为南开中学和南开大学的创立者,也在中国近代教育史上声名远播。凌福彭以治外法权的撤销为前提,力图改善监狱制度。引进了名为"习艺所"的近代化的刑务所制度,并且根据袁世凯的指导,也致力于地方自治制度的引进。上述的三个人都是在赴日之后大开眼界,他们的努力也大多以日本为模板。

在第十章《企划与设计——立宪事业的设计师》中,以负责了第一次官制改革的端方、在宪政编查馆以及法律修订馆考察的留学生,针对第二次官制改革的著作《行政纲目》的作者李家驹为例,积极评价了日本考察者们作为立宪运动中的设计师所做出的贡献。

1906年《预备立宪上谕》出台,正式引进了立宪制度。向朝廷上报了官制改革必要性的端方虽然没有被任命为编纂大臣,但是官制编纂大臣提交的中央管制改革方案基本上是以端方提交的方案为原形制作的。编制馆的职员几乎全部具有赴日考察经验或赴日留学经验。另一方面,为了使立宪运动在朝廷的有效监督下进行,朝廷在中央设立了具备方案设计、工作指导、进度检查等功能的强力推进机关"宪政编查馆"及"法律修订馆"。宪政编查馆在1907年8月设立,至1911年5月被改组为法政院,这期间是清廷宪法体制实际上的设计者。在其156名职员中,有70人为赴日考察者或赴日留学者,占全体的44.87%。在1908年8月,宪政编查馆公布了钦定宪法大纲与议员选举名法,以及宪法颁布前的9年内各种准备纲目的立宪时间表。但是，由于各方面的批判和攻击，将时间期限缩短为5年。此外宪政编查馆也起草与审核了大量的法案，其中大部分在进入中华民国时代后仍被沿用。

1911年，作为日本宪法考察大臣的李家驹向朝廷提交了“行政纲目”，提出了三权同时设立，引进了责任内阁制，中央官厅的合并与撤销，地方自治的确立等建议，据此行政纲目设计的行政改革案几乎完全借鉴了日本的体制。但是责任内阁的引进不仅激起了权贵们的愤怒，也受到了守旧派官僚的非难与攻击。以此为基础，虽然大力推行了第二次官制改革，但是官制法案经历了三次修改，新兴的内阁变成了倒行逆施的皇族内阁，稳健的立宪派也同样令人失望。

通过以上的考察，作者在总结部分设立终章，围绕洋务派、维新改良派、立宪派、革命派等在清末出现的各种政治势力的相互关系及对中国近代化的影响，赴日考察及赴日留学的相同点及不同点，两者在中国近代化中的位置，以及在清末十年间对中日关系的评价等问题，进行讨论，连结全书。本书的结论借用作者自己的话来说，“立宪派作为革命派的反对势力带有反动特征，应该说在近代中国的近代化过程中起了积极作用。此外，从全局来看，虽然赴日考察者对中国近代化产生的影响不及赴日留学生，但是但从清末立宪事业这一点来看，无法否定他们做出了超出赴日留学生的贡献。并且，清末10年的中日关系虽不能说是黄金10年，然而对于中国官民考察者及留学生的接收、对中国近代化试验的支持等行动，虽然日本政府的利己主义是必须要批判的，但也应该肯定在客观层面上对近代中国的发展和进步做出一定程度的贡献。”（第9页）上述可以大致总结为以上三点。

四、有关近代中国官民考察的几个问题

通过以上的概观，我们可以了解到，熊达云教授在本书中，聚焦近代的中国官民赴日考察，通过使用大量的史料来详细论证，日本考察的实

际情况，及其对新政的立宪活动发挥的作用。

从中日文化交流史的观点来看，最初着眼于清末中国人日本考察记录的学者，应是原早稻田大学教授实藤惠秀先生。实藤先生在1930年日本占领下的北京中央研究院工作时，精心收集和整理了清末中国人的日本观察游记或日记，并将这些汇总后命名为《东游日记》[①]。这些《东游日记》现存于东京都立中央图书馆的"实藤文库"中，对今天的研究十分有益。中国进入1980年代后，近代中日文化交流史的研究开始兴盛，清末中国官民的日本考察也成为了研究的一部分。其中钟叔河的《走向世界丛书》日本卷[②]，武安隆，刘玉敏点注的《严修东游日记》[③]等史料分析整理书籍，此外，还有王晓秋氏的《近代中日启示录》[④]，《近代中日文化交流史》[⑤]这样的关于考察者的部分研究。然而，本书率先以清末新政时期宪政的引进为切口，全面地考察这些观察者的实际情况及发挥的作用。因此，本书不但在中日文化交流史中，而且在近代中国宪政史的研究中，作为先驱性的体系研究，也有着极其重要的意义。我们首先对挑战此难题的作者的勇气及慧眼表达最诚挚的敬意！

大约十余年前，本书作者与南开大学历史研究所武安隆教授合著《中国人的日本研究史》[⑥]。其中，作者承担的是近现代部分，曾精心梳理了从辛亥革命到现代的中国人的日本研究史。此后，作者由中国社会科学院硕士毕业，进入中国国家人事部行政管理科学研究所工作，从事中国人及外国人的人事制度的研究，共同编纂了《中外人事制度方略全

① 实藤惠秀：《东游日记研究序说附东游日记目录》，载《日华学报》82号，日华学会，1940年12月。

② 钟叔河：《走向世界丛书》日本卷，岳麓书社，1985年版。

③ 严修：《严修东游日记》，武安隆、刘玉敏点注，天津人民出版社，1995年版。

④ 王晓秋：《近代中日启示录》，北京出版社，1987年版。日文版题为『アヘン戦争から辛亥革命——日本人の中国観と中国人の日本観』，小岛晋治监译，中曾根幸子、田村玲子译，日本东方书店，1991年版。

⑤ 王晓秋：《近代中日文化交流史》，中华书局，1992年版。

⑥ 武安隆、熊达云著：《中国人的日本研究史》，日本六兴出版，1989年版。

书》[1]。随着中国改革开放政策的不断推进,作者"在愈加兴盛的中国人的世界各国考察热的刺激下"[2],依然决定将该课题作为博士论文选题。由此而言,本书也可以说是作者多年以来研究积累的集大成之作。

本书最大的特征,是将中国和日本各地庞大的相关史料进行了调查,通过引用这些资料,将考察者们的实际情况及对中国近代化产生的贡献,在绵密的实证的基础上进行了条理清晰的论述。例如,作者在外务省外交史料馆发现了《清国人内地旅行欧美人同样许可杂件》,全方位地探究了清末的中国人官民的日本考察的实际情况及日方的应对政策。此外作者在早稻田大学图书馆缩微胶卷版《伊东巳代治文书》中,发现了《有贺长雄博士讲述宪政讲义》,认真研究了 60 节的讲义内容。当然,本书中的庞大的史料收集和运用工作,是需要两倍甚至三倍的辛苦和考量的。这其中,例如作者对于考察者的主要成员和主要日程等,运用了统计图表来展现,非常细致地整理并分类。这一点可以看出作者是何等的用心。此外作者对于所引的汉文史料,也添加了恰当的现代日语翻译,从中也可以看出作者考量的辛勤周到。

由于本书的涉及范围十分广泛,对此一一评论,远远超出了笔者的能力,故以下选取书中的几个问题来进行简单评论。

首先,是对清末新政和立宪运动的评价。

正如本书反复所说的,中国官民考察最为活跃的时期,是清末所谓新政和立宪运动时期。1901 年,为了打破内忧外患的局面,慈禧太后下达了变法上谕,清廷渐渐开始了正式的变法运动——清末新政开始了。清末新政涉及了政治、经济、军事、法律、教育等多个领域,在政治方面的主要改革为向日本学习引进君主立宪制度。1906 年清廷下达了"预备立宪"的上谕,设立资政院和谘议局、推进地方自治、实施责任内阁、颁布《钦定宪法大纲》及《重大信条十九条》等,面向立宪政治的布局一一开

① 苏玉堂主编:《中外人事制度方略全书》,中国人事出版社,1993 年版。
② 熊达云:《近代中国官民的日本考察》,日本成文堂,1998 年版,第 395 页。

启。但是无论是清末新政还是立宪运动，都因 1911 年辛亥革命的兴起而以失败告终。中国近代化模型的选择也从日本式的君主立宪制向共和制转变。在此之前中国清末宪政史的研究，都将清末新政和立宪运动看作西太后政权对朝廷支配的续命策略，称之为“政治的骗局”，多将其置于革命派的反动层面上。① 在这样的革命中心史观的近代史研究下，只赞颂革命派的历史贡献，对于洋务运动、维新改良运动、立宪运动等革命以外进程的贡献和意义，则倾向于持否定批判的态度。甚至可以说，该研究方法长年在中国近代史的研究中占据支配地位。

作者在本书中，将这样的观点称之为“历史的功利主义”并加以强烈批判(第 372 页)。并且，将中国近代化的进程划分为洋务派、维新改良派、立宪派、革命派四个阶段，“这四个阶段，无论哪一个都是鸦片战争之后中国近代化摸索过程的重要里程碑。”书中在这样评论的基础上，还提出了“这四个进程的发生、形成以及其在历史舞台的终结都与当时中国的政治、经济、文化、教育水平相对应的。在历史发展的漫长过程中，各自有着各自的地位和意义。这四个进程不时各自孤立的，而是互相为前提，具有因果关系。”这一观点(第 372 页)。我们依此观点，将清末新政定位为中国近代化的重要一环，便可以还原历史的本来面貌，了解作者的历史观。

近年来，中国国内的近代史研究中，对于清末新政，也渐渐地从此前的作为封建残余而持批判态度转变为作为中国近代化过程中的有益摸索而持肯定态度。例如，在王晓秋、尚小明主编的《戊戌维新与清末新政——晚晴改革史研究》②一书中，对于此前的革命中心史观的近代史研究提出了质疑，从中国近代化是如何推进的这种改革史观的角度出发，重新审视了戊戌维新及清末新政。特别是在下篇的《清末新政研究》中，针对新政时期的新式教育行政机构的设立及外交体制的改革，清廷的工

① 殷啸虎:《近代中国宪政史》，上海人民出版社，1997 年版，第 62 页。

② 王晓秋，尚小明主编:《戊戌维新与清末新政——晚晴改革史研究》，北京大学出版社，1998 年版。

商政策和财务管理等进行了详细地探讨，此外，对于在清末的宪政改革及军事改革中留学生所发挥的作用，作者也给予了积极的评价。然而，对于在新政和立宪运动中，赴日考察者们所发挥的作用却基本没有提及，对于这一点，评者认为有些不太充分。

因此，强调了中国近代化过程中赴日考察者的贡献，并对此试探性地进行了综合考察的本书，作为一个前所未有的崭新的视角，值得受到好评。当然，对于这种较大的研究课题，本书也有没有充分展开的部分。例如，在本书第二编《清末中国近代化的尝试及赴日考察者的影响与贡献》中，论述了在立宪运动或新政中考察者们是如何相互联系的以及日本的影响，叙述的重点主要是以立宪运动的政治、法律为中心展开，书中未对军事、教育、学术、产业、大众传媒等其他的领域进行过多探讨。

笔者认为，将这些综合考虑，可以更好地了解清末中国近代化摸索的全貌。此外作者在书中虽然提到考察者的活动及立宪运动对后世的影响，例如辛亥革命之后的中华民国时代，对于赴日考察者以怎样的形式被传承下来这一点，我认为需要进一步论证。关于以上几点，期待作者今后进一步深入展开研究。

其次是关于考察者们的贡献和局限性。

清末的赴日中国人，大致可以分为考察者和留学生两类。本书主要考察了在引进立宪之际考察者们的活动情况。而关于留学生的情况，书中并未过多提及。对此，作者在本书的终章特别设置了一节，针对留学生和考察者的异同，分成年龄构成、资格、在外国学习的重点、停留的时间段、外国观察的方法、人数规模及持续时间等项进行比较。诚如作者所指出的，由于在外国停留的时间及眼界等的差异，在全体的倾向性上看，归国后的考察者和留学生走上了完全相反的两条路。已经有了官职的考察者们通过引进立宪制度并拼死维持现有体制，致力于改良事业，与此相对，留学生们几乎都对清王朝的统治感到绝望，投身于打倒清王朝的革命运动中。

但是，考虑到清末立宪和革命运动的过程时，也存在无法归为上述的观察者对留学生这种模式的情况。考察者这一概念本身就十分庞杂，其构成人员是多种多样的。这其中也有为数不少的归国留学生，这种情况下，确定这些人的立场是十分困难的。此外，虽然说大部分的留学生为革命运动而奔走是事实，其中也有一部分留学生投身于立宪事业，并做出了积极的贡献。例如在宪政编查馆、法律修订馆等法律制定的主要部门，也有为数不少的留学生和考察者一同工作。他们在清末的立宪运动中做出的贡献是不容忽视的。此外，在五大臣考察团成员中，具有原留学生身份的人有 10 人，可以说为数不少。他们有的作为考察大臣的翻译，有的从事资料的调查与翻译工作，活跃程度令人目瞪口呆。据原早稻田大学留学生陆宗舆的回忆，端方一行在考察德国时，想要翻译并整理德国的宪法和法律，同行的原德国留学生们由于中国和西洋的制度有异，在翻译语言的选用上下了很多功夫。正好那个时候陆宗舆带了一本日本的法律相关书籍，因为这本书几乎也是从德语翻译过来的，里面的法律用语几乎都被转译成了日语。因此，端方一行感叹道："在同行的四十人中，虽然懂西洋语言的人占了八成，但是要完成报告书，还是必须要依靠原留日学生的力量。"(陆宗舆《陆闰生先生五十自述记》)。这在日本汉语对清末中国语言的影响上来考量，是一件十分意味深长的事。无论怎样，也可以看作是考察团中的原留日学生们的活跃情况的叙述。并且，这些留日学生编辑和翻译的资料，对于清廷的改革来说是十分重要的参考，也是立宪的基础。

另一方面，在强调了新政和立宪运动这一特定时期活跃的考察者的贡献的同时，也必须要指出体制内部对变革进行尝试的局限性。在清末新政和立宪运动实行的短短十几年间，陆续有数千人作为考察者东渡日本，认真考察了明治时期日本的先进文化制度，并进行了中国历史上未曾有过的大量吸收。至此中国终于从传统的中华思想中完全脱离出来，官民共同投身于推动外国先进文化的引进事业中。然而，他们拼尽全力进行的新政和立宪的尝试，最终由于革命派的兴起及辛亥革命的成功而化为泡影，没有达到为清王朝续命的目的。他们固守于濒临崩溃的清王朝的体制内改革是无法否认的事实。

与留学生相比，考察者们的日本认识在很多层面上都不能说是全面的。正如作者所指出的，他们中为数不少的人陷入到“由于停留在日本的时间较短，进行社会观察・分析的方式仍然停留在过去的状态，并且关注的重点也有一定的局限性。此外，观察者们人人都被当做客人招待，由于在这种气氛的包围下，所以只能观察和理解到眼前所呈现出的景象，对日本的东西毫无批判，错的东西也原样照搬，囫囵吞枣地全盘引进。”这样的窘境里（第 374 页）。此外，由于考察者们需要提交报告书，因此保留了大量的游记、日记等考察记录，其中既有金钱出纳簿，也有日本方面资料的汇编等文件。

上述的关于赴日观察者的不足和局限性等，评者认为有必要单独设置一章，进一步深入挖掘查证。

五、结语

最后，虽然无关全书宏旨，笔者在阅读中本书的过程中，发现了一些错别字及印刷错误，在此略加指出，希望重印时予以改正。如固有名词的“鐘叔河”应作“鍾叔河”（第 10 页等），“张斯贵”应作“张斯桂”（第 24 页），“泸沟桥”应作“卢沟桥”，（第 35 页），“条陈立国自強踈”应作“条陈立国自強疏”（第 63 页），“闵浙总督”应作“闽浙总督”（第 100 页表三），“範源龄”应作“范源龄”（第 251 页）等。此外，关于 249 页的儒学《五经四子书》，作者用括号注为“孝经、弟子职、论语、曲礼、少仪、内则、孟子、大学、中庸”，如此可能会招致一些误会。所谓的《五经四子书》，是指被长期看作儒教经典的《五经》（易经、书经、诗经、礼记、春秋）和《四书》（论语、孟子、大学、中庸）。

另外，作者以《实藤文库目录》和《走向世界丛书》，《近代中国史料丛书》等为基础制作的《附录一，清末中国人赴日观察者所著的游记、日记清单》中，也有几点需要补充。例如，在表六《大使馆人员的著述》中，虽然收录了初代驻日公使何如璋的《使东述略》和《使东杂咏》，然而副使张斯桂的诗集《使东诗录》（光绪三年，1877）却被省略。此外，虽然收录了黄遵宪的名著《日本国志》，但是没有收录姚文栋的同名著作《日本国志》（十卷，1884 年），笔者认为也应该将此书添加进去。此外，表五《一般考察类》的 43 号收录的《芝山一笑》，是明治初期的汉学者石川英（号鸿斋）与初代驻日公使馆的何如璋、陈斯桂、黄遵宪等的唱和诗集。由于编者是日本汉学者，严格来讲该著作不能算是中国人的考察记录，应从名单中删除。

以上的内容对本书的主旨并无影响，只能算得上是白璧微瑕，希望在改订时予以参考。

最后，笔者想简单介绍一下本书之后的中国官民日本考察的相关研究。近年来，中国官民的日本考察研究作为一个引人注目的研究领域，无论是在资料层面上，还是在各领域的研究上，都有着长足进展。例如，关于清末教育考察的实际情况，已出版了汪琬的博士学位论文《清末中国对日教育考察的研究》①。此外，在资料层面上，根据浙江大学日本文化研究所的企划，陆续影印并出版发行了收录了清末中国人的日本考察记录的《晚晴中国人日本考察记集成》全十卷。在已经出版发行的《教育考察记》上下两卷②中，网罗了本书也举出的姚锡光的《东瀛学校举概》，罗振玉的《扶桑两月记》（附日本教育大旨，学制私议），吴汝纶的《东游总录》等 26 种教育考察记录。今后，预计出版发行政治法律考察记，军事考察记，农工商考察记等按照种类划分的考察记录，以及黄遵宪的《日本国志》，傅云龙的《游历日本图经》等综合性的日本研究书籍。随着这些资料的公开，今后针对不同领域的清末中国官民考察者及考察者个人的详细研究应该会有巨大的突破。

① 汪琬：《清末中国对日教育考察的研究》，日本汲古书院，1998 年版。

② 王宝平主编：《晚晴中国人日本考察记集成》，吕顺长编著：《教育考察记》上下，杭州大学出版社，1999 年版。

（本文原为日文，题为「書評：熊達雲著『近代中国官民の日本視察』（山梨学院大学社会科学研究所叢書3，成文堂，一九九八年八月刊行，三九八頁）」，载日本山梨学院大学社会科学研究所编《社会科学研究》第26期（书评论文特辑），第223—244页，施快快、张永维译，收入本书时略有增订，标题为笔者所加。）

第二十二章　日本老兵在新中国的改造与新生——以中国归还者联络会的活动为中心

一、前言

今年(2005年)是中国人民抗日战争暨世界人民反法西斯战争胜利六十周年。六十年前,中国人民经过可歌可泣的浴血奋战,终于取得了抗日战争的伟大胜利。

自1931年发动"九一八事变",至1945年8月无条件投降,日本侵略者的铁骑肆意践踏中国的大好河山。所到之处,烧杀抢夺,奸淫掳掠,三光政策,人体解剖,强征慰安妇,掠夺中国劳工和资源,细菌战,毒气战,无恶不作,为所欲为。犯下的滔天罪行罄竹难书,必将永远被钉在历史的耻辱柱上!

然而,对于这段侵略历史,不仅日本政府刻意回避,极力掩盖,就连参加过侵华战争的为数不少的日本老兵也一直保持沉默,讳莫如深。像东史郎那样敢于站出来,将自己当年侵华罪行公布于众的老兵,确实是勇气可嘉,难能可贵。

在此,我们不能忘记,一个由归国老兵组成的特殊团体——"中国归还者联络会”[①]（简称“中归联”）曾经活跃在日本各地，其千余名成员长期以来，坚持不懈地开展发自内心的认罪活动，全心全意推动中日友好，坚决与军国主义及右翼势力作斗争。

究竟是何种原因，促使这些老兵走上了与其他日本人完全不同的认罪道路呢？相信各位读者读完《日本老兵忏悔录》[②]后，一定能够找到其中的答案。

该书原名《我们在中国的所作所为——中国归还者联络会的人们》[③]，由日本绿风出版社 2002 年 3 月出版。日本正直的纪实文学作家星彻先生，多年来跟踪采访了许多“中归联”成员，该书则是根据对其中十八名老兵的采访记录编撰而成。书中记述的是这些老兵由人到鬼、再由鬼到人的心路历程，因此笔者在校订该书中译本时，更名为《日本老兵忏悔录》。

正如书中所述，这些老兵在日本侵华战争期间，曾积极充当军国主义的爪牙，犯下过无数惨无人道的滔天罪行。日本战败后，他们作为战犯分别被关押在“抚顺战犯管理所”和“太原战犯管理所”。由于受到中国政府人道主义的待遇，他们的良知逐渐得以唤醒。最终，通过反省自己的过去，坦白自己的罪行，开始向中国人民认罪和谢罪。这些被宽大处理、释放回国的千余名日本老兵，于 1957 年成立了“中国归还者联络会”（简称“中归联”），在此后的近半个世纪里，一直从事着“和平反战、日中友好”的活动。

为了使广大读者更多地了解“中国归还者联络会”的有关知识，现将其产生背景及活动情况简介如下。

---

① 就中文表达习惯而言，似应译为“自中国归来者联络会”，但考虑到原文“中国归还者联络会”已为国内众多相关著作通用，该书译名不作改动。

②《日本老兵忏悔录》，（日）星彻著，叶世纯、张应祥、刘雨珍译，刘雨珍校订，宁夏人民出版社，2005 年版。

③ 日文原著名：『私たちが中国でしたこと——中国帰還者連絡会の人びと』。

二、抚顺战犯管理所的设立

1945 年 8 月，世界人民反法西斯战争迎来了最后胜利。6 日，美国向日本的广岛投下了人类历史上第一颗原子弹。9 日，苏联红军出兵东北，在中国军民的紧密配合下，以迅雷不及掩耳之势，一举击溃了昔日耀武扬威、不可一世的日本关东军。15 日，日本天皇发表终战诏书，宣布无条件投降。包括该书所述的第 59 师团①和第 39 师团②在内的 60 万日军官兵，沦为苏军的俘虏，被押送到西伯利亚强迫劳役。1950 年，苏联将其中大部分人员遣返回日本。③

1949 年 10 月 1 日，中华人民共和国成立。翌年 2 月 5 日，苏联外交部长维辛斯基向正在访苏的毛泽东主席转达了斯大林的口信：为了使联合国早日承认中华人民共和国拥有主权，苏方准备从关押的约 2500 名被俘日军中，选出罪行严重的 1000 名移交给中方。毛泽东主席当即表示赞成。④

3 月 4 日，周恩来总理在北京召见公安部长罗瑞卿和司法部长史良，布置从苏联接收日本战犯的任务。3 月下旬，中央决定设立“东北战犯管理委员会”，负责接收和管理日本战犯、伪满战犯及国民党战犯。地点选在原来的抚顺监狱，并将其改名为“抚顺战犯管理所”。公安部从东北各地抽调了 100 名干警，具有丰富抗日斗争经验的抚顺市公安局副局长孙明斋被任命为首任所长。

---

① 第 59 师团：师团长为藤田茂中将，主要驻扎在山东一带，同八路军作战，同时强抓劳工和抢掠物资等。1945 年日本战败前被编入关东军。调防到北朝鲜后不久即被苏军俘虏。

② 第 39 师团：师团长为佐佐真之助中将，主要驻扎在湖北一带，同国民党部队及新四军作战。1945 年 5 月，将侵占地区让给第 132 师团后编入关东军，调动到吉林省四平附近，为对苏作战而修筑阵地期间，由于日本战败投降而被苏军缴械。

③ （日）中国归还者联络会编，吴浩然・李锡弼译：《我们在中国干了什么？——原日本战犯改造回忆录》第 19 页，中国人民公安大学出版社，1989 年版。

④ 袁韶莹・杨槐珍编著：《从人到鬼、从鬼到人——日本“中国归还者联络会”研究》第 5 页，社会科学文献出版社，2002 年版。

1950 年 7 月 19 日，苏联方面正式将 969 名日本战犯在中苏边界的绥芬河车站移交给中国。21 日，满载着日本战犯的列车抵达抚顺。这些战犯包括将官 31 名、佐官 210 名、尉官 160 名、下士官 568 名。①

同年 6 月，朝鲜战争爆发。10 月，战争日益激烈，距离中朝边境较近的抚顺受到威胁。中国政府考虑到战犯的安全问题，命令管理所疏散。其中佐(校)官以上的战犯，被送到哈尔滨监狱，其他战犯被送到哈尔滨以北 20 公里的呼兰监狱。1951 年 3 月，朝鲜战争形成相持状态，少尉以下的战犯被送回抚顺。中尉以上的战犯于 1953 年 10 月朝鲜战争停战后才被送回。②

1954 年 1 月，最高人民检察院东北工作团进驻管理所，开始对日本战犯进行罪状调查。10 月，中国政府公布了《日本侵华战争罪犯名单》，除抚顺战犯管理所的 969 名在押战犯外，还包括关押在太原战犯管理所的 140 名战犯。

1956 年 4 月 25 日，全国人民代表大会常务委员会第三十四次会议通过了《关于处理在押日本侵略中国战争中战争犯罪分子的决定》，公布了处理日本战犯的方针，决定“对于战争犯罪分子按照宽大政策分别予以处理”。同年 6—8 月，对日本战犯分批进行处理和审判。对于次要的或者悔罪表现较好的 1017 人从宽处理，分三批免予起诉，陆续释放回国；对于罪行特别严重的 45 人(其中抚顺 36 人，太原 9 人)，由最高人民法院分别在沈阳、太原两地组织特别军事法庭，按其所犯罪行和在押期间的表现，分批予以公开审判，分别判处 8—20 年有期徒刑。最终判决的结果是：③

---

① 新井利男：《供述状是这么写出来的》，收入袁秋白・杨槐珍编译：《新中国对日本战犯的历史审判——罪恶的自供状》第 14 页，解放军出版社，2001 年版。

② 新井利男：《供述状是这么写出来的》，收入袁秋白・杨槐珍编译：《新中国对日本战犯的历史审判——罪恶的自供状》第 15—16 页，解放军出版社，2001 年版。

③ 袁韶莹・杨槐珍编著：《从人到鬼、从鬼到人——日本“中国归还者联络会”研究》第 7—8 页，社会科学文献出版社，2002 年版。对各个战犯的判决书全文，请参照《日本老兵忏悔录》第三章“从魔鬼到人的还原”。

判处死刑者 0 人

判处无期徒刑者 0 人

判处 20 年有期徒刑者 4 人

判处 18 年有期徒刑者 8 人

判处 16 年有期徒刑者 7 人

判处 15 年有期徒刑者 7 人

判处 14 年有期徒刑者 4 人

判处 13 年有期徒刑者 6 人

判处 12 年有期徒刑者 6 人

判处 11 年有期徒刑者 2 人

判处 8 年有期徒刑者 1 人

由于日本战犯的刑期是从被捕之日算起，加之服刑期间表现良好，判处 20 年徒刑者也提前六年获释。至 1964 年春，在押的 1109 名日本战犯，除 47 人在管理所因病死亡外，其余 1062 人全被释放回国。①

三、抚顺战犯管理所的日本战犯改造

抚顺战犯管理所，位于抚顺市东北部的高尔山下。这里原是 1936 年建立的伪满"抚顺高级典狱"，是日军用来残酷镇压中国人民的杀人魔窟。日本投降后，被国民党军队改做兵营和马厩。1950 年改为抚顺战犯管理所，为收容日本战犯，进行了全面整修，安装了暖气等生活设施，修建了澡堂、医院、礼堂等卫生、娱乐设施。这座昔日关押中国抗日志士的暗无天日的黑牢，变成了改造日本法西斯官兵的"再生之地"②。具有讽刺意味的是，当年的典狱长大村忍及副典狱长岛口信重，如今沦为战犯，

① 金源、邵名正、岳茂华、许章润著:《从战争狂人到朋友——改造日本战犯的成功之路》，群众出版社，1986 年版，第 2 页。

② 金源、邵名正、岳茂华、许章润著:《从战争狂人到朋友——改造日本战犯的成功之路》，群众出版社，1986 年版，第 6 页。

关押于此。真是时过境迁,物是人非,监狱既已易主,结局当然不同,前者充满了人间悲剧,后者却谱写了人间奇迹。

改造日本战犯是一项充满挑战而又十分艰巨的任务。诚如作家叔弓在纪实长篇《中国改造日本战犯始末》中所言:"使命是神圣的,工程是旷世的,步履是艰辛的,经验是无价的,事件是顶尖的,故事是传奇的,人物是入史的,瞩目是全球的,遗产是人类的,传承是永恒的。"①

原管理所所长金源先生回忆这些战犯刚来时的情况说:

> 苏联移交我国的近一千名战犯,刚来到抚顺战犯管理所时,趾高气扬,头戴战斗帽,身穿将校服,佩戴军衔领章,态度骄横顽固,气焰嚣张。他们仇视中国人民,蔑视新生的中华人民共和国;公然叫嚣什么"日本国土小、人口多,资源贫乏,为了日本民族的生存,争取空间,向外扩张是正当的",极力为侵略中国的战争行为辩解,表现了军国主义者的凶恶本质。此时战犯们已身陷囹圄,却不服输,认为"战败并不是日本军队不强,而是战线太长,物资供应不足,实在战略上犯了错误的结果"。大有卷土重来、东山再起的气势。他们蔑视新中国,胡说什么"日本大和民族是优等民族,有义务指导劣等民族"。认为在抗美援朝战争中,在武器装备占绝对优势的美帝国主义的攻势下,中国"必然失败,将再度陷入混乱"。②

这说明,这些战犯深受日本军国主义教育的流毒影响,气势汹汹,态度强硬。归纳起来,开始阶段他们的思想认识具有以下几个特点:③

1. 军国主义思想刻骨入髓,绝对服从,迷信命令;
2. 盲目崇拜天皇,认为天皇是"现人神";

---

① 叔弓著:《中国改造日本战犯始末》"题记",群众出版社,2005年版。

② 金源、邵名正、岳茂华、许章润著:《从战争狂人到朋友——改造日本战犯的成功之路》,群众出版社,1986年版,第6页。

③ 金源、邵名正、岳茂华、许章润著:《从战争狂人到朋友——改造日本战犯的成功之路》,群众出版社,1986年版,第58—59页。

3. 崇尚为天皇卖命的“武士道精神”和“大和魂”；

4. 有强烈的民族优越感，认为大和民族是天神的子孙，应该统治世界；

5. 坚持侵略理论，认为日本国土小，向外扩张是为了民族生存。

针对这些冥顽不化的日本战犯，管理所采取了“为了改造人而创造人类和平幸福生活的伟大政策”。具体说来，主要是推行以下方法，取得了卓越成效：①

1. 把认罪作为战犯改造的起始环节和关键所在。

2. 争取下层，分化中层，动摇上层，打击反动。

3. 将社会发展规律教育，作为动摇和瓦解战犯反动世界观的思想武器。

4. 打破旧监狱和社会隔离的陈规，组织战犯到社会上接受现实教育。

5. 废除旧监狱虐待非刑的制度，给战犯以革命人道主义待遇。

6. 通过生产劳动，改变剥削寄生恶习。

7. 管教人员做改造战犯这所特殊学校的“恩师”。

从日本战犯入所的第一天，管教人员就严格按照上级指示，给予他们以人道主义的生活待遇，尊重他们的人格，不打不骂，不侮辱，不训斥；实行营养配餐，定期改善伙食；按时、按季节发放日用品、糖果和衣裤；积极开展疾病的预防和治疗工作，开展讲卫生活动；适当组织体力劳动；开展丰富多彩的文艺体育活动②。如该书所述，在日本战犯生病的时候，管理所的医务人员给予他们无微不至的照顾，不是亲人胜似亲人，使这些战犯深受感动，幡然悔悟，为此后的认罪改造打下了基础。

① 参见金源、邵名正、岳茂华、许章润著：《从战争狂人到朋友——改造日本战犯的成功之路》，群众出版社，1986 年版，以下条目文字略作改动，第 54—127 页。

② 袁韶莹・杨槐珍编著：《从人到鬼、从鬼到人——日本“中国归还者联络会”研究》，社会科学文献出版社，2002 年版，第 105 页。

认罪是促使战犯们自觉改造的第一步，也是完成改造任务的首要前提。认罪教育又分为三个步骤：(1) 学习讨论，对照反省；(2) 认罪悔罪，坦白检查；(3) 评比鉴定，促进改造。主要目的就是促使这些战犯认识日本军国主义的侵华罪行，认识日本军国主义给中国人民带来的深重灾难，从而促使他们忏悔自己的罪行，树立自我改造的决心。①

然而如同该书所述，这些战犯在自我认罪初期，往往多方推卸，不肯承认自己有罪。有些战犯虽然承认自己有罪，但害怕坦白后反而加重惩罚，甚至担心为中国政府提供审判的证据，顾虑重重，百般抵赖。

针对战犯的顾虑，管教人员着重指出：日本帝国主义公然违反国际法准则和人道原则，在中国犯下的滔天罪行，策划者和指挥者要负主要责任，但执行者也有罪，同样要老老实实地加以清算。只有老实认罪、悔罪，才能得到宽大处理。

接着，管理所启发日本战犯讨论三个问题：(1) 是谁把大家拉上了战争犯罪的道路？(2) 怎样充当了天皇枷锁下的牺牲品？(3) 如何结束背井离乡的监禁生活而获得新的出路？这三个问题，如同三把钥匙，打开了战犯们的心扉。终于促使他们走向认罪坦白的道路。②

前日本陆军第 39 师团第 232 联队第 1 大队的中队长宫崎弘成为坦白自己罪行的带头人。③ 1954 年 4 月的一日早晨，全体战犯被集合到院子里。宫崎弘走向讲台，开始向大家坦白自己的罪行：

> 我崇拜天皇，迷信神佛，当了日本帝国主义统治阶级的忠实猎狗。他们要把我驱赶到侵略中国的战场，我却认为这是“优等民族指导劣等民族的正义之举”，甚至把杀人放火当作了“忠君爱国”的

① 金源、邵名正、岳茂华、许章润著：《从战争狂人到朋友——改造日本战犯的成功之路》，群众出版社，1986 年版，第 60 页。

② 金源、邵名正、岳茂华、许章润著：《从战争狂人到朋友——改造日本战犯的成功之路》，群众出版社，1986 年版，第 62 页。

③ 新井利男：《供述状是这么写出来的》，载袁秋白・杨槐珍编译：《罪恶的自供状——新中国对日本战犯的历史审判》，解放军出版社，2001 年版，第 18 页。

英雄行为。我也这样去教育士兵："只有多杀中国人，才是忠义，才能保证战争的胜利"。为了锻炼日本和尚兵的杀人胆量，我拿被俘人员和和平居民，当作刺杀枪靶，亲手示范，再命令他们照样刺杀了数十名爱国者。为了试验战刀，我还亲手大劈活人，又把活人送给军医做开膛手术，葬送了好几十名中国人的生命。一九四三年底，我又煽动大队长山田孝夫，命令士兵袭击湖北省白阳寺村①，使全村化为火海，成百上千人被杀绝，就连逃到村子东头的四、五名携婴的老人和怀孕的妇女，也遭到我的枪杀刀砍……现在，我仅想一想这种可怕的过去，就觉得混(浑)身战栗！把一个活人，当一把草去处理，这样残酷的记录，在人类史上曾经有过吗？没有，只有帝国主义才这样做！我那以卖鱼为生的父亲，当过纺织工人的母亲，希望我犯下这样的罪恶吗？不！不仅是我的父母，全世界的父母，都不希望这样做！那么，是谁把我变成了可憎的杀人恶魔？是万恶的日本军国主义！是我的上官！我要控诉，我要揭露，我要号召我们这一群人，要继续清算、打击我们的共同敌人。这个敌人就是帝国主义！具体地说就是过去的自己和现在还不肯认罪的将官、佐官们！不要屈从上官们采用虚伪怀柔和威吓胁迫方法向我们的进攻！希望大家冲破过去的一切关系，放弃一切旧道德和旧感情，为了真理而崛起斗争！②

宫崎弘的发言，声泪俱下，激起了很多日本战犯的共鸣。

此后，日本战犯逐渐开始反思自身走过的人生道路，终于发现自己残酷迫害和屠杀中国人民，却是在所谓"正义"、"忠君爱国"、"英雄行为"等幌子的掩盖下实施的，不禁浑身战栗。经过管理所人道主义的待遇及学习改造后，他们最终恢复了人性，从肺腑里发出了清算自己、清算日本

① 即该书第五部第一章所述的"白杨树村"。

② 金源、邵名正、岳茂华、许章润著：《从战争狂人到朋友——改造日本战犯的成功之路》，群众出版社，1986年版，第33—34页。

军国主义罪行的呐喊，开始认识到自己是死有余辜的战犯！甚至在接受法庭审判时，不少人跪在地上，向中国人民真心谢罪，请求判处自己死刑。原陆军中将藤田茂在法庭上的陈述可谓其中代表：①

> 我在胜利了的中国人民的法庭面前，低头认罪。按我的罪行，杀一万个藤田茂也是应该的。凶恶的日本帝国主义把我变成了吃人的野兽，使我的前半生犯下了滔天罪行，中国政府教育我认识了真理，给了我新的生命。我在庄严的中国人民的正义法庭上宣誓，坚决把我的余生，贡献给反战和平事业。

就这样，经过战犯管理所的成功改造，这些日本战犯终于完成了从魔鬼到人的转变，创造了人类历史上的一大奇迹。

四、“中国归还者联络会”的成立

1956年11月，先行获释回国的战犯们决定成立“中国归还者联络会”（简称“中归联”），总部设在东京，并在各地方成立支部，成员包括全体从中国归来的前日本战犯。1957年2月24日，经选举产生了“中归联”临时常务理事会，国友俊太郎当选为理事长。9月22日，“中归联”由日本各地选出20名代表，在东京召开第一次全国大会。会议通过了《中国归还者联络会章程》，规定“本会以加深会员相互亲睦、相互帮助、为日中友好的发展与和平事业做贡献为目的”。②

1960年10月22日，“中归联”在东京召开第二次全国大会，来自各地支部的70余名代表出席，一致推选原第59师团长、陆军中将藤田茂为会长。大会修改了章程，将“中归联”的宗旨定为：“本会的目的是从人道主义出发，深刻反省参加第二次大战中对中国的侵略或对这种侵略的

---

① 袁韶莹・杨栧珍编著：《从人到鬼、从鬼到人——日本“中国归还者联络会”研究》，社会科学文献出版社，2002年版，第240—241页。

② 袁韶莹・杨栧珍编著：《从人到鬼、从鬼到人——日本“中国归还者联络会”研究》，社会科学文献出版社，2002年版，第265页。

赞同，并将此反省在国民之中推广，为和平和日中友好做贡献。”

从此，“中归联”这个由原日本战犯组成的进步团体，成为推进日中友好、反对侵略战争、反对军国主义复活的一支特殊力量。

1965年9月7日，以藤田茂为团长的“中归联”第一次访华代表团应邀访问中国。9月29日，代表团参加了在北京人民大会堂举行的盛大国庆宴会。周恩来总理亲切接见，并与他们合影留念，鼓励他们为中日友好、反战和平事业做出更大的贡献。

此后，尽管受到中国“文化大革命”的波及和影响，“中归联”自1966年10月至1986年10月，分裂为“中归联”（正统）和“中归联”两个组织，但两派依然积极组织反战演讲，出版反战书籍，为中日友好事业做贡献。1986年10月19日—20日，“中归联”在静冈县热海市召开全国统一大会，终于结束了长达20年的分裂局面。

1988年10月22日，统一后的“中归联”成员集资500万日元，在原抚顺战犯管理所内，修建了“向抗日殉难烈士谢罪碑”。三米多高的汉白玉碑雄伟壮观，引人注目。碑文写道：

> 我们在长达十五年的日本军国主义侵略中国的战争中，犯下了烧杀抢的滔天罪行。战败后，被关押在抚顺和太原战犯管理所，在那里受到了中国共产党、政府和人民“恨罪不恨人”的人道主义待遇，开始恢复人的良心，没想到根据宽大政策，一名也没有处死，全部释放回国，正当抚顺战犯管理所恢复原貌之际，在这里建碑表示向抗日殉难烈士谢罪的诚意，刻下决不允许再发生侵略战争，为和平与日中友好奋斗的誓言。①

据报道，当年“中归联”成员曾有意将此碑命名为“认罪碑”，而中方则提议用“纪念碑”，但这些日本老兵坚决不答应，几经商议，最终定名为“谢罪碑”。一字之易，真实体现了中国人民的真诚和善意，令老兵们非

---

①《国际先驱导报》2005年7月4日《日本战犯改造60年，揭开尘封已久的记忆》。

常感动。①

应该说,“中归联”成员的认罪是真诚的,他们为中日友好所做的事情是发自内心的。如长期担任“中归联”会长的藤田茂,多年致力于“中归联”及中日友好事业,曾四次率团访华,受到周恩来总理的亲切接见。周总理高度赞扬他为中日友好所做的贡献,赠给他一套中山服。1980 年 4 月 11 日,九十高龄的藤田茂溘然去世。临终前,特意嘱咐将周总理赠送的中山服穿在身上,以示九泉之下永远不忘中国人民的恩情。②

另外,该书所采访的十八名“中归联”成员中,汤浅谦曾任“中归联”常任委员长,筱塚良雄、铃木良雄、堀口久七、汤浅谦、渡部信一、鹿田正夫、金井贞直等曾任“中归联”常任委员,他们都为“中归联”的活动做出了贡献。他们表示:

> 我们活动的出发点是“认罪”即承认过去战争的错误。我们始终站在认罪的立场,不允许日本再次走向侵略战争之路,同时,努力为日中友好乃至世界和平做出微薄之力,携手共度我们不多的余生。③

五、“中国归还者联络会”的活动

“中归联”开展的“和平反战、日中友好”的活动是多种多样的。其中,最主要的一项,就是揭露当年日军侵华战争期间的暴行,控诉日本军国主义的侵略本质。1957 年 2 月,由“中归联”编集、光文社发行的《三光——烧光、杀光、抢光》一书出版,在日本社会上引起了强烈反响,第一

① 张静宇《“认罪碑”改为“谢罪碑”感动日本友人》,载《人民日报》2005 年 6 月 27 日第三版。

② 金源、邵名正、岳茂华、许章润著:《从战争狂人到朋友——改造日本战犯的成功之路》,群众出版社,1986 年版,第 3 页。

③ 参见季刊《中归联》网站(http://www.ne.jp/asahi/tyuukiren/web-site/)中的“中归联说明”。

版5万册20天内即告售罄①。此后，“中归联”又出版了《侵略——日本战犯的自白》、《我们在中国干了什么?》、《天皇的军队(1) 中国侵略》、《天皇的军队(2) 侵略》等多种著作。其中不少被译成中文。就笔者所见，有关“中归联”成员著作的中译本主要有以下几种：

1. 岛村三郎著、金源译:《中国归来的战犯》，群众出版社，1985年版。
2. 中归联·新读书社编、袁韶莹译:《侵略——日本战犯的自白》，山东人民出版社，1985年版。
3. 中归联编、祖秉和·霍军译:《日军侵华的自白》，群众出版社，1985年版。
4. 中归联编、吴浩然·李锡弼译、陈万枫校:《我们在中国干了些什么？——原日本战犯改造回忆录》，中国人民公安大学出版社，1989年版。
5. 中归联编、李亚一译、李铸校:《三光——日本战犯侵华罪行自述》，世界知识出版社，1990年版。
6. 中归联编、张惠才、韩凤琴、凌春、刘东生译:《侵华日军战犯手记》，中共党史出版社，1991年版。
7. 袁秋白、杨槐珍编译:《历史的见证——日军忏悔录》，解放军出版社，1995年版。
8. 袁秋白、杨槐珍编译:《罪恶的自供状——新中国对日本战犯的历史审判》，解放军出版社，2001年版。

其中，第三种是光文社1982年版《新编·三光》的中译本；第五种是晚声社1984年版《完全版·三光》的中译本。最后的第八种收录了原日本陆军中将铃木启久、陆军中将藤田茂、陆军中将佐佐真之助、陆军少将上坂胜、陆军少将长岛勤、以及伪满总务厅次长古海忠之、伪满宪兵少将

① 袁韶莹·杨槐珍编著:《从人到鬼、从鬼到人——日本“中国归还者联络会”研究》，社会科学文献出版社，2002年版，第273页。

斋藤美夫等24名官兵及伪满要员的供词。

另外，由中央档案馆整理的《日本侵华战犯笔供》全十卷，也将于今年八月由中国档案出版社影印出版。该书收录了1956年最高人民法院公开审判的45名日本战犯的亲笔认罪供词。为了真实地展现历史原貌，该书将受审战犯供词的日文原件和当年最高人民检察院按日文翻译的中译文原件全部影印刊出，未作任何删节。可与该书一同参看。

上述日本战犯手记，真实地再现了日本侵略者当年在中国犯下的滔天罪行：杀人、放火、掠夺、强奸、毒气战、细菌战、大屠杀、三光政策、制造无人区、强征慰安妇、刺杀活靶子、刀劈活人、活体解剖……累累罪行，罄竹难书；中华大地，生灵涂炭。读后令人窒息，令人发指，令人拍案，令人长叹!!

然而，以原东京大学教授藤冈信胜为代表的右翼团体"自由主义史观研究会"，却将"中归联"出版的《三光》及其他著作视为"自虐史观"的根源，公然宣称"没有三光政策"，"他们的证言是逼迫所为，是谎言"等。对此，"中归联"表示决不能袖手旁观，默认这些充满挑战的欺世之说，认为有必要向年轻一代讲述侵略战争的真相。为此，"中归联"成立了"季刊《中归联》发行委员会"，由富永正三会长任发行责任人；绘鸠毅任发行委员长；发行委员有三尾丰、汤浅谦、金井贞直、金子安次、新井利男等十四人。①

富永正三会长在"季刊《中归联》发刊宗旨"中写道：

> 我们共同经历了"人类—侵略战争—杀人鬼—战争犯罪—战犯—中国人的人道待遇—人类良心的回复"，并从中得出了强烈的反省，虽只是微薄之力，但我们始终实践着"和平反战和日中友好"。现在，我们最年轻的会员也已愈八十多岁，我们不否认活动能力的减退，但是，我们仍要进一步地集中力量，与日本反动势力的横行进

① 袁韶莹·杨槐珍编著：《从人到鬼、从鬼到人——日本"中国归还者联络会"研究》，社会科学文献出版社，2002年版，第422页。

行对抗，并特别深感向年轻一代讲述过去战争事实的必要性。

为此，决定出版季刊杂志《中归联》。不得已因高龄而力量不足，但我们将在广泛有识之士和支持者的指导和援助下，共同为了光明的日本未来而奋斗下去。①

1997年6月1日，《中归联》创刊号推出"日本在中国做了些什么"特集，共印刷三次，发行7000册。9月1日出版的第二期为"中国为日本战犯做了些什么"特集，发行4000册。12月1日出版的第三期为"战犯在中国撰写的手记，是虚伪的还是真实的"特集，发行3000册。……《中归联》的创刊发行，在日本社会引起了强烈反响，《朝日新闻》、《每日新闻》等各大报纸纷纷加以报道。②

《中归联》除了刊登有关侵华日军各种暴行的回忆性文章外，还多次刊载著名左翼学者家永三郎、藤原彰等教授的专题研究文章。特别是1999年6月第九期发表的《日本人的战争认识》，多角度全方位地解剖了战后日本对侵略战争认识不彻底性的历史和现实根源，堪称藤原彰教授的一篇力作，发表后不久被译成中文③，《新华文摘》2000年第四期进行了全文转载。

此外，季刊《中归联》还刊登了原抚顺战犯管理所所长孙明斋、金源等人的回忆文章，以及中国学者步平、王希亮等人的研究论文。

截至2004年12月，季刊《中归联》共发行31期。它有力地驳斥了"自由主义史观研究会"歪曲历史的错误观点，深刻地揭露了日本法西斯侵华战争的本质。为了进一步扩大影响，《中归联》还在网站上开设主页，将一些重要文章在网上予以公布。④

---

① 原文为中文，见季刊《中归联》网站(http://www.ne.jp/asahi/tyuukiren/web-site/)。

② 袁韶莹·杨槐珍编著：《从人到鬼、从鬼到人——日本"中国归还者联络会"研究》，社会科学文献出版社，2002年版，第422页。

③ 步平译，刊载于《抗日战争研究》1999年第四期。

④ 主页网址：http://www.ne.jp/asahi/tyuukiren/web-site/。

六、结语

2002 年 4 月 20 日,“中归联”在东京召开全国大会。与会者首先共同追悼刚刚故去的“中归联”会长富永正三和原抚顺战犯管理所所长金源。这种监狱长与原战犯同时被追悼的情景,在世界历史上是非常罕见的。由此证明,中国政府改造日本战犯的工作取得了巨大成功。

接着,“中归联”副会长大河原孝一满怀深情地回顾了这个由原战犯组成的、世界上独一无二的特殊群体所走过的 45 年光辉历程。最后遗憾地表示,由于健在的会员人数越来越少,平均年龄已经超过 82 岁,“中归联”全国组织不得不宣告解散。①

令人欣慰的是,“中归联”虽已落下帷幕,但由年轻一代日本人组成的“抚顺奇迹继承会”同时又宣告诞生。薪火相传,绵绵不息。如今,该组织在日本全国已有 11 个支部,500 多名成员正在继承“中归联”的事业,致力于听取战场体验和举行证言集会等活动。②

2005 年 4 月 23 日,胡锦涛主席与小泉纯一郎首相在印尼首都雅加达举行首脑会谈。25 日,“抚顺奇迹继承会”发表“只有正视过去,才能面向未来”的声明,指出这段时间中日关系之所以紧张,主要原因在于日本的政要缺乏反省和道歉的诚意。声明警告日本国民:

> 一切问题的根本就是应该如何看待过去战争的历史认识问题。败战之后已过 60 年,战争的记忆也已风化。但是,如果不对蒙受巨大伤害的亚洲各国进行真挚的反省,日本在亚洲就将无法生存下去。

声明还高度评价了“中归联”以“和平反战、日中友好”为奋斗目标的

---

① 袁韶莹、杨槐珍编著:《从人到鬼、从鬼到人——日本“中国归还者联络会”研究》,社会科学文献出版社,2002 年版,第 7—8 页。

② 参见季刊《中归联》网站(http://www.ne.jp/asahi/tyuukiren/web-site/)中的“抚顺奇迹继承会说明”。

精神，表明了为促进日中友好而继续努力的决心：

1950年，被关押在抚顺战犯管理所的1000名日本战犯们，在中国人道待遇中恢复了人类的良心，直至今日的半个世纪里，一直走着和平反战、日中友好的道路。这样的历史经验是日中两国共同创造出的财富。

我们决心继承这些原战犯们的精神，并在有诚意的对话和交流中，构筑日中友好的未来。①

2005年6月27日，"七·七"事变六十周年前夕，四位原"中归联"会员——大河原孝一、高桥哲郎、岛亚壇和绵贯好男，率领50名"抚顺奇迹继承会"会员，来到抚顺战犯管理所，参加抗日战争胜利六十周年纪念大会。当晚，这些日本年轻人住进了昔日战犯们住过的监舍，亲身体会当年战犯的实际生活，以加深对他们的理解。②

近年来，日本国内少数政要和右翼势力不断发表歪曲历史、否认战争罪行的言论，引起了中国、韩国等亚洲受害国人民的强烈不满和严重抗议。2005年8月2日，日本众议院通过了"战后60年决议"。该决议在谈到对历史的认识时丝毫没有提及日本的"殖民地统治"及"侵略行为"，与1995年日本国会通过的"战后50年决议"相比，显然是对历史认识的一大倒退。

我们殷切希望"抚顺奇迹继承会"的年轻朋友们，能够继承和发扬"中归联"的"和平反战、日中友好"精神，为促进中日友好事业做出新的贡献！

"前事不忘，后事之师"，"以史为鉴，面向未来"。衷心期盼中日两国人民牢记历史教训，携手共创美好的未来！

---

① 参见季刊《中归联》网站（http://www.ne.jp/asahi/tyuukiren/web-site/）中刊登的"2005年4月25日抚顺奇迹继承会声明"。原文为中文，引用时略有改动。

② 《国际先驱导报》2005年7月4日《日本战犯改造60年，揭开尘封已久的记忆》。

（本文为《日本老兵忏悔录》所撰写的“中译本前言”，标题为笔者所加，原著名『私たちが中国でしたこと——中国帰還者連絡会の人びと』，星彻著，叶世纯、张应祥、刘雨珍译，刘雨珍校订，宁夏人民出版社，2005 年版，第 1—22 页。）

人名索引

D

E

F

G

H

J

K

L

M

N

O

P

Q

R

S

T

W

X

Y

Z

书目索引

A

B

C

D

E

F

G

H

M

N

O

P

Q

R

S

T

W

X

Y

Z

后 记

今年是南开大学建校100周年，承蒙日本研究院院长刘岳兵教授和世界近现代史研究中心主任杨栋梁教授好意，将拙著《中日文学与文化交流史研究》纳入"百年南开日本研究文库"，深感荣幸。

1997年4月，在获得神户大学博士学位后不久，我便乘坐"燕京"号客轮来到南开大学，担任外文系日语专业（同年10月改名为外国语学院日语系）副教授。开始数月，学校尚未落实住房，暂住谊园，从日本带回来的十几箱书籍无处存放，在日本研究中心原主任俞辛焞教授的关照下，得以与校内其他兼职教师一样，在日本研究中心拥有一间自己的研究室，开启了我在南开的教学和研究工作。此后二十余年，作为日本研究中心的兼职副教授及实体化日本研究院的兼职教授，本人一直积极参加各类学术会议及讲座，充分感受到南开日研浓厚的学术氛围和敏锐的学术视野。另外，在日语系申报日语语言文学方向博士点及学科建设的过程中，得到杨栋梁教授、李卓教授、宋志勇教授、刘岳兵教授等历任院长的鼓励和支持；同时，在本人的学术研究中，也有机会向王家骅教授、米庆余教授、武安隆教授、王振锁教授、赵德宇教授等前辈学者多次请益，受益匪浅。记得从南开调往华东师范大学日语系的高宁教授常说，非常怀念南开日研浓厚的学术气氛和丰富的日文藏书，由衷感谢在此期间养成的严谨学风和开阔视野。我想这也是南开日研作为日本研究重镇的深厚底蕴所在，希望这一传统不断继承发扬，日语系和日本研究院的合作不断加强。

本书名为《中日文学与文化交流史研究》，收录了本人撰写的学术论文及书评20余篇，最早撰写于1995年，最晚完成于2018年，时间跨度长达20余年，基本涵盖了本人研究的几大领域。每篇文章的最后，都已标明原始出处。由于撰写时期不同，文章格式并不一致，内容方面有些重叠，收录本书时未做大的修改，力求保持原貌。需要说明的是，第十九章《晚清官民的日本政法考察述论》及第二十章《〈日本政法考察记〉所收书目解题》乃本人与孙雪梅博士编著《日本政法考察记》（上海古籍出版社2002年版）时共同执笔，此次承蒙孙老师好意，得以收入本书，谨表谢意。

由于不少文章是用日语发表在日本的各类著作和学术杂志，收录本书时，特请我已毕业的博士生宋丹（现任湖南大学外国语与国际教育学院副教授，京都大学招聘外国人学者）、占才成（现任华中师范大学外国语学院副教授，东京大学外国人研究员），以及在学的博士生钟薇芳、陈茜，硕士生施快快、张永维、蒋静瑶、胡晓晖等同学分担日文论文的翻译和校对工作，具体分工请参见各章之后的说明。此外，为方便读者，又请同学们制作了人名索引和书目索引。对于同学们辛勤而细致的工作，在此一并致以深深的谢意！

江苏人民出版社史雪莲女士及责任编辑卞清波先生为本书的顺利出版付出了诸多心血，特致谢忱！

路漫漫其修远兮，吾将上下而求索！

刘雨珍
己亥仲春于南开园